Sarah Cohen-Scali

Max

Gallimard

PREMIÈRE PARTIE

1

Je ne sais pas encore comment je vais m'appeler. Dehors, ils hésitent entre Max et Heinrich. Max, comme Max Sollmann, le directeur administratif du foyer qui va bientôt m'accueillir. Ou Heinrich, en hommage à Heinrich Himmler qui, le premier, a eu l'idée de ma conception et celle de mes camarades à venir.

Personnellement, j'aurais une préférence pour Heinrich. J'ai beaucoup de respect pour Herr Sollmann, mais il faut toujours viser haut dans la hiérarchie. Herr Himmler est plus important que Herr Sollmann. Il n'est ni plus ni moins que le bras droit du Führer.

Peu importe de toute façon, on ne me demandera pas mon avis.

Nous sommes le 19 avril 1936. Bientôt minuit.

J'aurais dû naître hier déjà, mais je n'ai pas voulu. La date ne me convenait pas. Alors je suis resté en place. Immobile. Figé. Oh! ça fait souffrir ma mère, bien sûr, mais c'est une femme courageuse et elle supporte ce retard sans se plaindre. D'ailleurs, je suis certain qu'elle m'approuve.

Mon vœu, le premier de ma vie à venir, est de voir le jour le 20 avril. Parce que c'est la date anniversaire de notre Führer. Si je nais le 20 avril, je serai béni des dieux germaniques et l'on verra en moi le premier-né de la race suprême. La race aryenne. Celle qui désormais régnera en maître sur le monde.

À l'heure où je vous parle, je suis donc dans le ventre de ma mère et ma naissance est imminente. Plus que quelques minutes à tenir. Mais en attendant, vous n'avez pas idée du trac qui me noue les tripes ! Je suis si inquiet ! Bien que je n'aie aucune raison d'en douter, je crains que le duvet de mon petit crâne de bébé, et plus tard lorsqu'ils pousseront, mes cheveux, ne soient pas assez blonds. Or *il faut absolument* qu'ils soient blonds ! Un blond platine. Le plus clair possible, sans la moindre nuance de châtain qui pourrait les ternir. Mes yeux, *je les veux* bleus. Un bleu transparent, comme une eau pure qu'on ne pourrait contempler sans avoir l'impression de s'y noyer. Je veux être grand et fort... Oh, mais je m'exprime mal ! Ce que je viens de dire est plat et fade, je n'arrive pas à trouver les mots justes. Normal. Je ne suis pas tout à fait fini, je ne suis qu'un bébé... Je ferais mieux de vous rapporter les mots de notre Führer. J'ai entendu un de ses discours il y a quelques mois, j'étais alors minuscule, un simple fœtus, mais sa voix était si forte, si vibrante, si puissante qu'elle a su trouver son chemin jusqu'à moi. J'en ai frissonné de plaisir et c'est d'ailleurs à ce moment-là que j'ai donné mon premier coup de pied dans le ventre de ma mère. Pour manifester ma joie.

Notre Führer bien-aimé a dit : «*Nous devons construire un monde nouveau ! Le jeune Allemand du futur doit être souple et élancé, vif comme un lévrier, coriace comme du cuir et dur comme de l'acier de Krupp!»*

Voilà. C'est exactement ce que je veux: être souple. Élancé. Vif. Dur. Coriace. Je mordrai au lieu de téter. Je hurlerai au lieu de gazouiller. Je haïrai au lieu d'aimer. Je combattrai au lieu de prier. Oh! mon Führer, je ne veux pas te décevoir! Je ne te décevrai pas! D'ailleurs, il faut que je me ressaisisse. Pourquoi ces craintes? Elles sont ridicules, injustifiées, il est évident que je vais ressembler à maman.

Laissez-moi vous parler de maman. Grande. Blonde. *Elle* noue ses beaux cheveux dorés derrière la nuque ou bien elle les tresse en couronne autour de la tête. Elle ne se maquille jamais. Le maquillage, c'est bon pour les femmes orientales, pour leurs yeux noirs et charbonneux comme des cafards! Répugnant! Le maquillage, c'est bon pour les putains! (Je n'ai pas peur des gros mots, même si je ne suis qu'un bébé. Il est inutile de ne pas parler franchement, voire crûment, à un bébé, ça ne sert qu'à l'affaiblir et le rendre craintif.) Revenons à maman et ses cheveux: ils sont raides comme des matraques, jamais elle n'a utilisé ces produits qui donnent d'horribles frisettes ou qui en changent la couleur – bon pour les catins! – elle ne fume pas, car ça nuit à la fécondité, et elle a des hanches larges. Elle n'est pas de celles qui vont chipoter sur la nourriture pour rester minces. D'ailleurs, à l'aube d'une guerre, ce serait vraiment ridicule, car les vivres manqueront un jour et il faut profiter de l'opulence tant qu'on peut en jouir.

Maman est vêtue d'une jupe brune, d'une chemise blanche et ne se chausse qu'avec des souliers à talons plats. Grâce à son large bassin, elle m'a porté sans aucun problème. Avant d'être contrainte au repos, elle a tenu à travailler ici, au foyer de Steinhöring, dans la banlieue de Munich. Elle a participé à l'aménagement et la décoration de nos pouponnières. Parce que, vous ne le savez sans doute pas, mais je ne suis pas le seul bébé à venir. Nous sommes des dizaines et des dizaines en route, la naissance des suivants est déjà programmée de longue date. Les dizaines deviendront des centaines, les centaines, des milliers. Nous allons former une véritable armée !

Les hanches épanouies de maman vont me faciliter la tâche : je vais pouvoir sortir sans effort, traçant le chemin pour mes futurs demi-frères et sœurs, car maman a juré à notre Führer qu'elle lui donnerait un enfant par an.

Quant à mon père, c'est un peu plus difficile de vous en parler précisément. Je ne sais pas qui il est. Je n'ai jamais entendu le son de sa voix. Je ne le connais pas. Et ne le connaîtrai jamais. C'est ainsi pour les enfants du futur. Nous n'avons qu'un seul et unique père spirituel : le Führer. Mon père biologique n'a rencontré ma mère qu'une seule fois. Une nuit. Pour me concevoir. Je sais qu'il est *Sturmbannführer* de la Waffen-SS, c'est-à-dire commandant. Encore deux grades et il sera colonel. Ce sera facile lorsque la guerre aura commencé, il tuera beaucoup d'ennemis et obtiendra les grades nécessaires.

J'espère que, plus tard, j'aurai un bel uniforme noir, comme lui.

Au début, sans savoir ce qui l'attendait, ma mère a postulé comme *Schwester*, c'est-à-dire «infirmière». Elle a écrit une lettre et on lui a répondu en la convoquant dans les bureaux de la Herzog-MaxStrasse. Là, elle a passé une série d'examens. On l'a pesée. On l'a mesurée. Debout. Assise. Accroupie. Penchée en avant. En arrière. On a étudié la forme de son crâne et on l'a mesuré. Mesuré aussi la hauteur de son front, l'emplacement de ses yeux et leur écartement. Mesuré la longueur de son nez, sa largeur, sa courbe. Mesuré la longueur de ses bras, ses jambes, son torse. Mesuré la distance qui sépare ses lèvres de son menton, ses pommettes de son nez. Mesuré son occiput, son cou. Les docteurs énonçaient plein, tout plein de chiffres que leurs secrétaires notaient sur un registre. Puis les secrétaires ont fait des additions, des soustractions, des multiplications dont elles ont écrit le résultat. Elles ont noté aussi la couleur de la peau de maman, de ses cheveux et de ses yeux : blanc, blond, bleu. De toute façon, maman ne serait même pas entrée dans les bureaux si elle avait eu une peau mate, des cheveux et des yeux bruns. Mais les docteurs ont aussi étudié la couleur de ses poils, aussi blonds que ses cheveux, peu nombreux, implantés dans le bon sens.

Ensuite maman est passée devant des doctoresses qui l'ont mise toute nue. Les doctoresses ont tout regardé à la loupe. Tout. Même à l'intérieur. Surtout à l'intérieur. Là où entrerait le sexe de son futur partenaire. Pour me fabriquer, moi. «*Alles in ordnung!*» elles ont dit.

Conclusion, maman a été déclarée «*convenant*

parfaitement à la sélection». C'est la meilleure appréciation! D'autres ont eu moins de chance, elles n'ont décroché que «*convenant moyennement*» et d'autres, enfin, «*pas du tout*». Celles-ci, elles ont été «réinstallées». Attention! C'est un mot codé, il ne veut pas du tout dire qu'on les a installées ailleurs. Non, il signifie qu'on les a «exterminées».

Poubelle! Raus! Kaputt!

Il y a les gros mots. Et les mots codés. Avec moi, on peut employer les uns tout autant que les autres. Les uns ne me choquent pas, et je connais le sens caché des autres. Enfin, pas tous, il va me falloir en apprendre une longue série au fur et à mesure que je grandirai. J'apprendrai aussi les noms de code. Très important, les noms de code. Le programme des années à venir, établi par notre Führer, en est criblé. Tenez, un exemple: pour l'instant, moi et mes petits camarades, nous devons naître dans le plus grand secret. Personne encore ne sait ce que signifie réellement *Lebensborn*, le nom de code de notre programme. Je vous le dis, mais ne le répétez pas. Ça veut dire «fontaines de vie».

La vie programmée. Réglée en fonction de paramètres précis, établis par avance. Une vie qui se nourrit de la mort.

Revenons à maman. Rien n'était encore gagné pour elle. C'est très difficile de devenir une *Schwester* accomplie! Pas donné à la première venue. Si maman avait réussi haut la main la première partie de l'examen, il restait la deuxième. Il lui a fallu réunir toutes les preuves de son appartenance à la race nordique et les présenter aux conseillers à la procréation, dans un autre bureau, celui du RuSHA (c'est l'Office supérieur de la race et du peuplement). Elle a fourni les papiers prouvant que ses ancêtres étaient allemands depuis 1750, qu'ils étaient en parfaite santé et que, dans leurs veines, il n'y avait pas une seule goutte de sang slave. Encore moins de sang juif... Alors, nous y voilà !

C'est sur ce point que j'ai des craintes. Parce que les papiers, c'est bien beau, mais tant qu'on n'a pas le bonhomme en face de soi, comment savoir ? Ce que je veux dire, c'est que si, par exemple, mon arrière-arrière-arrière-arrière-grand-père a eu la malheureuse idée de coucher avec une Juive, est-ce que, le mystère de la génétique aidant, une goutte du sang de cette créature inférieure ne va pas réapparaître dans mon sang à moi, et le contaminer, le pourrir ??? Ce serait terrible !... Comment le savoir ? Comment ? Impossible.

La seule certitude que j'ai, c'est que je suis un garçon. Oui, aucun doute sur ce plan-là au moins ; pour preuve : cette petite bosse au bas de mon ventre. C'est mon sexe. Mâle. Je suis bien content de ne pas être une fille ! Parce que les filles, quand elles deviennent femmes, elles sont soumises à la loi des trois K : *Kinder*, *Küche*, *Kirche*[1]. Alors que moi, je préfère le K de Krupp : chars, canons, fusils, guerre...

Bon ! Éliminons les mauvaises pensées ! Impossible que j'aie du sang juif dans les veines. Je n'ai rien à craindre.

_____

1. Enfants, cuisine, église.

Parce qu'il y a mon père.

Ce qui m'amène à la troisième partie de l'examen qu'a passé maman. Après avoir été observée par les experts en procréation, après l'étude de ses ancêtres, on lui a demandé d'envoyer une photo d'elle en maillot de bain. Les docteurs et doctoresses ont alors étudié la photo (je crois qu'ils ont pris des mesures à nouveau) et ils l'ont placée en regard d'autres photos : celles d'officiers SS, en maillot de bain, eux aussi. Pour savoir quelle serait la meilleure combinaison possible, la meilleure union. Imaginez que vous possédez un étalon et que vous voulez qu'il se reproduise : n'allez-vous pas choisir la jument la plus performante pour garantir un résultat optimal ? Comment Krupp, dont notre Führer est si fier, fabrique-t-il ses canons, ceux qui se tourneront bientôt vers nos ennemis pour les anéantir ? Avec le meilleur acier, bien sûr ! Et le meilleur acier est lui-même le résultat de la fusion des meilleurs matériaux. Moi, je devais être issu de l'union des corps les plus nobles. C'est pourquoi les docteurs et doctoresses, en examinant les photos, ont choisi mon père. Blond, yeux bleus, grand, élancé... Vous connaissez la chanson.

Donc, si jamais une toute petite, une minuscule, une microscopique goutte de sang juif a tenté de réapparaître, je suis sûr que mon père lui a réglé son compte la nuit où il s'est trouvé avec maman, ici, à Steinhöring, dans un autre bâtiment que celui où je vais naître.

Ah ! Il faut que je vous parle un peu de Steinhöring. C'est agréable de vous raconter tout ça, ça fait passer le temps, et à force de converser, on approche de minuit, du 20 avril, de ma naissance.

Le foyer, avant, c'était un asile. Un asile pour les déficients mentaux, les attardés, les débiles, quoi, tous ces êtres inutiles qui vivent à la charge de la société. Des parasites. On les a «réinstallés». (Pas la peine de me répéter, vous vous rappelez ce que cela signifie, n'est-ce pas ?) Ensuite, on a réalisé de gros travaux d'aménagement pour transformer l'asile. Le changement devait être radical. Un changement du tout au tout, à la mesure de la différence entre les anciens pensionnaires et les nouveaux. Les anciens représentaient la honte de la patrie, les nouveaux seront sa fierté.

On a tout d'abord désinfecté les locaux, puis on a créé des salons, des salles à manger, des salles d'accouchement, de visite, de soins, des dortoirs pour les jeunes mères, des pouponnières pour les bébés, des terrasses. Il a fallu abattre des murs, monter des cloisons, entourer le parc d'une enceinte et planter des arbres très hauts pour nous protéger des regards indiscrets. Un immense chantier réalisé en peu de temps, grâce à une importante main-d'œuvre qui a travaillé gratis : des prisonniers venant de Dachau – un camp où sont emprisonnés les Témoins de Jéhovah, les homosexuels ainsi que les opposants à notre Führer et au régime. (Il y en a malheureusement ! Mais bientôt, fini, ils seront «réinstallés» eux aussi !) Ils ont travaillé nuit et jour, sans relâche, et ont ainsi construit notre *Heim*, ainsi que le bâtiment que j'évoquais tout à l'heure. Là où ont lieu les rencontres. Les unions.

C'est un bâtiment plus petit. À l'intérieur on y trouve un salon de musique, une salle à manger – en général, les couples sélectionnés dînent tous ensemble avant de faire ce qu'ils ont à faire – et des chambres. Les chambres ne sont pas aussi accueillantes que les dortoirs du *Heim*. C'est fait exprès. Pas de mobilier superflu : un lit, une table, une grande fenêtre. Rien d'autre. Il y fait très clair. Très froid aussi. Pour que l'accouplement ne dure pas trop longtemps. Pour que les partenaires, si jamais ils se plaisent – ce qui n'est pas forcément le cas –, ne prennent pas goût à ce qu'ils font. Il y a, paraît-il, des filles qui tentent de se sauver au dernier moment, lorsqu'elles comprennent ce qu'on attend d'une *Schwester*. Qu'est-ce qu'elles croyaient, celles-là ? Qu'elles allaient choisir leur partenaire et filer le parfait amour ? Quelle naïveté ! Quelle lâcheté ! Il faut profiter des hommes, tant qu'ils sont vivants. Beaucoup vont mourir au champ d'honneur. Les naissances diminueront. Or l'Allemagne ne doit pas être un peuple de vieillards. Il faut y veiller ! À l'avance ! D'où notre programmation.

Désormais, l'accouplement est UN DEVOIR. Pour servir la patrie. Pour la faire sortir de la nuit et la guider vers la lumière. L'accouplement ne doit plus être un plaisir. La vie sexuelle (je le répète, je n'ai pas peur des mots et je sais déjà plein de choses) n'est plus une affaire personnelle, c'est une obligation, une tâche sacrée, vouée à des buts élevés. Même si ça fait mal. Même si c'est dur.

Je crois que maman a eu mal, lorsqu'elle s'est unie à mon père.

Je crois qu'elle ne connaissait pas la signification du mot codé *Schwester*.

Je crois qu'elle a failli renoncer et s'enfuir, elle aussi. Mais mon futur père et moi, nous l'avons encouragée. Mon père, en lui faisant boire une bonne rasade de schnaps, pour la réchauffer, pour qu'elle se détende et se prête à son devoir. Quant à moi, moi qui n'étais alors qu'une vague idée dans l'esprit de maman, juste une voix intérieure, je n'ai cessé aussi de la stimuler en lui répétant : « Il faut le faire, maman ! Il le faut ! Pour le mouvement national-socialiste ! Pour le Reich ! Pour ses mille ans de règne ! Pour le futur ! » Alors elle a gardé les yeux rivés sur le portrait du Führer, accroché au mur dans la chambre claire et froide. Elle a serré les dents et elle a tenu bon.

Elle l'a fait.

Et je suis là.

Et maintenant qu'il est minuit passé, j'y vais.

Je sors !

Vite ! Le plus vite possible ! Je veux être le premier de notre *Heim* à naître le 20 avril. Dans les salles d'accouchement, j'ai déjà plusieurs rivaux potentiels. Il me faut les devancer, ne serait-ce que d'une seconde.

Encouragez-moi !

Pensez à ce que je vous ai dit : je DOIS être blond. Je DOIS avoir les yeux bleus. Je DOIS être vif.

Élancé.

Dur.

Coriace.

De l'acier de Krupp.

Je suis l'enfant du futur. L'enfant conçu sans amour. Sans Dieu. Sans Loi. Sans rien d'autre que la force et la rage.

Heil Hitler!

2

Ç'a été dur. Très dur.

À vous, je peux l'avouer, mais ça restera entre nous, n'est-ce pas ? Car l'enfant du futur *ne se plaint jamais de la difficulté !*

N'empêche.

Devant moi, il y avait cet étroit tunnel dans lequel je devais m'engager et dont je ne voyais pas le bout. Rien. Pas la moindre lumière pour me guider. Ce n'était ni plus ni moins qu'une longue tranchée, jonchée de pièges et d'obstacles de toutes sortes, dans laquelle je pouvais, à tout moment, être retenu prisonnier. Néanmoins, un coup de tête, un mouvement d'épaule et je parvenais à élargir mon champ d'action. Mais pas de beaucoup. Pas suffisamment. Je me suis rendu compte que si je voulais progresser avec efficacité, il fallait que je change de position. Un quart de tour sur ma droite et je me suis retrouvé sur le ventre. Beaucoup mieux. J'ai pu gagner un peu de terrain. Seulement, il me fallait veiller à ne pas m'empêtrer dans mon harnais, ma corde de rappel, celle qui me maintenait en vie – « le cordon ombilical », si vous préférez le terme savant. Il était si comprimé que j'avais moins d'oxygène.

J'ai tenu bon. J'ai progressé, progressé le plus rapidement possible. J'ai rampé en terrain hostile à la force des bras, n'hésitant pas à donner des ruades, des coups de pied, de poing, de tête, comme un petit étalon, comme le petit guerrier que je suis... J'ai ainsi fait une bonne partie du chemin et j'ai commencé à apercevoir, loin, trop loin encore, une infime lumière qui me guidait dans les ténèbres. Elle brillait derrière la dernière barrière qui me restait à franchir... Le Col. Le fameux Col. La frontière vers le monde qui m'attendait.

Je devais le prendre d'assaut.

À l'extérieur, un vacarme infernal résonnait et me parvenait de plus en plus distinctement. Ça criait! Ça grondait! Ça tonnait! Un vrai bombardement! Ah çà! ma percée provoquait un sacré tumulte! Il y avait d'abord les cris de ma mère. Oh! Comme elle hurlait! Abominable! Aucune retenue! Pas très élégant de sa part, vraiment, de se laisser aller ainsi. D'un autre côté, chaque hurlement provoquait une contraction qui me propulsait en avant. L'aide était appréciable. J'avais l'impression d'être un boulet de canon catapulté vers le camp ennemi. Elle souffrait, maman. Elle serrait les dents, comme la nuit où elle avait rencontré mon père pour me fabriquer. Craignant tout de même qu'elle ne flanche au dernier moment, j'ai marqué quelques temps d'arrêt afin de lui permettre de récupérer. Lorsque j'ai senti qu'elle était proche de l'épuisement, je lui ai soufflé de ma petite voix intérieure: «Accroche-toi! Tiens bon! Ne quitte pas des yeux le portrait de notre Führer!» (Je sais qu'il y en a un, accroché dans la salle d'accouchement. Il y en a, de fait, dans toutes les pièces du *Heim*.) «Notre Führer te regarde! Tu as juré de lui offrir un bel enfant, ton *premier* enfant, c'est le moment de tenir ta promesse!» Alors elle s'est ressaisie, elle a serré les dents une nouvelle fois et elle a soufflé un bon coup avant de pousser, pousser, POUSSER FORT, comme le lui demandait la sage-femme dont j'entendais la voix. (Quelle gueularde, celle-là aussi!)

Maman s'est vraiment surpassée à partir de ce moment-là. Elle a refusé l'aide médicale qu'on lui proposait, un médicament pour moins souffrir. Bravo! C'était tout à son honneur. Et ça servait mes plans. Parce que, dans la salle d'à côté, mon rival progressait rapidement lui aussi. À ceci près que sa mère, moins courageuse que la mienne, a accepté l'aide médicale, si bien que le personnel a jugé qu'on pouvait la laisser un moment, et toute l'équipe médicale s'est mobilisée autour de moi et maman. Josefa, l'infirmière en chef, a rejoint la sage-femme, accompagnée de trois autres infirmières. Beau comité d'accueil!

Josefa a posé les mains sur le ventre de maman, à l'endroit précis où j'avais pris position. Alors que je m'apprêtais à reprendre l'offensive, elle s'est tout à coup mise à crier: «Mon Dieu! Il est gros! Oh! oui, je crois qu'il est vraiment très gros!» Et elle a décidé d'appeler le docteur Ebner.

Oberführer SS Gregor Ebner.

Le médecin-chef de la maternité. Celui qui décide de tout. Qui a pouvoir de vie et de mort. Le représentant de notre Führer dans le *Heim*.

Je me suis senti si honoré! Imaginez un peu, les soldats de première classe, fraîchement engagés, ont très rarement la chance de se voir octroyer l'aide de leur colonel en personne! Je me suis dit qu'il fallait me montrer à la hauteur et faire preuve de tous mes talents stratégiques pour la dernière bataille. Sans oublier que l'objectif était de garder le docteur Ebner auprès de maman et moi. Il ne fallait surtout pas qu'il aille voir ce qui se passait dans la salle d'à côté. Des fois qu'il aide mon rival! Je devais profiter de mon avantage: sa mère, soulagée de la douleur, poussait moins, il allait sûrement prendre du retard. Il ne me restait plus qu'à creuser l'écart. À rassembler mon courage pour me lancer à l'assaut du Col.

À toute vitesse.

J'y suis allé. J'ai foncé, tête en avant. Mais c'était sans compter sur les deux os qui tout à coup ont fait une saillie de part et d'autre de mon crâne. De vrais pics! Et moi qui pensais que ma mère avait un bassin large! Je m'étais montré bien présomptueux!... Saleté d'os! Mon nez ripait contre, puis ma bouche, mon menton. Mais j'ai fait fi de la douleur et je me suis retrouvé la tête collée à la barrière du Col. J'ai foncé avec davantage de vigueur encore. *Allez! Allez! En avant, toute!* Peu importaient les déformations que je m'infligeais! J'allais avoir un crâne en tête d'obus à la sortie, et alors? Les guerriers ne se soucient pas de l'esthétique. Et puis les os d'un bébé sont malléables, je ne doutais pas que, même si j'avais la tête ratatinée à l'arrivée, elle retrouverait sa forme par la suite. Le principal, c'était de figurer en première position dans le registre des naissances du 20 avril. J'ai mobilisé toutes les forces dont je disposais et résultat : la barrière a fini par donner des signes de faiblesse. Oh ! oui, je le sentais à chaque poussée, elle commençait à céder. Jusqu'à ce que... Vlan ! Elle s'est ouverte !

GAGNÉ !

Je me suis enfin expulsé à l'extérieur. Il était minuit et une seconde. Si ce n'est pas de la précision, ça !

La première chose que j'ai vue une fois dehors, ce sont les mains du docteur Ebner. Gantées de blanc, elles paraissaient d'autant plus longues. Fines. Pâles. Osseuses. Elles m'ont saisi avec une force que leur apparence ne laissait pas présager. Il les a flanquées de part et d'autre de ma tête, on aurait dit un étau, puis il m'a attrapé par les épaules et il a tiré. Tiré.

J'ai hurlé.

Pour signifier que j'étais bien vivant. Bien oxygéné.

– Bravo, Frau Inge ! a crié Josefa. C'est un garçon ! Il est magnifique ! Vous pouvez être fière !

Merci du compliment. Mais ce n'était pas un scoop pour moi.

J'ai continué mon repérage et j'ai aperçu alors les grandes bottes noires à tige que couvrait en partie la blouse blanche du docteur Ebner. Magnifiques ! J'aurais aimé me glisser dans l'une d'elles. J'en aurais bien fait mon berceau. J'ai vu aussi les taches de sang sur le blanc de la blouse. Le sang de maman. Le mien, peut-être ? Même pas un haut-le-cœur ! Ou un petit hoquet ! Rien de plus normal qu'il y ait du sang après un combat.

Autant m'y habituer dès maintenant. Après, mes yeux se sont fixés sur l'insigne en or du parti, accroché sur le col de la blouse du *Herr Doktor*. Comme il était beau ! Comme il brillait !

J'ai hurlé. Encore et encore. Parce que j'aurais bien voulu l'attraper, cet insigne doré, il me plaisait tant ! Mais je n'y arrivais pas. J'ai abandonné cette idée et j'ai déplacé mon regard vers le visage du docteur Ebner. Bien sûr, ma vue était à ce moment-là loin d'être parfaite, mais suffisante pour discerner un crâne chauve, lisse et brillant lui aussi, comme l'insigne du parti. J'ai vu qu'une grosse veine saillait sur le côté, en haut de sa tempe. J'ai vu que ses lèvres étaient aussi droites que les tiges de ses bottes. Et serrées. Elles ne souriaient pas. J'ai vu que le *Herr Doktor* portait des lunettes rondes, et que, là-derrière, il m'observait de son regard. Bleu. Clair. Si clair. Transparent. Un gouffre d'eau dans lequel j'avais l'impression de plonger, de me noyer. Une eau glaciale. J'ai eu soudain froid. Très froid.

J'ai hurlé de plus belle.

À travers mes cris, j'ai entendu que Josefa s'inquiétait pour la mère d'à côté. Il y avait un problème avec son bébé qui – quelle andouille ! – s'était arrangé pour faire des nœuds dans sa corde de rappel. Josefa a prié le docteur Ebner d'aller la voir. Il a levé sa main gauche pour lui signifier de se taire – il me tenait serré contre lui au creux de son bras droit – et lui a ordonné de se débrouiller seule avec la sage-femme. Parce qu'il voulait m'examiner d'abord. Moi.

Grosse frayeur.

Je savais ce que cela voulait dire. Cela signifiait

que si j'avais remporté la course contre la montre, ma victoire n'était pas encore entérinée. Comme maman pour devenir *Schwester*, je n'avais passé que la première épreuve pour être consacré « *bébé du Troisième Reich, premier-né de la race aryenne* ».

Il restait l'épreuve des mesures.

Il y avait un tableau affiché dans la salle d'accouchement. (Ce tableau, comme le portrait de notre Führer, figure dans toutes les pièces du *Heim*.) Il présente la classification des races aryennes. En première position, la « race nordique » ; en deuxième, la « westphalienne », race de l'union avec la terre, et en troisième, la « dinarique », celle de l'amour profond pour la patrie. Les célèbres Bismarck et Hindenburg sont de purs westphaliens, pour vous citer deux exemples. Mais un homme, un seul, symbolise l'union parfaite des trois meilleures races : le Führer.

Où allais-je donc me situer, moi, dans ce classement ?

Le docteur Ebner a coupé d'un coup de ciseau très sec ma corde de rappel – elle ne m'était plus d'aucune utilité. Chlac ! Et il m'a emmené dans une pièce adjacente. Loin de maman. Elle voulait me prendre dans ses bras, mais le docteur Ebner n'a pas fait cas de sa demande. Quant à moi, si l'instant d'avant j'aurais tout donné pour téter un mamelon, n'importe lequel, et donc faire un tour dans les bras de maman qui avait de quoi me satisfaire, j'avais à présent l'appétit coupé. Pourquoi ? Parce que Ebner a exigé qu'on ne le dérange sous aucun prétexte.

Pas bon du tout, ça.

Il a fait appeler sa secrétaire, qui, après nous avoir rejoints dans une pièce qui ressemblait à un laboratoire, s'est assise à un bureau et a ouvert un grand registre devant elle. Il y avait plein de colonnes sur la page vierge. Ma page.

Quand le docteur Ebner demande à être seul avec un nouveau-né, c'est très mauvais signe.

J'ai entendu des bruits qui couraient dans le *Heim* quand j'étais encore dans le ventre de maman. (Il y a des femmes qui ne savent pas tenir leur langue, des pies qui jacassent sans trêve et font peur aux autres.) Certaines ont prétendu que lorsque le docteur Ebner, seul avec sa secrétaire dans son laboratoire, examine un nourrisson et le juge non conforme, il le «réinstalle». Lui-même. Ensuite, sa secrétaire inscrit sur le registre : «Mort-né» (= mot codé).

Je n'en menais pas large, vous pouvez me croire. Mais, comme maman, j'ai serré les dents – du moins les mâchoires. Et je me suis préparé au pire sans une plainte. Juste les vagissements de rigueur. Ma vie serait courte, et alors ? Elle appartenait à mon Führer.

Après m'avoir lavé, le docteur m'a posé sur une petite table à côté de laquelle étaient rangés, bien alignés, divers instruments. J'ai reconnu, entre autres, une balance, un mètre, un compas et une petite boîte, une sorte d'écrin à bijoux qui contenait cinq à six paires d'yeux – pas des vrais, des yeux en verre – avec des nuances différentes de bleu. Il y avait également une palette d'échantillons de cheveux allant du châtain foncé au blond le plus clair. À part, séparée des autres instruments... une seringue.

Ebner a commencé l'examen.

«Taille : 54 centimètres.

Poids : 4 kilos et 300 grammes.»

Ce sont les seuls chiffres que j'ai retenus, car il y en a eu tant d'autres par la suite et je hurlais tellement que je n'entendais plus la voix du docteur Ebner qui les énonçait à toute vitesse.

Longueur des bras.

Longueur des bras étirés par rapport au bassin.

Longueur du torse.

Courbe du creux du torse.

Longueur des jambes, du sexe, des pieds, des mains.

Écartement des doigts, des orteils.

Largeur des oreilles.

Écartement du lobe.

Écartement des yeux.

Il a ensuite évalué mes réflexes. Réflexe de succion : il m'a présenté son doigt et je me suis empressé de l'attraper, j'ai tété. Fort. Goulûment. Son doigt avait le goût du métal, de l'acier. Du Krupp de la meilleure qualité. C'était bon. Réflexe des points cardinaux : il me stimulait en m'effleurant à n'importe quel endroit et je tournais aussitôt la tête vers la direction indiquée. Ensuite il m'a présenté ses deux index, je les ai serrés, serrés fort, tellement qu'il m'a soulevé. J'ai enchaîné *illico presto* sur le réflexe de la marche automatique : un pied devant l'autre, même si ça tanguait sérieusement. J'avais l'impression d'être accroché à un parachute. Si Ebner me lâchait, c'était le crash assuré, et mes jambes sur lesquelles je poussais lorsque je rencontrais le sol me semblaient aussi molles que de la guimauve.

Après ça, Ebner s'est mis à taper des mains, très fort. Quel choc! J'ai derechef déployé les bras, doigts écartés, puis je les ai ramenés sur ma poitrine, poings fermés. Jusque-là tout allait pour le mieux, j'étais confiant, je me fiais à mon instinct, le docteur Ebner paraissait satisfait. Parce que la veine qui battait sur le côté de son crâne chauve avait presque disparu.

Il a ensuite saisi les échantillons de cheveux, les a posés sur ma tête et a dit à sa secrétaire de noter que mon duvet était très, très clair. (*Deux fois* clair, Dieu merci!) Pour les yeux, il s'est servi de la petite boîte qui contenait les yeux en verre. Il a choisi un œil qui était tout en haut de l'écrin et l'a approché des miens. « 2 c ! a-t-il énoncé. À confirmer d'ici deux mois. » Vu que l'œil de référence était bleu, j'en ai déduit que les miens l'étaient aussi. « 2 c », est-ce que ça voulait dire « *deux fois clair* », comme pour mon duvet? À mon avis, de ce côté-là, je n'avais rien à craindre non plus, Ebner avait l'air confiant.

On en est arrivé à l'examen de mon crâne. Un examen rigoureux, minutieux. Qui m'a semblé durer des heures. Ebner l'a longuement, très longuement palpé de ses doigts métalliques. Le dessus, les côtés, l'arrière, les tempes. Le front. C'est là que j'ai commencé à perdre la confiance que je venais de regagner avec les chiffres, les réflexes, la couleur des cheveux et des yeux. Oh! comme j'ai regretté de m'être battu si sauvagement dans la tranchée avant de sortir, parce que, idiot que j'étais, j'avais déformé mon crâne! Il était ovale, « en pain de sucre ». Pas rond. Rond comme celui du docteur Ebner, justement.

Comme il était chauve, on voyait bien qu'il avait la forme d'un ballon de foot, alors que le mien n'était qu'un minable ballon de rugby.

Mauvais crâne.

Malheureux! Voilà que j'échouais sur le tout dernier, l'ultime critère de sélection. Lorsque le docteur Ebner a saisi le compas et l'a approché de mon crâne, je n'ai plus douté une seule seconde du verdict. Mon sort était réglé. J'ai bien vu que l'écartement du compas était trop grand. Si seulement j'avais su! Il eût mieux valu que je naisse après mon rival – tiens, était-il arrivé, lui, entre-temps? me demandai-je machinalement malgré mon désarroi. Au moins, je ne me serais pas abîmé ainsi.

Allez, Oberführer *Ebner! Qu'on en finisse! Autant me «réinstaller» tout de suite, je le mérite bien!*

La pointe du compas s'est approchée, plus près, encore plus près... J'ai fermé les yeux et serré mes petits poings de toutes mes forces avant qu'elle n'atteigne mon cœur qui battait comme un tambour. Tout mon sang refluait vers ma tête, j'étais cramoisi, le crâne prêt à exploser comme une bombe.

Mais je n'ai pas senti la pointe me transpercer... Que se passait-il? Le docteur avait-il pitié? Cela ne lui ressemblait guère. Et de toute façon, moi, je ne voulais pas de sa pitié! C'était déshonorant! Ou bien... Ce n'était pas avec le compas qu'il allait me «réinstaller», mais avec la seringue que j'avais aperçue sur la table tout à l'heure. Évidemment! La seringue servait à la piqûre de «réinstallation».

C'est alors que, malgré mon état de panique et mes hurlements – que je n'avais pas interrompus tout ce temps – j'ai vu Ebner inscrire lui-même sur une feuille de brouillon saisie en hâte une nouvelle série de chiffres. Ensuite, il a fait un calcul mental à haute voix :

« L'indice céphalique étant le diamètre transverse sur le diamètre antéropostérieur multiplié par cent, nous arrivons à un résultat... de 86 millimètres. *Quatre-vingt-six millimètres !* Notez ! Notez vite ! a-t-il ordonné à sa secrétaire. La saillie occipitale à l'arrière est bien marquée et il n'y a pas de bombement frontal. L'indice céphalique confirme donc ce qui apparaît visuellement, à savoir la tête longue et étroite du sujet nourrisson. »

Il a observé un temps d'arrêt puis, s'adressant toujours à sa secrétaire, il a prononcé un mot dont je n'ai pas saisi le sens : « Conclusion : l'enfant est dolichocéphale, a-t-il dit. Il répond donc à tous les critères sans exception. Il convient parfaitement à la sélection. »

Comment ça ? Sa langue avait-elle fourché ? Avait-il dit « parfaitement » au lieu de « pas du tout » ?... Je n'y comprenais plus rien. « Dolichocéphale », ça ressemblait à « hydrocéphale », soit les bébés qui ont plein d'eau dans la tête, non ? Les infirmes, les débiles, comme ceux qui logeaient ici avant que l'asile devienne un *Heim*.

Mais non. Après avoir écrit sur son registre les paroles du docteur Ebner, la secrétaire est venue le rejoindre et s'est penchée au-dessus de moi. Tout sourires, elle s'extasiait et ne tarissait plus d'éloges. Alors, les idées se sont remises en place dans mon crâne déformé – enfin, pas si déformé que ça finalement. J'ai compris que la «dolichocéphalie», c'est l'atout ultime qui vous classe dans la race aryenne nordique.

Hourra!!!

Victoire!!!

Cette fois, ça y était, je pouvais vraiment crier victoire. Et je ne m'en suis pas privé.

J'ai gueulé. GUEULÉ.

3

J'ai eu plein de cadeaux après ma naissance. Plein.

D'abord, les cadeaux traditionnels, ceux que tous mes petits camarades ont reçus : un candélabre, fabriqué par un prisonnier de Dachau, et un Mark (une somme symbolique). À chacun de nos anniversaires, nous recevrons un Mark supplémentaire et une bougie pour orner le candélabre. Et moi, comme je suis né le même jour que notre Führer, j'ai eu droit en plus à un livret de Caisse d'épargne qui sera régulièrement approvisionné.

Il n'est pas beau, ce début de vie ?

Attendez, ce n'est pas tout. Il paraît que je vais recevoir un quatrième cadeau. Une surprise. Josefa en a parlé à maman sans lui révéler de quoi il s'agissait. Mais, à l'air tout émoustillé qu'elle a pris – elle est devenue rouge écarlate, elle a raidi le buste, s'est mise au garde-à-vous et a porté la main à sa poitrine comme si elle manquait d'air – je me suis dit que ce ne devait pas être anodin. Ce doit être une surprise de taille. Quelque chose d'important, d'impressionnant. J'ai bien une idée, mais ce serait tellement beau que je n'ose y croire. Enfin, peut-être ? Pourquoi pas, après tout ? Je suis arrivé le premier, j'ai passé toutes les sélections haut la main, alors... Oh! quand j'y pense, j'en ai des nœuds dans le ventre! Bon, on verra bien si mon rêve se réalise.

En revanche, il y a une chose qui me contrarie : je n'ai toujours pas de nom, pas même un prénom. Rien ne presse, à ce que dit le personnel, puisque mes camarades et moi n'avons pas besoin d'être inscrits au registre de l'état civil et que nous ne portons pas le nom de nos mères. D'ailleurs, personne ne connaît le nom de personne ici. Les *Frauen* ne s'appellent que par leurs prénoms... Rien ne presse. Facile à dire! Moi, j'ai hâte d'être fixé, car en attendant maman m'appelle «Max», comme si le choix de mon prénom lui revenait. Pire encore, chaque fois qu'elle me prend dans ses bras, c'est-à-dire trois fois par jour, elle me donne du «mon Maxounet», ou m'affuble de je ne sais quelle locution idiote et bêtifiante : «mon bébé d'amour», «mon chéri», «mon tout petit ».

Je ne suis pas son amour. Je ne suis pas son chéri. Je ne suis surtout pas petit! Je suis grand. Fort. Dur. A-t-elle oublié la façon dont j'ai été conçu? Heureusement que Josefa veille. Elle réprimande souvent maman :

– Frau Inge, voyons! Veuillez parler correctement à cet enfant! Il vous entend, il vous comprend, ne lui polluez pas ainsi la cervelle!

Maman a dû faire une drôle de tête lorsque Josefa lui a dit ça, parce que celle-ci a ajouté dans un murmure compatissant :

– Bon, si vous voulez absolument lui donner un surnom, je vais vous confier celui que nous avons trouvé peu après sa naissance : *Klein Kaiser*. «Petit Empereur».

Klein Kaiser. Deux K. Pas mal. Mieux que Max, en tout cas. En attendant.

Maman est soucieuse. Elle s'évertue à trouver une ressemblance entre nous. Je le devine à cette façon si particulière qu'elle a de me scruter par moments, les sourcils froncés et l'air interrogateur, préoccupé. À en juger par la mine un rien renfrognée qu'elle affiche alors, nous ne nous ressemblons pas. D'ailleurs, les autres *Frauen* le confirment : «Oh! mais ne vous inquiétez pas, c'est qu'il doit tenir de son papa, ce jeune homme!» Et maman de réfléchir, réfléchir. De rassembler ses souvenirs : le papa, le papa... Comment était-il donc, le papa? Elle ne s'en souvient pas. Normal. Il faisait nuit, il faisait froid, l'union a été courte et maman ne regardait que le portrait du Führer. Peut-être lui est-il resté simplement l'effluve d'un parfum, ou l'odeur âcre d'une forte suée, d'une haleine avinée, l'écho d'une voix, d'un râle, la brève vision d'un tatouage sous une aisselle – les officiers SS ont leur groupe sanguin tatoué à cet endroit. Bien utile en cas de transfusion.

J'ai l'impression que maman a parfois de mauvaises pensées. Je le sens, je le perçois. À cette manie qu'elle a de se raidir tout à coup quand elle me tient dans ses bras. Oh! juste un peu, pas beaucoup, c'est à peine perceptible. Néanmoins je devine que dans sa tête se bousculent des tas de pensées : des interrogations, des doutes. Des regrets?

Pas bon, les doutes. Les interrogations, encore moins. Il ne faut jamais s'interroger. Il faut avoir une confiance aveugle en notre Führer! Quant aux regrets, eh bien, c'est trop tard!

Quand je sens maman flancher comme ça, je me mets à hurler. Le fait est que son attitude a des conséquences désagréables pour moi. Son regard dérive dans le vide, elle laisse aller son buste en arrière et résultat, son sein s'échappe de ma bouche, je n'arrive plus à viser pour l'attraper et je ne peux plus téter. Furieux, je donne alors le maximum de sonorité à mes pleurs et ça ne manque pas, j'attire aussitôt l'attention du docteur Ebner qui, de là-haut, de son bureau, au dernier étage du *Heim*, reprend sa longue-vue pour surveiller la terrasse où nous nous tenons avec les autres. Maman, qui sent alors l'œil de la longue-vue fixé sur elle, scrutant le moindre de ses mouvements, se reprend. Elle étire ses lèvres tremblantes pour s'efforcer de sourire. Et se remet à me nourrir.

Je tète, je tète. Vigoureusement. Farouchement. Par moments, je mords un peu.

Je dois reconnaître que, de ce côté-là, je n'ai pas à me plaindre. Maman est une très bonne nourricière. Pour l'instant, alors que nous en sommes à quelque chose comme trois jours après ma naissance, les infirmières ont noté dans leur registre que maman m'avait déjà donné 17 620 grammes de lait. Beaucoup plus que les autres mères. Il faut qu'elle poursuive sur cette lancée. Si elle continue à me nourrir autant, elle aura droit à une prime et elle pourra prolonger son séjour au *Heim*. Quant à moi, puisque je fais équipe avec elle, je pourrai ainsi battre un record. Comme à ma naissance.

Oh! au fait, j'y pense tout à coup, je ne vous ai pas donné de nouvelles de mon challenger, mon rival.

Kaputt. Tot. Mort.

Vraiment mort-né, hein, cette fois, pas «désinfecté». (J'ai appris un nouveau mot codé: «désinfecter», cela signifie «euthanasier».) De fait, mon rival s'est désinfecté tout seul en s'étouffant avec sa corde de rappel. La sage-femme n'a pas pu démêler tous les nœuds dans lesquels il s'était empêtré. Elle a eu la peur de sa vie lorsqu'elle a dû annoncer cette perte au docteur Ebner. Pour le coup, elle risquait fort d'être «réinstallée». Mais Ebner ne s'est pas du tout mis en colère. Au contraire. Après avoir jeté un bref coup d'œil au petit cadavre, il a félicité la sage-femme d'avoir ainsi fait l'économie de la piqûre qu'il aurait fallu lui administrer s'il avait vécu. Une piqûre dans le crâne au niveau de la fontanelle. Un petit sursaut, un petit hoquet, et hop! fini! C'est complètement indolore. (J'avais vu juste dans le laboratoire où j'ai passé les tests: la seringue qui m'avait fait si peur, elle servait bien à la «désinfection».)

Pourquoi aurait-il fallu désinfecter mon rival, vous demandez-vous? Parce qu'il est impossible de garder au *Heim* une recrue *unharmonisch*. Figurez-vous que le bébé était brun! Bon, les têtes brunes, on peut s'en accommoder, faute de mieux, mais il y a différentes nuances de brun. Mon rival était brun-noir, noir corbeau. Et velu avec ça, un vrai petit singe! Et mat de peau pour couronner le tout!... Ebner a tout de même laissé éclater sa colère. Sur les employés du RuSHA auxquels il a réclamé l'ensemble des fiches relatives à l'union qui a engendré ce produit défectueux. Il y avait bien une faille quelque part ! Soit du côté de la mère, soit du côté du père. L'un des deux avait sûrement falsifié son certificat d'aryanité. Ou alors, c'est ce que je vous disais avant ma naissance : la génétique demeure encore trop mystérieuse. Heureusement que bientôt on pourra la contrôler pour éviter des ratés comme celui-ci. Les erreurs de ce type sont fort utiles pour l'avenir.

En l'occurrence, ce n'était pas la faute à la génétique. Frau Bertha, la mère du petit singe, c'est elle qui avait triché. Elle avait un Juif parmi ses ancêtres ! Elle a été transférée tout de suite après l'accouchement dans une usine de munitions. Elle ne pouvait plus donner d'enfants au Führer, qu'elle travaille ! Qu'elle se rende utile d'une autre façon !

Cette malencontreuse histoire a donc servi mes plans. Ma victoire a été d'autant plus grande. Mon premier mort au combat ! Tué dans l'œuf.

Bon, ne parlons plus de choses désagréables. Profitons un peu du soleil et du calme.

En ce moment, un doux soleil de printemps darde ses rayons sur la terrasse où sont alignés nos berceaux. Il y en a une bonne trentaine. Peut-être plus. Et le calme règne, parce que j'ai donné le signal pour ça. Tout à l'heure, quand j'ai lancé les pleurs, tous mes petits camarades m'ont imité. Ça hurlait de partout ! Les infirmières ne savaient plus où donner de la tête. Puis je me suis tu et les autres ont suivi. Je suis un vrai chef de troupes.

J'apprécie le silence pendant la digestion pour

mieux m'endormir après. Nos berceaux sont donc alignés sur la terrasse. En rang d'oignons, ils forment une ligne droite, parfaite, comme un bataillon prêt à donner l'assaut. Ce sont de très beaux berceaux, grands, confortables, recouverts d'un ample tissu blanc dont les ourlets sont ornés de volants. Ils nous protègent aussi bien du soleil lorsqu'il est trop violent – nos yeux clairs sont particulièrement fragiles, ne l'oubliez pas – que des regards indiscrets. Nous sommes à la campagne et il vaut mieux se méfier des paysans du coin. Le docteur Ebner a dessiné lui-même nos berceaux et il a exigé que leur matériau soit très solide pour éviter tout accident. Le tissu dissimule des barreaux. Ebner veille vraiment à tout, vous savez. C'est lui qui recrute les infirmières et les nourrices. Qui calcule les vitamines que nous devons recevoir. C'est finalement notre père à tous. Il va réglementer notre vie depuis les langes que nous portons actuellement jusqu'à l'uniforme de SS dont nous aurons un jour l'honneur d'être vêtus.

Grâce à lui, notre environnement est d'une propreté éblouissante. Les meubles du *Heim* sont très beaux et bientôt, paraît-il, d'autres, beaucoup plus luxueux encore, nous seront livrés. Ceux qui ont été réquisitionnés aux opposants du régime. Les *Heime* supplémentaires qui se construisent un peu partout dans le pays pourront être meublés grâce aux prises de guerre quand celle-ci aura commencé. Dans les années qui viennent, il y aura tellement plus encore ! Toutes les richesses volées par les Juifs, nous les reprendrons. Dans l'Europe entière !

Ebner veille également à l'extension du jardin potager. Le régisseur y fait pousser des carottes, des épinards, toutes sortes de légumes, autant de sources de vitamines pour nous autres lorsque nous serons en mesure d'avaler des repas solides. La propriété qui entoure le *Heim* ne cesse de s'étendre et l'on fait appel de nouveau à une main-d'œuvre extérieure. Je vous l'ai déjà dit tout à l'heure, Ebner surveille tout le monde avec sa longue-vue : le comportement des mères avec leurs enfants, les nourrices, les infirmières, les livraisons, il veille à ce qu'aucun paysan ne franchisse la propriété. On en aperçoit certains de temps en temps, qui essaient de jeter un œil par-ci par-là. *Raus!* Ebner leur envoie aussitôt un maître-chien.

Notre tranquillité est donc assurée.

Mais il faudrait qu'Ebner dispose aussi d'un autre système de surveillance, un système d'écoute. Parce qu'on en entend de bonnes, vous savez. Lorsque les mères se retrouvent toutes ensemble comme en ce moment, qu'est-ce qu'elles causent!

Je vous rapporterai leurs bavardages un peu plus tard. Ce sera l'occasion de vous présenter quelques-uns de mes petits camarades. Pour l'instant, impossible.

Mobilisation générale.

Les secrétaires, les infirmières et le régisseur arrêtent leur travail, Ebner quitte son poste d'observation à la fenêtre. Quant aux mères, si elles n'interrompent pas notre tétée, elles se rassemblent toutes – et nous avec – autour du poste de radio que Josefa vient d'apporter sur la terrasse.

Un discours de notre Führer est diffusé en direct.

Imaginez un peu ! Tous les Allemands, où qu'ils soient, dans les bureaux, les usines ou les écoles, suspendent leurs activités pour l'écouter. Ceux qui se trouvent dehors profitent des haut-parleurs installés sur les places publiques. Écouter la radio est un devoir civique. Celui qui ne s'y prête pas est dénoncé et puni. C'est indispensable pour l'apprentissage des sentiments unitaires. Pour créer une communauté nationale, solidaire, conquérante, mobilisée derrière le Führer.

Nous sommes tous ainsi réunis autour de la voix du Führer. Personne ne bronche. Enfin, certains de mes petits camarades ne peuvent s'empêcher de brailler, mais Josefa augmente le volume de la radio, si bien que la voix du Führer en vient rapidement à bout. Elle s'élève. Forte, puissante, vibrante, exaltante. Elle emplit l'air, couvre le chant des oiseaux ou le bruissement des arbres sous le vent que l'on entendait tout à l'heure.

Alors, chut ! moi aussi, j'écoute.

Je bois le lait de maman.

Je bois les paroles de notre Führer.

Ce discours ne pouvait pas mieux tomber. Juste avant l'heure de la sieste ! Je suis repu. Je vous retrouverai plus tard, car maintenant il faut que je dorme. Cela contribue au développement de mon cerveau. À ma croissance. Et c'est capital.

Josefa s'approche de maman pour m'emmener à la pouponnière. Maman rechigne, elle voudrait me garder encore un moment avec elle.

– Allons, Frau Inge ! lui dit Josefa, vous connais-sez le règlement, n'est-ce pas ? Inutile de vous le rappeler !

Maman acquiesce à contrecœur. Le sourire qu'elle affiche n'est pas sincère, je le sais, je le sens. Parce que, vous voyez, la corde de rappel a beau avoir été coupée, c'est comme si elle fonc-tionnait encore. Il y a un peu de magie là-dedans. Il est vrai que si j'avais le choix, je resterais bien dans ses bras. Son odeur est agréable, ses bras sont chauds, sa poitrine, moelleuse, un vrai cocon ! Mais d'un autre côté, l'insigne doré du parti, accroché à la blouse de Josefa, brille telle-ment ! Il m'attire, m'attire irrésistiblement... Je me demande quand j'arriverai à l'attraper.

4

— Vous permettez que je m'installe près de vous, Frau Inge ?

— Mais bien sûr, je vous en prie.

Heidi.

Mauvaise pioche.

Maman se pousse pour lui faire une place à côté d'elle sur le canapé. Ce qui perturbe ma tétée. Ah ! c'est agaçant, ces interruptions de tétée, ces incidents qui se répètent pour un oui ou pour un non !

Heidi n'a pas choisi maman par hasard. C'est une pleurnicharde et elle a bien senti que maman serait disposée à la consoler. Bon, pleurer, passe encore, il paraît que c'est normal pour certaines femmes après un accouchement, mais Heidi, même quand elle ne pleure pas, elle est bizarre. Il y a quelque chose qui cloche chez elle. Elle reste toujours à l'écart. Amorphe, mutique, repliée sur elle-même, elle peut fixer un point dans le vide sans bouger pendant des heures. Du coup, son fils, Helmut, est aussi mollasson qu'elle. C'est à peine si on l'entend. Il est d'un calme ! Bon, après tout, c'est un voisinage assez serein pour la tétée du soir.

Nous sommes dans le grand salon réservé à cet effet. La pièce est cossue, agréable, meublée de plusieurs sofas et fauteuils, le sol jonché de tapis. En plus de la douce chaleur dispensée par le chauffage central – luxe dont jouit le *Heim* –, un bon feu crépite dans la cheminée. Des fleurs, des corbeilles de fruits sont disposées çà et là, un piano trône dans un angle. Parfois, une des secrétaires, lorsqu'elle a fini son travail, nous joue une mélodie ; parfois, comme en ce moment, c'est le gramophone qui marche.

– Ça va ? demande maman en effleurant la main de Heidi, une fois que celle-ci s'est installée près de nous avec Helmut.

Heidi hoche la tête pour dire oui, mais c'est une sorte de langage codé entre *Frauen*, en réalité, ça veut dire «non». Et maman, tout comme moi, l'a bien compris.

– Si vous avez envie de... de me parler, je suis prête à vous écouter, ajoute-t-elle dans un murmure, après avoir jeté un coup d'œil méfiant à Josefa qui, assise à l'autre extrémité de la pièce, est occupée à signer des papiers.

Refuse Heidi, refuse ! J'ai envie de téter tranquille, moi. Je sens que si tu te mets à parler, ça ne va pas être gai.

Je l'appelle Heidi, et non pas «Frau Heidi», parce qu'elle est très jeune, à peine quinze ans, je crois. C'est la benjamine du *Heim*. Elle est grande, blonde (évidemment !) et très musclée. Elle a dû faire beaucoup de sport avant d'être enceinte, parce que les muscles de ses bras et de ses jambes sont parfaitement dessinés, comme sculptés. On dirait une athlète. Elle a une peau dorée sur laquelle son duvet blond crée des reflets chatoyants, preuve qu'elle a dû respirer le bon air de la montagne. Elle est très jolie, en tout cas, moi, elle me plaît bien, exception faite de ses seins. Trop petits. (Peut-être que le développement de ses muscles a freiné celui de sa poitrine ?) Pauvre Helmut, pas facile pour lui de se nourrir. Il doit toujours batailler pour parvenir à tirer quelques gouttes de lait. Le malheureux, je le plains ! Josefa prétend que ce n'est pas grave, qu'il a des réserves parce qu'il était bien gras à la naissance, et que Heidi doit continuer de s'appliquer pour le nourrir au sein. Facile à dire ! Josefa trouve le couvert mis chaque fois qu'elle passe à table, mais comment réagirait-elle si on lui présentait une assiette avec trois haricots qui se battent en duel en lui assurant que de toute façon, même si elle ne mange que ça, elle peut puiser dans ses réserves ?

Maman interrompt à nouveau ma tétée et aide Heidi à mieux placer son bébé contre son sein. Je ne râle pas cette fois, il faut bien être solidaire des petits copains ! Très important, la solidarité, la camaraderie. D'autant que ça a l'air de marcher, Helmut a pu saisir le téton. Heidi tourne alors ses grands yeux bleus mouillés de larmes et de reconnaissance vers maman.

— Merci, merci, bredouille-t-elle.

Elle attend un bref moment, puis murmure d'une voix qui menace de se briser :

— Mes parents me manquent tellement !

— Vous allez bientôt les revoir, ne vous en faites pas.

— Oh ! non, je ne crois pas.

– Mais pourquoi cela ?

– Parce que jamais je n'aurai le courage de leur avouer ce que j'ai fait, ce qui m'est arrivé. J'ai trop honte.

Elle s'interrompt pour étouffer un sanglot. Maman met la main à la poche et en sort un mouchoir qu'elle lui tend, tout en lui recommandant d'essayer de se contrôler. (C'est *mon* mouchoir !!! Celui qu'elle pose sur son épaule pour que je puisse faire mon rot et baver en cas de renvoi. Tant pis, après tout, c'est sa chemise blanche qui en pâtira tout à l'heure.)

– Racontez-moi, insiste-t-elle. Ça vous soulagera. Faites comme si j'étais votre grande sœur.

Quelques brèves hésitations, et c'est parti. Heidi raconte son histoire.

Elle vient de la Bund Deutscher Mädel[1]. Elle s'y est enrôlée volontairement, avec l'appui et le soutien de sa famille. Quelle chance de pouvoir s'engager pour le Führer dès l'âge de quatorze ans, de servir son idéologie !

La BDM avait installé son camp dans l'Obersalzberg, dans le sud de l'Allemagne – c'est la région préférée du Führer, il aime y faire des randonnées. Air pur, paysages magnifiques alternant montagnes enneigées, vertes prairies et forêts. Les filles profitaient des avantages d'une colonie de vacances tout en se rendant utiles à la patrie. Les activités étaient nombreuses et variées : chant, spectacles, musique, danse, mais aussi bricolage, randonnées en forêt, construction d'abris, soit des

---

1. Équivalent des Jeunesses hitlériennes pour les filles.

activités physiques qui les posaient sur un pied d'égalité avec les pensionnaires du camp voisin, des garçons du même âge qu'elles. Les jeunes gens se croisaient de temps en temps, le plus souvent à l'occasion d'une randonnée. La chef de camp veillait à inculquer des valeurs sûres à ses ouailles : discipline, camaraderie, obéissance, sacrifice, maîtrise du corps.

Les journées étaient parfaitement rythmées. Pas de temps mort. Pas d'ennui. 6 h 30, réveil. 6 h 35, séance de sport : selon les semaines, course d'endurance et athlétisme, ou bien gymnastique, pratique des agrès, acrobatie. À 8 heures, douche, rangement des baraquements, puis rassemblement sous la bannière. De 8 h 10 à 8 h 30, petit déjeuner. La matinée était ensuite consacrée à la formation politique. Qu'est-ce que le national-socialisme ? Pourquoi va-t-il sauver la nation allemande ? Comment se protéger des peuples décadents ? Comment les dominer, puis les éliminer ?... Autant de sujets passionnants. 12 h 15, déjeuner. 12 h 45, loisirs au choix. Pour Heidi, gymnastique à nouveau, car elle était particulièrement douée et rêvait d'être sélectionnée pour des compétitions nationales. 16 heures, pause-café. 16 h 10 : séance d'autocritique, l'autocritique étant indispensable pour devenir une fidèle partisane du national-socialisme. 19 h 15, dîner, et enfin, de 19 h 45 à 20 h 45, soirée entre copines. Les filles se retrouvaient seules dans les baraquements. Elles étaient censées échanger et commenter les revues ou les livres fournis par la cheftaine, mais, précise Heidi, leur principal sujet de conversation, c'était... les voisins. Les garçons.

Comment les ignorer ? Il y en avait de si beaux !...
Certaines avaient déjà eu un petit copain avant de
s'engager, ce qui n'était pas le cas de Heidi. Alors,
même si elle était un peu gênée, même si le papo-
tage de ses camarades lui faisait parfois monter le
rouge aux joues, elle les écoutait volontiers avant
de s'endormir à 21 h 30 précises, l'esprit plein de
beaux rêves d'avenir et d'amour.

Oh ! comme elle l'appréciait, Heidi, cette
vie au camp ! Elle en savourait chaque minute,
chaque seconde. Fervente, assidue, elle se portait
volontaire pour des activités supplémentaires, y
compris les corvées. Elle se prêtait à l'exercice
de l'autocritique sans complaisance, faisait aussi
preuve d'une grande camaraderie. Elle en fut
bientôt récompensée. On la distingua et elle fit
désormais partie de l'élite du camp.

Un soir, la cheftaine rassembla les heureuses
élues qui, comme Heidi, avaient brillé par leur
zèle. La réunion eut lieu dans la salle qui d'ordinaire était destinée aux spectacles et aux répétitions de la chorale. Debout sur l'estrade qui faisait
office de scène, la chef annonça deux excellentes
nouvelles. Un : le nom de chacune des filles ici
présentes figurait sur une liste envoyée au Führer,
lequel Führer l'avait signée de sa propre main
après l'avoir annotée d'un mot : *Glückwünsche !*
(« Félicitations ! ») Les jeunes filles accueillirent
cette annonce avec des applaudissements et des
cris de joie. Elles eurent le droit de défiler une
par une pour admirer le mot tracé par la main du
Führer au bas de la liste.

Puis la chef de camp en vint à la seconde nouvelle. On leur proposait une mission. Une grande

mission pour le service de la patrie... Laquelle ? Quand ? Que devaient-elles faire ? Quel honneur ! Oui ! Oui ! Oui ! Bien sûr qu'elles acceptaient la mission ! Les questions et les exclamations fusèrent de partout, les jeunes filles en oublièrent les règles élémentaires de la discipline, lever le bras pour demander la parole. La chef de camp eut un peu de mal à réclamer le silence, mais se montra indulgente. Une fois n'est pas coutume. En outre, il ne lui revenait pas d'expliquer en quoi au juste consistait cette mission. C'était la charge d'un officier SS qu'elle invita à entrer dans la salle.

Debout. Garde à vous. *Heil Hitler !*

Après avoir salué l'assemblée, l'officier ordonna le repos et monta sur l'estrade.

— Félicitations, mesdemoiselles ! répéta-t-il en tant que porte-parole du Führer. Vous voilà des *Führerinnen* accomplies. Mais certaines d'entre vous peuvent faire davantage encore.

L'officier se ménagea un temps avant de poursuivre. Vingt paires d'yeux bleus étaient rivés sur lui, emplis d'admiration, d'impatience et d'espoir.

— Si l'on vous disait que... vous pourriez faire un magnifique, un exceptionnel cadeau au Führer, accepteriez-vous ?

Tous les bras se levèrent d'un même mouvement en guise d'assentiment, tandis que les yeux bleus se mouillaient de larmes.

— Même si ce cadeau représente un grand sacrifice ?

Les bras restèrent levés.

— Un sacrifice de femme ? Les femmes que vous allez devenir.

Les propos de l'officier SS devenaient un peu plus énigmatiques. Heidi aurait aimé demander des précisions, cependant, aucune de ses camarades ne partageant son envie, elle s'en abstint. De fait, l'explication qui lui faisait défaut ne tarda pas à venir.

– Bien, conclut l'officier SS, très bien.

Il sortit d'un porte-documents une liasse de papiers qu'il remit à la chef de camp.

– Ce sont des contrats, expliqua-t-il, un pour chacune d'entre vous. Un contrat qui vous lie au Führer, où il est stipulé que vous acceptez de lui donner votre premier enfant. Un acte de bravoure dont je vous félicite par avance et qui vous honorera toute votre vie.

Sur ces paroles, il descendit de l'estrade, salua et sortit.

Heil !

Les bras se baissèrent peu à peu. Une légère rumeur agita les rangs. La chef de camp laissa faire, puis ordonna à ses protégées de la rejoindre sur la scène, où elles s'assirent en tailleur auprès d'elle, comme si elles se trouvaient quelque part dehors, dans un champ ou sur une plage autour d'un feu de camp.

– Nous allons parler librement, leur dit-elle. Vous avez travaillé dur, vous avez le droit de vous amuser un peu. J'ai été jeune moi aussi, et je sais bien que vous ne pensez toutes qu'à une chose... aller rejoindre les garçons du camp voisin.

Gloussements, rires étouffés, pommettes qui rosissent.

– Eh bien, vous avez l'opportunité de le faire, non seulement avec ma bénédiction, mais avec celle de vos familles et de notre Führer! Vous n'aurez aucune contrainte, si ce n'est celle de vous décharger du fruit de vos visites au camp d'à côté. Vos enfants ne seront pas inscrits à l'état civil officiel. Vous les mettrez au monde dans un *Heim* du *Lebensborn* qui les élèvera en bons Allemands, en vrais nationaux-socialistes. Ils seront, je puis vous l'assurer, entre les mains les plus sûres. Ils constitueront la génération des chefs de demain. L'État vous débarrassera de tout souci à leur égard. Ils ne constitueront pour vous aucune charge morale ou économique. Quant à vos partenaires, rien ne vous liera à eux. Vous n'aurez ensuite qu'un devoir supplémentaire, vous marier et avoir d'autres enfants.

Sur ce, elle se leva et distribua un contrat à chacune des filles. Qui signèrent. Toutes. Y compris Heidi, malgré les nombreuses questions qu'elle avait encore sur le bout des lèvres et qu'elle n'osait toujours pas poser.

Le retour dans les baraquements se fit dans l'euphorie la plus complète. «Formidable! On n'aura plus besoin de se cacher! Tu te rends compte un peu de la chance qu'on a? On va joindre l'utile à l'agréable!»

Heidi eut du mal à s'endormir cette nuit-là. Elle se repassa en boucle les événements de cette soirée exceptionnelle. S'engager pour le Führer. Servir la patrie. Donner son enfant. Elle avait signé pour tout cela à la fois. Elle ne le regrettait pas. Oh! non! Simplement, elle s'interrogeait sur la phase pratique. Car pour donner un enfant au Führer, il faut d'abord en faire un, et pour en faire un, il faut... Elle rougit violemment.

Toute seule, dans le noir, les draps tirés sous le menton. Elle eut peur. Elle se sentit envahie par une immense vague de joie. Elle eut chaud. Elle eut froid. Puis une image traversa son esprit. La chef de camp avait dit vrai. Certes, elle n'avait pas l'expérience de certaines de ses camarades, mais, comme les autres, elle avait des sens, un corps, un cœur. Depuis quelque temps, elle avait remarqué un garçon. Ils avaient échangé des regards, des sourires. Un jour, elle s'était même efforcée de construire un abri toute seule en un temps record, parce qu'elle savait qu'il l'observait. Alors, si jamais c'était avec lui que... Elle s'endormit enfin, le cœur gonflé d'espoir.

Mais ce ne fut pas avec lui que... Ce fut avec un autre. Avec plusieurs autres. Car, dans le camp d'à côté, les garçons étaient rompus depuis longtemps déjà à ce genre d'exercices. Les pratiques sexuelles, c'était pour eux un sport comme un autre.

— Frau Inge, ils... ils...

La voix de Heidi se brisa.

— Ils m'ont...

Heidi fut incapable de conclure sa phrase. Et son regard dériva pour se fixer sur un point. Comme d'habitude. Maman demeura silencieuse elle aussi, se contentant de presser de toutes ses forces la main de Heidi. Elle me tenait contre elle pour que je fasse mon rot et j'ai senti ses larmes mouiller ma joue. C'est chaud, les larmes. C'est salé aussi. Il y en a une qui est venue se glisser jusqu'à mes lèvres. Elle m'a gâché le goût du lait. Berk! Ça m'a donné un haut-le-cœur et ça n'a pas manqué, j'ai eu un rejet. J'ai vomi sur la belle chemise blanche de maman qui n'avait pas de mouchoir pour la protéger.

Le mot que Heidi n'a pas pu prononcer à la fin de sa phrase, c'est «violée». (N'oubliez pas, j'ai beau n'être qu'un bébé, je sais déjà beaucoup de choses.)

Bon, et alors? Qu'est-ce qui s'est passé? Elle n'avait pas eu le réflexe de serrer les dents, comme maman? Elle n'avait pas gardé les yeux sur le portrait du Führer, comme maman? Il n'y en avait pas dans le camp des garçons? Impossible! Et puis surtout, le résultat, c'est Helmut, non? Helmut est là maintenant. Blond. Les yeux bleus. Peut-être pas aussi coriace et dur que moi, mais avec une mère pareille, on peut le comprendre.

Je gueule parce que j'ai vomi.

Helmut gueule parce qu'il a faim.

Il n'a rien tété pendant que sa mère racontait sa vie en pleurnichant. Il va finir par devenir rachitique, celui-là! *Herr Doktor* Ebner est très contrarié lorsqu'il constate qu'un bébé est rachitique.

– Oh! là, là! Qu'est-ce qui se passe par ici? s'écrie Josefa en rappliquant derechef.

Changement de voisine.

Pas trop tôt.

Après Helmut, voici Ella. Une fille. Ça change un peu. D'autant qu'elle est très mignonne. Elle a des yeux! Ils ne sont pas simplement bleus, ils sont turquoise! De véritables pierres précieuses. J'en suis même un peu jaloux, je dois l'avouer, parce que je n'ai pas oublié que le docteur Ebner a précisé, dans le laboratoire où il m'a examiné

52

après ma naissance, que si mes yeux étaient *deux fois* clairs, il faudrait le confirmer plus tard. Pas besoin de confirmation pour Ella, c'est évident. Ses yeux sont au moins *quatre* fois clairs. Son petit crâne chauve, parfaitement lisse et glabre, suggère que ses cheveux seront plus dorés que le miel. Et elle a une petite bouche adorable, bien dessinée, en cul de poule.

Sa mère, c'est Ursula. Très jeune elle aussi, dix-sept ans environ. Mais rien à voir avec Heidi. Elle éclate de rire à tout bout de champ, c'est ce qu'on appelle une bonne vivante. Et bavarde avec ça. Inutile de lui tirer les vers du nez, elle raconte sa vie à tout le monde. Quand Josefa a renvoyé Heidi dans sa chambre, tout à l'heure, Ursula est venue s'asseoir à côté de maman sans lui demander la permission. Et à nouveau la corde de rappel, la corde magique, a fonctionné à plein régime. J'ai senti que maman aurait préféré être seule. Elle pense encore à ce que lui a confié Heidi. Elle compatit. Jusqu'à quel point, je me le demande. Quelle trouble-fête, cette Heidi! En tout cas, moi, je suis bien content d'avoir Ella pour voisine pendant le temps qui nous est octroyé dans les bras de nos mères avant d'aller dormir. La seule chose qui me gêne, c'est l'odeur du tabac, j'y suis très sensible. Ursula pue la cigarette! Celle qu'elle est allée fumer dehors en cachette avant la tétée. Très mauvais pour le lait. *Verboten!* Interdit! Josefa doit être enrhumée pour ne pas l'avoir sentie.

Maman demeure silencieuse, songeuse, à me regarder, à me caresser le bout du nez, les joues, à m'embrasser. Par moments elle me serre très fort contre elle, comme si elle avait peur qu'on m'arrache à elle. J'ai l'impression qu'elle me confond avec Heidi. Je crois qu'elle aurait voulu la prendre dans ses bras tout à l'heure pour la consoler. Elle a bien fait de s'en abstenir. Ç'aurait été déplacé de sa part. En tout cas, ce n'est pas une raison pour m'étouffer, moi! Ursula, pendant ce temps, démarre *illico*.

Elle vient de Rhénanie. Ses parents l'ont reniée et elle s'en fiche comme de sa première chemise. Elle ne s'est jamais entendue avec eux. Elle ne travaillait pas bien à l'école, elle sortait trop, fréquentait des garçons – elle est très portée sur la chose, comme on dit. Bref, elle était toujours obligée de mentir, de se cacher, de faire l'école buissonnière. Jusqu'à ce matin où sa vie a changé du tout au tout. La Rhénanie venant d'être annexée, le directeur de son lycée – un Juif! – a été remplacé par un directeur aryen. Dès son arrivée, il a réuni toutes les filles sous le préau. Ursula s'attendait au sermon habituel : j'entends bien rehausser le niveau déplorable de cet établissement, vous devez travailler, avoir de bonnes notes, les absences seront sévèrement punies, et patati et patata... Or pas du tout.

– Il faut dès maintenant que vous preniez conscience que vous êtes de vraies Allemandes, leur a-t-il déclaré, et que le devoir principal de la femme allemande est de donner le plus d'enfants possible au Führer. Point n'est besoin, pour cela, d'être mariée comme on vous le dit chez les peuples décadents. Donc, ne repoussez pas les avances des jeunes gens et ayez, dès maintenant, des rapports intimes avec eux, le plus souvent possible. C'est votre devoir le plus strict.

Ursula, comme les autres filles, n'en crurent pas leurs oreilles. Au lieu d'aller potasser des bouquins poussiéreux et ennuyeux, on leur demandait de... (Elle ne rougit pas comme Heidi à ce stade de son récit, elle éclate de rire.) Durant cette même matinée, en cours d'allemand, les élèves durent faire une dictée intitulée : « *Le mariage biologique* ». Pour la première fois de sa vie, Ursula ne fit pas une seule faute, malgré tous les mots difficiles, les accords, les doubles consonnes, et elle décrocha une excellente note. Cette dictée, elle en a même appris un bout par cœur, qu'elle récite à maman, sans s'apercevoir que celle-ci, de plus en plus mal à l'aise, n'arrête pas de se trémousser sur le canapé et cherche le moyen de se soustraire à sa compagnie. « *Nous pouvons toutes, aujourd'hui ou demain, nous abandonner à l'expérience riche en émotion spirituelle qui consiste à procréer en compagnie d'un homme jeune et sain, sans nous soucier des entraves dont s'encombre la désuète institution du mariage.* »

Ursula ne s'est pas fait prier pour appliquer ces ordres à la lettre. D'autant qu'elle était déjà enceinte – sans savoir qui était le père – et se demandait bien comment annoncer cette catastrophe à ses parents. Elle n'en eut pas besoin, la catastrophe étant devenue tout à coup une bénédiction. Elle fut transférée au RAD (« *Reichsarbeitsdienst* », service du travail obligatoire), et, vu son état, elle fut dispensée de manier le balai, de vider les seaux, d'éplucher les patates ou de récurer le sol. Elle avait juste à épousseter les portraits du Führer et à faire quelques petits travaux de bureau. Ensuite, elle a atterri ici, au *Heim*. Et, pouf! la petite Ella s'est retrouvée parmi nous. M'est avis qu'elle va très vite avoir des paquets de demi-frères et sœurs...

Mais il faudrait qu'Ursula fasse un peu attention, elle est d'une maladresse! Elle a voulu se lever – elle ne tient pas en place – et, oubliant qu'elle avait son bébé dans les bras, elle a failli laisser tomber la pauvre Ella. Heureusement que maman a réagi au quart de tour pour éviter le pire.

Maman est extrêmement agacée. Elle n'a qu'une envie : qu'Ursula fiche le camp. Son vœu est exaucé sans tarder, Ursula va d'elle-même remettre Ella à Josefa, comme elle se débarrasserait d'un gros paquet ou de tout autre objet encombrant, alors que nous disposons encore d'une demi-heure en compagnie de nos mères. Je suis sûre qu'elle va filer dans le parc s'en griller une. Ou alors, elle a un rendez-vous. Elle aime bien aller traîner du côté du bâtiment adjacent, vous savez, celui dont je vous ai parlé, là où ont lieu les rencontres, il y a toujours plein d'officiers SS qui se promènent dans le coin.

On dirait que maman va rester seule un moment. Personne ne vient s'asseoir près de nous. Comme elle est nerveuse! Nouvel effet de la corde magique, elle me communique sa nervosité. Si elle continue, je vais avoir une colique... La voilà qui se lève et fait les cent pas dans la pièce en me berçant dans ses bras pour que je m'endorme. Mais elle ne me berce pas, elle me secoue! Et puis je n'ai pas envie de dormir. Pas encore. J'aime bien, moi, faire la connaissance de mes petits camarades, connaître leur histoire.

Je vais gueuler un bon coup pour qu'elle arrête de gigoter. Mais elle n'a pas l'air de saisir le message et continue d'arpenter la pièce. Ça ne me plaît pas. Ça me donne le tournis. Ah! Elle s'arrête enfin! Devant le mur où sont accrochés les tableaux: un portrait de notre Führer, mis en valeur par un cadre magnifique, orné de moulures dorées, un portrait du *Reichsführer* Himmler, de Speer, l'architecte du Reich, de Gœbbels, le ministre de la Propagande, et de Ley, le ministre du Travail. Ça devrait lui calmer un peu les nerfs... Eh bien, non. Qu'est-ce qui lui prend à la fin? Je sens son cœur battre à un rythme effréné, elle transpire, déglutit avec peine comme si elle avait une grosse boule dans la gorge, sa respiration est saccadée. Et puis ça la reprend. La bougeotte. Elle recommence à sillonner la pièce. Fait une pause devant les devises inscrites en lettres d'or et encadrées au-dessus du piano, la liste des principes auxquels toutes les *Frauen* doivent se soumettre pour servir la patrie :

1) Il n'est pas de métier plus noble pour une fille que celui d'épouse ou de mère.

2) La femme ne doit être ni intellectuelle ni indépendante.

3) La position sociale d'une femme est fonction du nombre d'enfants qu'elle aura mis au monde.

4) La femme ne travaillera pas en dehors du foyer.

Maman se crispe, elle attrape mes doigts et les serre tellement fort qu'elle me fait mal. Puis elle se retourne brusquement, lance un regard apeuré en direction de la porte, comme si elle voulait fuir.

Elle me communique sa nervosité. Je me sens mal. Vraiment très mal.

Ça y est, j'ai la colique. C'est très douloureux. Il y a une vraie révolution dans mes intestins !

Je hurle. À pleins poumons.

— Qu'est-ce qui ne va pas ? demande Josefa, alertée par mes cris.

— Oh ! rien, rien du tout ! répond maman en tâchant de maîtriser les tremblements de sa voix. Max a eu une légère remontée acide tout à l'heure. Il... Il est un peu barbouillé.

— Raison de plus pour ne pas le secouer comme vous le faites ! rétorque Josefa.

Enfin quelqu'un de sensé, elle voit bien que j'en ai assez d'être trimballé comme ça. Et encore, elle n'a pas idée des mauvaises ondes que je reçois.

— Vous avez l'air fatiguée, Frau Inge. Voulez-vous que je mette notre *Klein Kaiser* au lit afin que vous puissiez aller vous-même vous coucher ?

Josefa fixe maman sans ciller, attendant une réponse. Elle sent — peut-être pas aussi subtilement que moi, mais suffisamment tout de même — que quelque chose ne va pas. Maman n'est pas épanouie. Maman n'affiche pas le sourire de rigueur. Elle n'a pas le comportement adéquat.

— Donnez-le-moi, insiste Josefa. À l'évidence, une nuit de repos vous fera le plus grand bien.

Panique. Maman a beau être bouleversée, elle veut me garder le plus longtemps possible auprès d'elle, comme d'habitude. Elle refuse donc la proposition de Josefa, prétexte que son malaise est passé et va s'asseoir en face de la cheminée. Près de Frau Gertrud et de son fils Rudi.

Frau Gertrud.

Une vieille. Elle doit avoir au moins trente ans. Elle est déjà mère de quatre enfants, qu'elle a eus avec son mari, un *Obersturmführer* très respecté. Or Rudi n'a strictement aucun lien de sang avec l'*Obersturmführer*. Les missions à l'étranger de celui-ci se répètent si souvent que Frau Gertrud a fini par trouver le temps long. Alors, pour se distraire... (Toujours ces points de suspension dans les récits des *Frauen*, quelle manie !) Pour éviter le scandale, Frau Gertrud a écrit à Max Sollmann qui lui a permis d'accoucher ici, gratuitement, et en échange, elle va laisser Rudi. Une histoire simple. Au carré.

Ouh là ! Qu'est-ce qui se passe ? J'entends Josefa qui se fâche. Elle en a après Frau Gisela. Frau Gisela est une *Schwester* comme maman. Mais elle, elle n'a pas eu à serrer les dents dans le bâtiment des unions, bien au contraire... Vous voyez ce que je veux dire ? (À mon tour d'employer les points de suspension.) Elle a eu la fâcheuse idée de tomber amoureuse du père de Léni, sa fille. Alors elle ne se sépare jamais de sa photo et n'arrête pas de rêvasser en la regardant. Elle soupire en essuyant une larme, ne cesse de guetter le courrier qui arrive deux fois par jour, espérant recevoir une lettre d'amour, qui ne vient pas. Elle est pire que maman avec les surnoms dont elle affuble la petite Léni qui, à en croire les commentaires bêtifiants de Gisela, est le portrait craché de son papa... Josefa vient de lui confisquer la photo en lui rappelant qu'il est *strictement interdit* d'en posséder une, encore plus de l'exhiber. (De même, il est *strictement interdit* de nous prendre en photo, nous, les bébés.) *Il est de très mauvais goût de parler ici de nos pères.*

Finalement, il aurait mieux valu pour Frau Gisela qu'elle ait à serrer les dents, comme maman. Au moins, la souffrance serait passée, alors que là, elle n'en a pas fini.

Bon, je crois que ce sera tout pour ce soir. La faute à Heidi et Frau Gisela, Josefa est maintenant d'une humeur exécrable. Et même si ce n'est pas l'heure, elle décrète que ça y est, nous devons partir.

De toute façon, je ne peux pas vous raconter en détail l'histoire de chacune des *Frauen* ici présentes. Ce serait bien trop long. Elles viennent toutes d'horizons si différents. Leur nombre ne cesse d'augmenter. Bientôt, quand la guerre aura commencé, des Françaises, des Belges, des Néerlandaises rejoindront nos *Frauen* allemandes. Elles afflueront de partout! Toutes seront fécondées par des SS!

Une semence aryenne. Un réceptacle diversifié mais trié sur le volet et, au final, un produit unique.

Nous.

L'armée des enfants blonds aux yeux bleus.

L'armée du futur.

«*La victoire des enfants doit suivre celle des armes*», dit la devise du *Reichsführer* Himmler, accrochée au mur de notre pouponnière.

Bonne nuit.

Je suis encore trop petit pour faire une nuit complète, mais j'ai de quoi rêver pendant les trois heures à venir.

5

Ça valait la peine d'attendre une semaine. Vraiment.

Je suis si excité, si ému, que je ne sais comment vous raconter ce qui vient de m'arriver. Il faut que je prenne le temps de me calmer auparavant. Le choc a été si violent que tout se mélange dans ma tête. J'ai beau avoir un crâne dolichocéphale – marque de la race supérieure – j'ai l'impression qu'il n'y a pas assez de place à l'intérieur. Y aurait-il un endroit précis, dans mon cerveau, destiné à recevoir et fixer à tout jamais les merveilleux instants que je viens de vivre ? J'aimerais en graver le souvenir et le garder, intact, indélébile.

Je viens d'être baptisé.

Mais pas dans une église. Pas de manière traditionnelle. On ne m'a pas arrosé la figure avec quelques gouttes d'eau soi-disant bénite en marmonnant de vagues prières en latin. Du tout. Je suis resté ici, au *Heim*, où le baptême est désormais remplacé par la cérémonie du *Namensgeburg*, la « donation du nom ». Et qui l'a présidée ? En personne ?

Oui. Vous avez deviné.

C'était ça, la surprise, le cadeau supplémentaire, et je ne m'étais pas bercé d'illusions en nourrissant ce rêve secret. J'ai été ainsi récompensé parce que je suis né le 20 avril comme notre Führer, et maman avec moi, parce qu'elle a été sacrée championne des donneuses de lait. Elle a à son actif un record de... 27 880 grammes en une semaine !

Trois jours durant, le personnel a été sur le pied de guerre : le docteur Ebner, Josefa, les secrétaires, le régisseur. Les pouponnières, déjà très propres, ont été récurées de fond en comble jusqu'à ce que les murs et le sol soient aussi brillants que des miroirs. Le laboratoire, les salles d'accouchement, de travail, les bureaux, les cuisines et les dépendances n'ont pas échappé à ce gigantesque nettoyage. Dehors, le parc, lui aussi, a fait l'objet de nombreux aménagements. D'ailleurs, pour l'équipe de jardiniers, les préparatifs ont commencé bien en amont du jour J. Tondre les pelouses, tailler les haies, faire de nouvelles plantations, laver le gravier des allées à grande eau pour qu'il scintille au soleil, arroser les fleurs. La main-d'œuvre habituelle, en provenance de Dachau, a doublé d'effectif. Le résultat est grandiose : les pelouses sont aussi vertes que l'émeraude, les parterres de tulipes et de crocus ont éclos, les haies et buissons sont taillés au centimètre près.

Ebner ne cessait d'aller et venir, commandant aux uns et aux autres, ayant l'œil sur tout, depuis le fin fond du parc jusqu'aux plus petites pièces situées en haut du bâtiment, qui servent de réserves pour la nourriture et les fournitures diverses. Il a même permis – et c'est vraiment exceptionnel – que quelques détenues entrent à l'intérieur du *Heim* pour renforcer les équipes de nettoyage. (Mais cette entrée est à «sens unique», si vous voyez ce que je veux dire... Langage codé.)

Toutes les *Frauen* ont reçu des tenues neuves : des chemises couleur crème à manches bouffantes et des jupes brunes, ornées d'un fin ruban de satin rouge au niveau de l'ourlet, pour rappeler le rouge de notre drapeau. Maman, en tant que Frau recevant une distinction personnelle du Führer, a eu une tenue légèrement différente : une chemise blanche brodée avec un brassard à croix gammée sur la manche droite et une jupe noire resserrée à la taille par une large ceinture très élégante. Nous, les bébés, avons été vêtus de barboteuses une pièce, courtes, bouffantes au niveau des cuisses, avec des manches ballon et un col Claudine. Un petit drapeau noir et rouge du Reich a été planté au pied de chacun de nos berceaux.

La cérémonie devant être filmée pour la réalisation d'un court-métrage, une équipe de cinéma s'est installée au *Heim* depuis le matin. Maman et moi, qui étions les vedettes de ce film – après le Führer bien sûr –, avons dû faire de nombreuses répétitions. Une conseillère technique expliquait à maman comment elle devait me tenir dans ses bras, de façon à bien orienter mon visage vers la lumière des projecteurs. Elle lui a montré la façon dont elle devait marcher, le buste bien droit, la façon dont elle devait sourire, saluer notre Führer, s'incliner, etc. De mon côté, je n'ai pas chômé non plus. Le cameraman n'arrêtait pas de tourner autour de moi, guettant le moindre de mes mouvements, la moindre de mes mimiques.

Il devait arriver à saisir un sourire, vous savez, ce qu'on appelle «le sourire aux anges» des bébés. Il a expliqué à maman qu'il devait se constituer une pleine provision de mes sourires, en avoir en réserve. Ainsi, en cas de problème lors du tournage en direct, le réalisateur pourra corriger certains plans au montage. J'ai eu un peu de mal au début, j'étais gêné par la lumière aveuglante des projecteurs. Pas évident de sourire sur commande, surtout au milieu d'une telle excitation. Mais je crois qu'au final il y a bien eu deux ou trois jolies risettes imprimées sur la pellicule.

Nous avons également tourné une multitude de saynètes différentes : maman qui changeait mes langes, qui me donnait le sein, moi qui gazouillais d'aise, qui m'endormais paisiblement... Nous avons tous deux eu quelques assauts de pudeur : maman a rechigné à dénuder un bout de sein devant la caméra ; quant à moi, pas facile non plus d'exhiber mon zizi, mes fesses et mes langes souillés ainsi au grand jour. Mais, là encore, nous y sommes parvenus à force d'acharnement et de patience. Ensuite, nous avons tourné dans la salle de cérémonie. Gros plan sur les fleurs, les gâteaux, le café, le champagne. Zoom sur maman marchant dignement vers le Führer afin qu'il me prenne dans ses bras. Sauf que, pour l'heure, le Führer était remplacé par un vulgaire technicien...

Bref, la matinée a été épuisante. Après la tétée de midi, j'ai dormi tout mon soûl pour être en forme à l'heure H.

Qui a fini par arriver.

Les maîtres-chiens ont ouvert la grille du parc et... elle s'est avancée, roulant au pas sur l'allée centrale qui traverse le parc.

La voiture personnelle du Führer.

La Mercedes 770 K.

Un modèle unique au monde. Construit sur mesure pour lui. Oh! laissez-moi vous décrire en détail ce bijou de notre technologie moderne! Longueur: 6 mètres. Largeur: 2 mètres 20. Moteur 8 cylindres 400 chevaux avec turbocompresseurs. Double allumage. Freins hydrauliques à circuit séparé pour l'avant et l'arrière. Carrosserie blindée, glaces en verre spécial avec dix couches de colle à l'épreuve des balles. Circuit électromagnétique bloquant les portes, pneus increvables. Une véritable forteresse roulante blindée! À l'arrière, un siège spécial se relève de treize centimètres, libérant un piédestal sur lequel le Führer se tient debout lors des parades. Noire. Décapotable. Le drapeau du Reich orne la carrosserie, à l'extérieur, à gauche du chauffeur. J'espère qu'un fabricant de jouets aura l'idée plus tard de concevoir le modèle réduit de cette voiture. Je m'imagine déjà jouant avec quand je serai plus grand, la faisant rouler sur le sol. Vroum, vroum!...

Derrière suit une deuxième voiture, une Mercedes également, mais d'un modèle plus courant. Les véhicules se garent devant l'entrée. Tout le personnel y est aligné: Josefa à la tête de l'équipe d'infirmières, Marina et les secrétaires, le régisseur et ses jardiniers. Le docteur Ebner, vêtu de son plus bel uniforme de SS, vient accueillir le Führer en lui ouvrant lui-même la portière. À peine notre hôte a-t-il posé un pied sur le sol que tous les bras se tendent. *Heil!* Le Führer répond en levant une main décontractée. Souriant, il donne une chaleureuse accolade à Ebner, tandis que les invités descendent de la deuxième voiture et les rejoignent : Le *Reichsführer* SS Himmler, Max Sollmann (le directeur administratif du programme *Lebensborn*, je vous en ai parlé avant ma naissance), ainsi que le docteur Karl Brandt et son épouse. Herr Brandt est le médecin personnel du Führer. Il veut donner un souffle nouveau à la médecine moderne – et nous illustrons une part ô combien importante de cette médecine du futur, d'où sa présence aujourd'hui, indispensable. Bientôt, paraît-il, il sera promu haut commissaire du Reich à la santé. Son épouse, Anni Rehborn, en tant que championne d'Allemagne de natation, est un personnage de référence pour la jeunesse allemande.

Le petit groupe discute un moment. Tandis qu'Ebner fait au Führer un rapide descriptif de notre établissement, celui-ci embrasse le parc d'un large coup d'œil, puis il admire la façade du bâtiment, lève la tête vers les étages. Notre pouponnière se trouve au deuxième étage, et c'est comme si le regard du Führer traversait les murs pour se poser sur chacun de nos berceaux. Nous ne pouvons pas, bien évidemment, l'accueillir dehors comme le reste du personnel, nos mamans non plus. Josefa leur a ordonné de rester près de nous. Chacune doit se tenir debout, bien droite, à côté du berceau de son bébé. Quant aux *Frauen* manquantes, celles qui ont été envoyées dans des usines de munitions ou «réinstallées», Bertha,

Heidi, Gisela et plusieurs autres encore, elles ont été remplacées par des comédiennes.

Autant vous dire que je n'en peux plus d'attendre. Je bous d'impatience, et je sens que maman a un trac fou. Une peur panique. Elle tremble, elle a les mains moites, elle jette sans arrêt des coups d'œil anxieux vers la comédienne qui remplace Heidi, à côté du berceau de Helmut. Quelque chose ne va pas. Encore ! *Reprends-toi ! Mais reprends-toi donc !* La corde magique fonctionne toujours à plein régime entre nous. Mais si jamais maman flanche, vais-je pouvoir sauver la situation à moi seul ?

Une infirmière s'est postée discrètement à la fenêtre et rapporte aux *Frauen* ce qui se passe en bas pour qu'elles n'en perdent pas une minute. Le Führer n'est pas en uniforme, précise-t-elle, il porte un pantalon noir et une veste blanc cassé avec un brassard à croix gammée sur la manche droite. (La version masculine de la tenue de maman, pour qu'ils soient assortis sur le film ! Quelle bonne idée ! Je reconnais bien là le souci du détail de Herr Ebner.) L'infirmière nous apprend ensuite que le Führer serre les mains du personnel en prononçant un mot gentil à l'attention de chacun. Josefa est, paraît-il, cramoisie, au bord de l'apoplexie. C'est la première fois qu'elle rencontre le Führer en chair et en os. Déjà que, quand elle l'écoute à la radio, elle entre quasiment en transe, je me demande si elle va survivre à cette émotion. Sans compter que si jamais cette journée ne se déroule pas exactement selon les vœux du docteur Ebner, hop ! direction l'usine de munitions.

Les invités sont maintenant entrés dans le *Heim*. Ils vont visiter chacune des pièces, une à une. Les salons, les chambres, les salles d'accouchement, les cuisines, le laboratoire, jusqu'à ce qu'ils pénètrent enfin dans la pouponnière.

C'est long. Très long.

L'attente est insupportable et la tension monte. Une *Frau* quitte son poste et va vers la fenêtre se repoudrer le nez à la lumière du jour, une autre prétexte une envie pressante et court vers les toilettes, une troisième décide tout à coup qu'elle doit refaire son chignon. Ah! les femmes! Remarquez, du côté des bébés, ce n'est guère mieux: l'un est pris de colique et se tortille comme un ver dans son berceau en braillant tout ce qu'il peut, l'autre a faim et sa mère panique parce qu'elle ne peut pas lui donner le sein tout en se tenant au garde-à-vous. Et ne voilà-t-il pas que... Oh! non! Il y en a un qui a la diarrhée! Cette odeur aigre, acide! Quelle puanteur! Vite! Vite! On le change! On aère! Et on prie pour qu'il ne remette pas ça dans les minutes qui suivent! Heureusement que moi, j'ai fait un beau caca bien moulé juste après la tétée de midi, pour être tranquille...

Qu'est-ce qui se passe encore? L'infirmière qui nous commentait l'arrivée du Führer tout à l'heure vient de se rendre compte qu'elle a oublié la dernière instruction de Josefa: placer les berceaux des bébés bruns – Ebner en garde quelques-uns – au troisième rang, de manière qu'ils n'entrent pas dans le champ de la caméra. Branle-bas de combat! Elle demande aux *Frauen* de l'aider à tout chambouler. Et si, dans la panique, elles allaient me placer avec les bruns, moi ?

Ça y est. Des pas résonnent dans l'escalier menant à la pouponnière. Le martèlement des bottes se rapproche. Le parquet vibre. La porte s'ouvre.

Heil ! crient les *Frauen* et les infirmières d'une seule et même voix.

Les invités entrent. La caméra tourne. Le groupe passe en revue la première rangée de berceaux. Le Führer s'arrête devant l'un, devant l'autre. Poignée de main. Félicitations. *Fais risette, bébé !* C'est bientôt mon tour. Mon petit cœur se cale sur le rythme des bottes et fait boum, boum, boum. Maman garde la main posée sur mon ventre, comme si elle avait peur que je m'envole. Sa main est froide. Pesante. Lourde. Elle m'étouffe ! *Hé ! Retire donc ta main, ça fait mal !* Je ne peux même pas hurler pour le lui dire ! La douleur m'empêche d'étirer ma bouche sur mon plus beau sourire, comme ce matin, avec le cameraman. Je dois faire une horrible mimique.

Les bottes se sont arrêtées. Ouf ! Maman a retiré sa main pour serrer celle du Führer. Il lui parle. Doucement. Si doucement que je n'arrive pas à entendre ses paroles. Il n'a pas du tout la même voix qu'à la radio. À la radio, il crie, ses phrases sont hachées, ses mots, scandés. Là, rien de tel. Je sens que maman se décontracte. Et moi avec elle. Ensuite, Ebner présente mon registre au Führer, là où tout est consigné depuis l'arbre généalogique de mes parents jusqu'à maintenant, en passant par ma conception et ma naissance.

J'ai l'impression d'avoir déjà derrière moi une longue, une très longue vie, tant la lecture de ces quelques pages s'étire. Et puis tout à coup, une série de visages se penchent au-dessus de moi. Himmler, Ebner, Brandt, Frau Rehborn. *Poussez-vous ! Poussez-vous donc ! Je ne vois pas mon Führer!* Brandt défait le haut de ma barboteuse pour observer mon torse, il m'étire les jambes, les bras, palpe mon crâne. Hé! je ne vais pas passer une nouvelle sélection, tout de même ?! Je suis la vedette, il ne faudrait pas l'oublier! Ensuite, Frau Rehborn me fait des chatouilles sous les pieds en souriant. C'est très désagréable. Les visages se mêlent dans une manière de valse qui me donne le tournis.

Puis je sens qu'on me soulève. Haut vers le ciel. J'ai l'impression d'être dans un avion, mon estomac est ballotté, j'ai la nausée. Puis, hop! descente. Aussi brutale que la montée. J'ai le cœur au bord des lèvres, je sens un contact mouillé sur ma joue. La caméra tourne. Tourne. Elle ne perd pas une minute de ce qui se passe.

Ce qui se passe, c'est que ... J'en prends enfin conscience, je suis dans les bras du Führer! Le Führer vient de m'embrasser! J'ai peur soudain de me «désinfecter» tout seul sous le coup de l'émotion, un arrêt cardiaque, la mort subite du nourrisson, que sais-je. Pourquoi Ebner n'a-t-il pas pensé à me donner des vitamines?

La cérémonie, en bas, dans la grande salle, s'est déroulée sans le moindre accroc. Il y avait plein de monde! Plein! Le personnel, les *Frauen*, d'autres *Frauen* venues des *Heime* de tout le pays, les officiers SS recrutés pour le bâtiment des unions, à côté, et puis encore des comédiens et comédiennes afin qu'il y ait vraiment foule. Parce que notre Führer adore s'adresser à la foule. Il n'aime pas parler à un petit groupe restreint. Il lui faut la foule pour transmettre sa fougue, pour trouver les mots qui galvanisent, qui vont droit au cœur, qui vous font vous lever et tendre le bras comme un automate! Chaque ovation à la fin d'une phrase l'inspire pour la suivante. Et toute l'assistance vibre alors aux accents de sa voix, les hommes voudraient prendre là, maintenant, tout de suite, les armes nécessaires à accomplir les grands projets d'avenir qu'il décrit. Les femmes sont prêtes, elles, à tout lui offrir, tout, leur corps, leur vie, leur âme. Certaines, d'ailleurs, ne résistent pas au choc émotionnel et s'évanouissent. Le Führer explique comment nous, les enfants du futur, aryens pure race – dont je suis l'unique représentant dans la salle, les autres sont restés dans la pouponnière – nous allons peupler non seulement l'Allemagne, mais l'Europe tout entière lorsque le Reich se sera étendu, une fois la guerre entamée et la question juive réglée. Nous allons mener une guerre sainte contre l'Étranger afin de sauvegarder la pureté raciale du peuple allemand.

C'est un grand, un très grand moment. Un moment grandiose. La verve du Führer est telle que ce monde nouveau, débarrassé de toute dégénérescence, nous le voyons, là, à portée de main.

À la fin du discours, sur un signe du docteur Ebner, maman s'est avancée pour rejoindre le Führer sur la tribune. Oh! C'était une maman complètement transformée. Plus la moindre trace de tension. Plus aucun doute ou regret dans son esprit. Ça valait la peine d'avoir serré les dents une nuit dans la chambre claire et froide du bâtiment des unions, elle le reconnaissait enfin. Ça valait la peine d'avoir accouché dans la douleur. Ça valait la peine de supporter le règlement imposé par le docteur Ebner et Josefa. Heidi n'occupait plus ses pensées, elle était transportée de joie. Comme hypnotisée, elle semblait glisser sur le sol, ses pieds ne touchaient plus terre. Quant à moi, moi, dans ses bras, j'étais un ange descendu du ciel !

Sauf que... il y a tout de même eu un petit incident. Lorsque le Führer m'a pris dans ses bras pour prononcer haut et fort le nom dont on me baptisait officiellement, j'ai eu... une fuite. Son discours, bien que passionnant, exaltant, était tout de même très long, j'ai bien essayé de me retenir, mais je n'ai pas pu. J'ai cru que Ebner allait me «désinfecter» sur place, devant tout le monde, tant la veine sur son crâne chauve saillait, palpitait. Deux infirmières se sont aussitôt précipitées pour éponger la manche de la veste du Führer, souillée par mon pipi. Mais il les a gentiment repoussées en riant. Toute l'assistance l'a imité, y compris Ebner dont la veine s'est aussitôt estompée.

Ensuite, il y a eu une séance de photographie. Maman et moi avons eu le privilège de poser avec le Führer. Maman recevra plus tard la photo dédicacée de sa propre main. Après quoi, on m'a remonté dans la pouponnière. Je crois que la fête a battu son plein : musique, champagne, café, gâteaux. Du moins pour l'assistance. Le Führer, lui, s'est retiré dans le laboratoire avec Herr Himmler et les docteurs Ebner et Brandt. Pour parler de la médecine du futur. Pour mettre en place les grandes découvertes scientifiques qui s'annoncent sous le sceau du Troisième Reich.

Quant à moi, pouf! dodo. J'étais épuisé.

Oh! j'ai oublié de vous dire le principal! J'ai un nom et un prénom maintenant.

Je m'appelle Konrad von Kebnersol. Deux K, comme dans «*Klein Kaiser*». K, comme Krupp. Comme la 770 K, la Mercedes du Führer. On a composé mon patronyme à partir des syllabes qui forment les noms du docteur Ebner et de Herr Sollmann, et on a ajouté la particule «von» pour faire noble.

Konrad von Kebnersol. Il est écrit sur mon registre de la main du Führer. Ça sonne bien, non?

J'ai ainsi échappé à «*Max*», le prénom que maman aurait choisi.

6

J'ai le nez qui coule. J'ai la diarrhée. Je manque d'appétit. Je suis barbouillé.

Qu'est-ce qui m'arrive? On dit que les lendemains de fête sont difficiles. Vrai. À croire que j'ai la gueule de bois, comme les infirmières qui ont bu trop de champagne après le discours du Führer. Pourtant mon baptême est loin. Deux mois déjà... Je déteste être dans cet état. Mollasson, grognon. Je ressemble à Helmut, le fils de Heidi.

Au fond, je crois savoir ce qui me rend patraque.

Ça s'est passé il y a deux nuits. J'étais profondément endormi lorsque j'ai entendu des bruits. Des pas feutrés, des chuchotements craintifs. Que se passait-il encore? La pouponnière n'est vraiment pas un endroit calme, vous savez, et les braillements de tel ou tel de mes petits camarades ne sont pas seuls responsables de l'agitation qui la caractérise. Ceux-là sont tout à fait normaux et je m'en accommode sans problème. En revanche, ce qui est très perturbant, c'est, par exemple, l'incident provoqué par une *Frau* qui, prise d'une lubie subite, descend en cachette voir son bébé. Les infirmières de garde s'en apercevant immédiatement, elles tentent de la reconduire dans sa chambre et cela donne souvent lieu à des discussions sans fin. Dans le meilleur des cas. Car parfois... plus de bébé. La *Frau* trouve le berceau vide.

– Ne vous inquiétez pas ! Votre enfant est un peu malade, rien de grave, il est à l'infirmerie, lui répond-on.

– Je veux le voir !

– Impossible pour l'instant, il est contagieux, nous l'avons mis en quarantaine.

– Vous mentez ! Vous mentez ! crie alors la *Frau*, hystérique.

Elle pique une crise de nerfs, l'infirmière appelle du renfort et on lui administre une piqûre pour la calmer. Comment voulez-vous vous rendormir après un tel raffut ?

D'autant que je m'interroge. Je réfléchis. Je me demande si « infirmerie » et « quarantaine » ne sont pas des mots codés. Des nouveaux, dont je ne connaîtrais pas encore le sens caché... Certaines nuits, c'est Josefa qui vient rôder dans la pouponnière. Elle est vêtue d'une grande cape noire comme si elle allait sortir et elle est accompagnée d'un homme. Elle passe en revue l'ensemble des berceaux et elle s'arrête devant l'un ou l'autre en disant : « Celui-ci ! Celui-ci !... Et celui-là ! » L'homme prend les bébés qu'elle a désignés, il les met dans une sorte de grand couffin et, peu après, j'entends dehors le ronflement d'un moteur, celui d'une camionnette qui démarre et s'éloigne rapidement. Comme les camionnettes qui livrent la nourriture, très tôt le matin. Sauf que là, il n'y en a qu'une.

Le lendemain, les berceaux demeurent vacants. On y trouve une tétine, un hochet, seule trace visible de leur ancien locataire. Si les mères habitent encore au *Heim*, c'est la crise de nerfs assurée. Si elles sont déjà parties, remplacées par une nourrice, il ne se passe rien. D'ailleurs, au bout de quelques heures à peine, les berceaux vides accueillent un nouvel occupant.

Où passent donc les bébés qui disparaissent dans la nuit ? Ça me tracasse. Est-ce qu'il y aurait… un trafic ? Est-ce que Josefa – Josefa, si intègre, si dévouée au *Heim*, Josefa le bras droit du docteur Ebner – les vendrait ? Nous valons de l'or, a affirmé notre Führer. Vous comprendrez donc aisément que j'ai paniqué quand, lors de cette fameuse nuit que je veux vous relater, j'ai entendu les pas de Josefa s'arrêter devant mon berceau.

À moi.

Je me suis dit que j'étais bon pour la camion-nette des livraisons.

– Je vous accorde cette faveur, Frau Inge, a murmuré Josefa avec nervosité. Une faveur exceptionnelle, parce que vous-même avez fait un parcours exceptionnel. Mais dans votre intérêt, il ne faut pas que cela dure trop longtemps.

Frau Inge ? Ce n'était donc pas l'homme au couffin qui accompagnait Josefa. J'en ai été rassuré. Davantage encore lorsque j'ai reconnu l'odeur de maman qui m'a pris dans ses bras. Elle m'a serré contre elle et j'ai immédiatement perçu cette tension caractéristique des mauvais moments. Elle tremblait, elle pleurait. Ses larmes étaient tellement abondantes que quelques-unes venaient s'échouer sur mon visage. Mes langes étaient trempés et cela n'a fait qu'accentuer la sensation de froid que j'éprouvais déjà.

– Allons, allons, Frau Inge! a insisté Josefa. Vous vous faites du mal. Tenez, voilà de quoi vous donner du courage! Vous l'avez oubliée sur votre table de nuit, mettez-la donc dans votre sac!

Maman n'a rien répondu. Les larmes l'empêchaient de prononcer le moindre mot à part «Max!» «Max!» «Max!». (Elle n'en fait qu'à sa tête, j'ai beau avoir été baptisé Konrad, elle continue à m'appeler Max, une idée fixe.)

– Enfin, Frau Inge, a ajouté Josefa, cette photo est magnifique! Elle est dédicacée par le Führer! Vous avez une chance incroyable!

La photo prise le jour de mon baptême. On aurait pu me la montrer tout de même!

Voyant que maman ne réagissait pas, Josefa l'a fourrée dans son sac à main et elle a fait signe aux deux infirmières de garde. Elles ont aussitôt encadré maman qui me tenait toujours dans ses bras, qui ne voulait pas me lâcher, qui m'embrassait les mains, les joues, le nez, les paupières, qui me serrait tellement qu'elle m'étouffait.

– Est-ce que je pourrai écrire? demanda-t-elle. Est-ce que vous pourrez m'envoyer une autre photo de lui? Me donner de ses nouvelles?

– Vous savez très bien que c'est interdit par le règlement, a répondu Josefa d'un ton pincé. Règlement que j'enfreins déjà, en ce moment même, je vous le rappelle, Frau Inge.

– Oh! je vous en prie! Je vous en supplie!

– Ne me forcez pas à prévenir le docteur Ebner, a menacé Josefa en dernier lieu.

Elle m'a arraché des bras de maman, si brutalement que mes doigts, qui s'étaient emmêlés dans une mèche de ses cheveux, en ont tiré quelques-uns. Les infirmières ont pris maman chacune par un bras et elles l'ont traînée jusqu'à la sortie. Elle a continué à pleurer. À crier. Dans l'escalier. Dehors. Jusqu'à ce que le ronflement d'un moteur couvre ses hurlements. Une voiture a démarré. S'est éloignée. Après, il n'y a plus eu que le silence. Un grand silence. Un silence total. D'autant plus frappant après tous ces cris. Il m'a paru insupportable.

J'avais encore les larmes de maman sur le visage, ses cheveux accrochés à mes doigts. Un courant d'air et ils se sont envolés, alors que j'aurais voulu les garder, en souvenir. J'ai pissé et personne n'est venu me changer. Je n'ai pas pu me rendormir. Je me suis mis à brailler, brailler si fort que toute la pouponnière m'a imité.

Il y a eu un tintamarre du diable.

Le lendemain, pour la première tétée, je me suis retrouvé dans les bras d'une inconnue, le nez pressé contre sa poitrine qui, bien qu'opulente, n'avait rien d'un oreiller douillet. Elle essayait de me fourrer son téton dans la bouche, mais je détournais systématiquement la tête. Cette inconnue n'avait pas d'odeur ! Elle ne dégageait aucune tension ! Rien. Forcément, il n'y avait pas de corde magique entre elle et moi. La corde magique ne pouvait fonctionner qu'avec maman. Qui était partie la nuit dernière. Partie définitivement, j'en ai pris conscience à ce moment-là.

J'ai éprouvé une sensation étrange, j'avais l'impression que la corde était toujours là, entre mes doigts, mais j'avais beau la secouer, l'agiter, personne à l'autre bout ne me répondait plus.

J'ai tenté de me raisonner. Si Helmut avait surmonté le départ de Heidi, si Léni s'était accommodée de l'absence de Gisela, si des dizaines d'autres encore avaient réussi à se passer de leur corde, pourquoi n'y arriverais-je pas, moi? Moi qui avais été baptisé par le Führer en personne, moi qui étais, en quelque sorte, L'Élu. J'aurais dû donner l'exemple. J'aurais dû être le premier à faire l'expérience de la séparation, puisque j'étais le vétéran du *Heim*. Seulement voilà, maman, en tant que championne des donneuses de lait, avait eu le privilège de rester plus longtemps que les autres. Alors la corde s'était un peu trop consolidée.

Le lait de la nourrice, que j'ai bien essayé d'avaler, était écœurant. Un goût acide. Une texture lourde. Dégueu. Berk! Je n'ai rien avalé.

Lors des tétées suivantes, à peine deux ou trois gouttes que je rejetais aussitôt. J'en avais l'œsophage brûlé, une vraie torture. Les jours suivants, je n'ai cessé d'être ronchon et de brailler à tout bout de champ. Impossible de rester couché sans être pris de crampes. En outre, on m'avait déménagé, je ne dormais plus dans la pouponnière avec les nourrissons, mais avec les plus grands, dans une autre salle. D'ailleurs la pouponnière était menacée de surpopulation. Les nouveaux arrivants s'entassaient, s'entassaient, quasiment pêle-mêle, non plus dans des berceaux mais dans des espèces de grands bacs. On aurait dit des poussins dans un élevage. Le bruit des travaux ne faisait qu'augmenter mon malaise. (Il fallait à nouveau réaménager les locaux pour accueillir autant de monde.) Dans les bras, je ne me calmais pas non plus. La faim me tenaillant, j'ai arrêté de faire la fine bouche et je me suis résigné à téter le lait dégueu. Résultat : la diarrhée, la chiasse !

Régime sec. On m'a mis à l'eau de riz.

Jusqu'à ce que je comprenne que je devais réagir. Et vite. Deux événements m'en ont fait prendre conscience.

Un. La visite hebdomadaire au laboratoire du docteur Ebner.

Herr Ebner a pincé les lèvres de dégoût en découvrant mes langes souillés de cette immonde substance verdâtre et visqueuse, malodorante, pas du tout conforme avec les selles bien moulées d'un enfant de pure race, preuve d'une excellente santé, d'une parfaite maîtrise du corps. Oh ! comme j'avais honte !... Quand Ebner m'a posé sur la balance, j'ai eu l'impression que, derrière ses lunettes rondes, ses yeux d'acier se figeaient, telles deux billes de glace. Sur sa tempe, la veine était plus gonflée que jamais. Il a dicté mon poids à sa secrétaire qui l'a noté dans la colonne adéquate. J'avais perdu sept cents grammes depuis la dernière visite ! C'était beaucoup trop. Si ça continuait... Ebner n'a pas terminé sa phrase. Or moi, je sais que les points de suspension font partie du langage codé.

J'étais en train de devenir rachitique. *Unharmonisch* !

Reprends-toi, Konrad ! Reprends-toi vite !

Deuxième événement. Ursula.

Elle se trouvait encore au *Heim*, bien qu'à plusieurs reprises elle eût demandé à Josefa d'anticiper la date de son départ.

– J'en ai marre de rester enfermée! Ras le bol des langes! De la sieste, des tétées et tout le tremblement! répétait-elle. Vous n'aviez pas dit que je devais remettre ça pour donner un autre enfant au Führer?

– Oui, évidemment, lui répondait Josefa, mais il vous faut tout de même respecter un certain délai, vous le savez bien!

Ursula donnait beaucoup de lait à son bébé, elle aussi, c'est pourquoi elle était condamnée à séjourner plus longtemps au *Heim*. Pour tromper l'ennui, elle s'adonnait donc à son activité favorite: colporter les potins.

Nous étions sur la terrasse. La nourrice tentait de me faire avaler un biberon d'eau que je refusais. Après avoir insisté un moment, elle avait fini par abandonner et se contentait de tenir le biberon près de ma bouche pour donner le change à Josefa et paresser au soleil. C'est alors qu'Ursula est venue s'asseoir près de nous.

– Ça y est, je sais! a-t-elle déclaré d'un air triomphant.

– Vous savez quoi?

– Je sais où on a emmené Édith, Klaus et Markus.

L'autre grosse vache à lait n'a pas eu l'air de comprendre à qui Ursula faisait allusion, mais moi, si. Édith, Klaus, Markus, c'étaient les bébés désignés par Josefa l'autre nuit, partis dans la camionnette de livraison.

– Et alors, ils sont où? a demandé la nourrice d'un ton négligent. (Elle n'en avait strictement rien à faire, se contentait d'alimenter la conversation.)

– Ils ont été envoyés à l'institut Steinhof de Vienne, au Spiegelgrund, l'annexe pour enfants, pavillon 15, a révélé Ursula dans un murmure.

– Ah! très bien! Ils vont y être soignés, alors!

– Vous n'y êtes pas du tout! a rétorqué Ursula avec un sourire malicieux, poursuivant son petit jeu de devinettes.

Impatiente de dévoiler son grand secret, elle a aussitôt enchaîné :

– Ils sont intégrés à un nouveau programme qui s'appelle «Mort miséricordieuse».

Elle a déballé le reste à voix basse, s'interrompant régulièrement, s'assurant par des coups d'œil répétés qu'aucune oreille indiscrète ne l'écoutait. Surtout pas celles des autres *Frauen* qui se trouvaient sur la terrasse. Je n'ai pas perdu une miette de son récit. Et j'ai bien noté les nouveaux mots codés.

«Mort miséricordieuse» : cela signifie que les bébés, une fois arrivés au pavillon 15, sont tués. «La mort miséricordieuse» n'est pas exactement synonyme de «désinfection» ou «réinstallation», c'est différent, plus subtil, c'est «donner la mort suite à une maladie déclarée». Parce que voilà, les médecins des *Heime* se sont rendu compte que, même si nous autres, enfants de pure race aryenne, avons été programmés avec le plus grand soin, la plus grande rigueur, même si nous sommes le fruit d'un accouplement irréprochable, une fois nés, nous ne sommes pas à l'abri d'une maladie qui se déclare avec la croissance. Triste constat. Énorme déception. Klaus, par exemple, était affligé d'un bec-de-lièvre, Édith était atteinte de surdité, et Markus souffrait d'asthme. D'autres défauts encore avaient été découverts chez tel ou tel bébé, ailleurs qu'à Steinhöring. Ces tares étaient inadmissibles pour la nouvelle génération des seigneurs et maîtres que nous étions censés représenter.

Pourquoi? s'interrogeaient les médecins. Quelle pouvait être la cause, l'origine précise de ces maladies de croissance? Comment vaincre les anomalies congénitales? Pour remédier au problème, il fallait chercher. Faire des expériences. Des tests.

Sur les bébés malades amenés au pavillon 15.

D'abord lorsqu'ils étaient encore en vie, ensuite, une fois qu'ils étaient morts. On disséquait leurs cadavres, on conservait leurs têtes, leurs cerveaux, leurs organes dans du formol, et on les rangeait dans des bocaux sur des étagères. Avec des étiquettes.

Autre mot codé: «faiblesse cardiaque». La formule inscrite sur les registres de la clinique pour justifier la cause de leur décès.

Après ces révélations, Ursula a guetté la réaction de la grosse vache. Celle-ci est demeurée silencieuse un long moment, elle ouvrait et refermait la bouche comme une marionnette manipulée par une main sans l'accompagnement de la parole.

– Je ne vous crois pas! C'est n'importe quoi! a-t-elle fini par décréter.

Vexée qu'on mette ainsi en doute sa parole, Ursula a renchéri de plus belle. Et de quoi donc notre Führer, le *Reichsführer* Himmler et les *Herr Doktor* Ebner et Brandt s'étaient-ils entretenus, ici même, au *Heim*, après la cérémonie du

Namensgeburg? Tout le monde sait que le *Reichs-führer* Himmler est passionné par les recherches scientifiques, non? Pourquoi donc, après la visite au laboratoire du docteur Ebner, certains berceaux se vidaient, hein?

— Mais qui vous a dit ça? Comment l'avez-vous appris?

— J'aime bien nouer des contacts, moi, vous savez, a précisé Ursula. Ici, il n'y a que des femmes, c'est barbant, alors de temps en temps, je discute avec les chauffeurs livreurs, le matin. C'est l'un d'entre eux qui m'a tout raconté. Il est content parce que ça lui fait du travail en plus. Il livre la nourriture le matin et, le soir, il vient chercher les «lapins».

Nouveau mot codé. Les «lapins», ce sont les bébés qui servent de cobayes et qui sont livrés à l'institut de Vienne, pavillon 15.

La nourrice a regardé Ursula sans dire un mot pendant un long moment, sans même tenter d'ouvrir la bouche comme elle l'avait fait tout à l'heure. Ensuite elle a parcouru d'un regard inquiet l'ensemble des *Frauen* qui se tenaient sur la terrasse, comme si elle voulait prendre à témoin l'une d'entre elles, puis elle a secoué la tête d'un air désabusé.

— Ah! vous, les jeunes! Qu'est-ce que vous n'allez pas inventer! s'est-elle exclamée.

Elle a laissé aller son buste en arrière pour exposer son visage au soleil, tandis qu'Ursula, vexée, s'éloignait pour remettre son bébé au lit et aller fumer une cigarette en cachette, comme d'habitude.

Markus, Édith, Klaus.

Markus, l'asthmatique. Édith, la sourde. Klaus, le bec-de-lièvre.

Je les avais très souvent côtoyés. Nos berceaux, dans la pouponnière, se touchaient. Étaient-ils... contagieux?

Et la diarrhée, le manque d'appétit dont je souffrais actuellement, étaient-ce des maladies qui se déclaraient avec la croissance? Des tares? Des défauts intolérables pour un bébé de pure race ? Je venais de passer une visite au laboratoire du docteur Ebner. Les points de suspension! Les points de suspension se sont mis à danser sous mes yeux, énormes, menaçants. Les points de suspension signifiaient: «Lapin. À livrer au pavillon 15.»

Non! Non! Je ne veux pas être un lapin! Je ne veux pas être découpé en morceaux!

J'ai été pris d'une secousse nerveuse, mes bras se sont écartés si violemment que le biberon d'eau a valdingué par terre et je me suis jeté sur le sein de la nourrice dont j'ai attrapé le téton comme si j'allais le gober.

J'ai tété. Tété jusqu'à plus soif. Même si le lait n'avait pas le bon goût de celui de maman. Et j'ai serré les fesses en priant pour que cette nourriture, aussitôt avalée, ne reparte pas dans mes langes.

La nuit suivante, j'ai fait d'abominables cauchemars. J'ai rêvé que j'étais un «lapin». Qu'on me faisait des piqûres dans les yeux pour en changer la couleur, pour qu'ils soient plus bleus. J'ai rêvé qu'on m'administrait du poison. J'ai rêvé qu'on me noyait dans un seau comme un

chaton. Qu'on me jetait au feu. Qu'on m'étran-
glait. J'ai rêvé de la bouche tordue de Klaus : elle se déformait, se déformait, s'ouvrant tel un four gigantesque qui finissait par m'engloutir. J'ai rêvé de l'oreille sourde d'Édith, je la voyais nager dans le formol, comme un gros poisson dans son bocal.

J'ai eu peur, terriblement peur, oui, je le reconnais.

Alors j'ai lutté. Lutté pour surmonter ma peur. Et j'y suis parvenu.

Maintenant je vais beaucoup mieux. Je ne boude plus aucune tétée, j'ai repris du poids. Je suis sorti plus fort de cette épreuve.

J'ai compris que le sacrifice de mes petits camarades était nécessaire pour que la médecine du Reich soit la plus performante du monde. Markus, Édith, Klaus et tous les « lapins » des autres *Heime* peuvent être fiers, ils vont contri-
buer à de grandes découvertes : des vaccins contre la tuberculose et le typhus (maladies véhiculées par les Juifs et les Tziganes), des médicaments pour guérir les blessures de nos soldats sur le front. Car une fois la guerre entamée, beaucoup de nos hommes, hélas, seront blessés. J'ai compris que nous formons une chaîne où chaque maillon, même le plus petit, a son importance. Les plus faibles meurent pour que les plus forts deviennent invulnérables.

Maintenant je ne m'offusque plus du départ des « lapins » en pleine nuit. Il en faut. Beaucoup. J'ai entendu dire que, en plus de la clinique de Vienne, d'autres « instituts scientifiques »

– nouveau mot codé – s'ouvriront. On réaménagera d'anciennes prisons en «hôpitaux pour enfants», avec des «blocs opératoires» ultramodernes. (Vous comprenez, n'est-ce pas, inutile que je me répète? Convenons désormais de ceci: les mots entre guillemets seront des mots codés.) Le *Reichsführer* Himmler compte ouvrir une cinquante d'«instituts de recherche» supplémentaires. La médecine va faire des pas de géant! D'autant que, quand il n'y aura plus assez de «bébés-lapins», la guerre en fournira d'autres, *via* les prisonniers.

Voilà. Je suis soulagé de vous avoir confié avec sincérité cet instant de faiblesse et de doute, ce passage à vide que j'ai traversé. J'ai fait mon autocritique. J'ai ainsi accompli l'un des devoirs essentiels de tout bon national-socialiste.

Maintenant, plus de problèmes. Je mange, je dors, je grandis. Je suis parfaitement sain. *Harmonisch!*

Et aussi... fini la corde magique! Elle n'existe plus. J'ai bel et bien coupé le cordon. Le souvenir de maman s'estompe au fil du temps. Il devient de plus en plus flou, comme un reflet qui, à la surface de l'eau, tremble et finit par disparaître. Je ne sais déjà même plus à quoi ressemblait son odeur, ou la sensation de se blottir contre l'oreiller moelleux de sa poitrine. Bientôt, j'aurai oublié son existence. D'ailleurs, ce mot, «maman», je vais le rayer de mon vocabulaire. Il est inutile à présent et j'ai bien assez de travail avec tous les nouveaux mots codés que je dois apprendre pour m'embarrasser de celui-ci.

C'est bon de se sentir libre, sans attache. Je me laisse trimballer dans n'importe quels bras, je tète à n'importe quelle poitrine. De fait, bientôt, je passerai au biberon.

Je deviens grand. Fort. Dur.

De l'acier de Krupp.

7

C'est une vraie manie ici, le ménage ! Et tout ce qui va avec : livraison de nouveaux jouets, de nouveaux meubles, renforcement des équipes de nettoyage (des détenues autorisées à pénétrer à l'intérieur du *Heim* pour y travailler).

Ah çà ! on n'a pas le temps de s'ennuyer. Ça bouge ! Ça tourne ! Toutes les *Frauen* ont changé. Il n'y a plus que des nouvelles qui viennent d'accoucher.

Josefa est surexcitée. Elle court de salle en salle, grimpe d'étage en étage. Rien n'échappe à son regard acéré de vautour : ici, un cadre du Führer n'a pas été épousseté comme il faut, là, sur le piano, les fleurs sont fanées, ce tapis, à l'entrée, n'est pas posé droit, et ce bébé, là, qui, depuis le début de la matinée, a la morve au nez ! Elle hurle sur les infirmières, houspille les secrétaires, réprimande les *Frauen*, bat les détenues. (Elle s'est acharnée sur l'une d'elles, l'autre jour, elle l'a frappée si fort qu'elle lui a mis le visage en sang, après quoi elle lui a reproché d'avoir taché le sol avec son sang et l'a battue de plus belle.) En un mot, elle est à cran, il est évident que même les pleurs des bébés – le bruit caractéristique, indissociable du *Heim*, autant que l'est le ronronnement des machines pour une usine – lui mettent les nerfs à vif. Les secrétaires, elles, sont à pied d'œuvre depuis une bonne quinzaine de jours. Elles croulent sous un courrier si abondant qu'elles doivent faire des heures supplémentaires pour parvenir à le traiter.

Je crois que tout cela : le ménage, les nouveaux meubles, la tension qui électrise l'air du *Heim*, c'est aussi un code. Ça veut dire qu'on va avoir de la visite.

J'ai une petite idée sur la question. Ce courrier auquel les secrétaires doivent répondre, ce sont des demandes d'adoption.

En d'autres termes, nous, bébés de pure race aryenne, après avoir été conçus avec la plus grande rigueur scientifique, après avoir passé haut la main la sélection à la naissance et échappé à la livraison en tant que «lapins», nous allons être envoyés aux quatre coins de l'Allemagne.

Nous allons sortir! Nous allons connaître le monde extérieur!

Nos futurs parents adoptifs, des couples formés par des officiers SS et leurs épouses, ont des exigences bien précises : certains veulent un nouveau-né fraîchement débarqué, d'autres un bébé de trois à six mois, qu'il n'est plus nécessaire de nourrir au sein, ceux-ci veulent un garçon, ceux-là une fille. (Heureusement que nous sommes tous grands et blonds aux yeux bleus, cela réduit un peu le champ des critères de choix.) Les secrétaires, avant de répondre aux diverses demandes, doivent bien prendre en compte les grades des pères postulants. Plus le grade est haut, plus beau sera le bébé attribué.

Par exemple, un *Oberscharführer*, simple sergent-chef, ne peut pas prétendre à un bébé aussi parfait qu'un *Obersturmbannführer*, lieutenant-colonel, lequel sera moins bien servi qu'un *Obergruppen-führer*, un général de corps d'armée. Quant à la demande d'un soldat 1re classe, *Sturmmann*, elle n'est même pas étudiée, sa requête va soit à la poubelle, soit sur la pile des dossiers en attente. Lorsqu'il y aura un excédent de bébés, ce qui n'est pas le cas pour l'instant, on pourra peut-être lui répondre. La tâche des secrétaires est donc délicate : interdiction formelle de se mélanger les pinceaux dans les grades, sans quoi il faudra assurer un service de retour ou d'échange qui risque d'être fort difficile à gérer. Pour traiter chaque demande, elles doivent étudier les fiches raciologiques des bébés, faire des estimations de compatibilité, elles tracent des courbes, des graphiques, se réfèrent à des statistiques savantes. C'est beaucoup de travail, je veux bien le croire.

Quant à nous, bien évidemment, nous avons été préparés pour la circonstance. Lavés, changés, vêtus de neuf, parfumés. Les bleus (j'appelle ainsi les nouveaux arrivants, ceux qui viennent de naître) sont dans la pouponnière et les vétérans, dont je suis le leader du haut de mes sept mois, dans un dortoir à part. Ceux qui ne tiennent pas encore leur tête sont couchés dans de jolis draps brodés. Sur le ventre. Position imposée par le docteur Ebner qui a constaté que, vu la malléabilité des os crâniens, si la tête du bébé repose sur la tempe, cela accentue sa dolichocéphalie. Ceux qui arrivent à tenir sur leur séant sans trop vaciller sont bien sagement assis sur leur lit à barreaux, calés entre de jolis petits coussins pour amortir les chocs en cas de chute. Enfin ceux qui, comme moi, se montrent plus remuants, ont déserté le lit à barreaux pour être sanglés dans un petit siège adapté.

Les filles d'un côté, les garçons de l'autre.

Nous sommes donc parés pour la visite.

Les voitures de nos futurs parents remontent l'allée principale. Pas d'infirmière postée à la fenêtre pour nous décrire l'ambiance qui règne dehors, comme lors de la visite du Führer. Les infirmières ne parlent qu'avec les *Frauen*, pas avec les bébés. Or les *Frauen*, pour la circonstance, ont été consignées dans leurs chambres avec ordre formel de ne pas en sortir. De manière générale, les infirmières sont muettes avec nous : elles nous lavent, nous changent, nous habillent sans dire un mot. Pour ne pas perdre de temps et tenir la cadence, avoir ainsi un meilleur rendement. Mais de temps en temps, quand Josefa a le dos tourné, certaines en profitent pour se laisser aller à exprimer leur agacement. « Oh ! mais c'est pas vrai, t'as encore pissé, toi ! Qu'est-ce que t'as à gueuler comme ça sans arrêt, tu vas la fermer, oui ? » Moi personnellement, ces écarts de langage ne me dérangent pas outre mesure, je suis un dur à cuire, comme vous le savez, et ce genre de remarques, bien que fort désagréables, ne me vexent pas. D'autant que je trouve toujours le moyen de me venger d'un mauvais traitement : un jet d'urine bien dirigé à la verticale sur une blouse blanche fraîchement nettoyée, une selle sur un lange qui vient d'être changé, un renvoi conséquent en pleine figure, et en dernier recours, des pleurs à vous vriller les tympans, à vous mettre les nerfs en boule. Le type de hurlements dont on a l'impression que jamais ils ne s'arrêteront, qui vous donnent envie d'emmailloter leur auteur dans ses langes et de le jeter par la fenêtre – délit dont aucune infirmière ne s'est rendue coupable jusqu'à présent.

J'aurais bien aimé avoir des informations sur les voitures des familles postulantes. Tant qu'à être adopté, j'aimerais mieux repartir dans une Mercedes.

Pour vous dire la vérité, je n'ai aucune envie d'être adopté. Si je suis choisi aujourd'hui, je me soumettrai aux ordres, à la procédure, puisque l'adoption est une composante essentielle du programme *Lebensborn*. Nous devons peupler l'Allemagne, faire en sorte que ses familles soient de plus en plus nombreuses, et lorsque la guerre aura commencé et porté ses fruits, il faudra peupler les pays annexés, leur donner un sang neuf. Certes. Mais je nourris un autre espoir, un rêve secret... Et puis, je viens à peine de réussir à me détacher d'une mère. Je viens de rayer le mot «maman» de mon vocabulaire. Vous avez été témoin de ce que cette épreuve m'a coûté : j'ai été malade, j'ai maigri, j'ai douté, j'ai eu peur, j'ai failli être embarqué dans la camionnette de livraison, alors, avoir une autre mère, une mère adoptive, quel intérêt ? Je me pose des questions sur ce qu'on attend de moi : va-t-il falloir simuler l'amour pour cette mère ? Comment ? Je crains de ne pas y arriver, je n'ai pas été conçu pour cela.

Mon rêve secret, c'est de rejoindre le *Jungvolk*

le plus tôt possible. Malheureusement je ne peux pas brûler les étapes. J'ai cinq ans et demi à attendre. C'est bien long! À six ans, je serai considéré comme un *Pimpf* («gamin») et je pourrai commencer mon éducation: une initiation au sport, aux techniques de combat, l'apprentissage de l'histoire nazie. À dix ans, après avoir passé une nouvelle sélection physique (parce que pour l'instant ça va, je suis un pur Aryen, mais il faudra le vérifier à nouveau, on ne sait jamais), je ferai partie des milliers d'enfants qui chaque année, le 20 avril, sont offerts en cadeau d'anniversaire à notre Führer et intègrent les *Napolas*, les écoles d'élite du Reich. Oh! ce sera là un grand moment de ma vie, essentiel, solennel. Je devrai prêter serment. Vous savez quoi? Je connais déjà la formule par cœur:

«*En présence de cet étendard de sang, qui représente notre Führer, je jure de consacrer toute mon énergie et toute ma force au sauveur de notre pays, Adolf Hitler. Je suis prêt à donner ma vie pour lui!*»

J'ai la chair de poule quand je prononce ces mots en pensée, dans mon crâne dolichocéphale.

À la *Napola*, fini la rigolade! Je suivrai un entraînement intensif jusqu'à l'âge de dix-huit ans, et je pourrai enfin entrer dans l'armée. Pour combattre. Tel est l'avenir de la nouvelle jeunesse allemande imaginé par notre Führer. Il a affirmé – je l'ai entendu dans un discours à la radio l'autre jour, juste avant la sieste – que chaque enfant allemand serait dorénavant pris en main, d'étape en étape. Il a dit... Attendez que je me souvienne exactement de ses phrases. Oui, ça me revient:

« *Nous ferons croître une jeunesse devant laquelle le monde tremblera. Une jeunesse impérieuse, intrépide, cruelle. C'est ainsi que je la veux. Elle saura supporter la douleur. Je ne veux en elle rien de faible ni de tendre. Je veux qu'elle ait la force et la beauté des jeunes fauves. Je la ferai dresser à tous les exercices physiques. Avant tout, qu'elle soit athlétique : c'est là le plus important. C'est ainsi que je la ramènerai à l'innocence et à la noblesse de la nature. Je ne veux aucune éducation intellectuelle. Le savoir ne fait que corrompre mes jeunesses.* »

Bientôt, a-t-il ajouté, il y aura une structure adaptée aux enfants de zéro à six ans. Malheureusement, elle n'est pas encore mise en place pour l'instant, faute de personnel. C'est pourquoi je dois être adopté pour occuper cette période de carence.

Je dois gagner du temps. Si j'arrive à me débrouiller pour retarder mon adoption, ce sera autant de pris. En attendant, je m'entraîne tout seul. J'ai déjà surmonté ma peur, j'ai déjà supporté la douleur, comme le veut notre Führer, avec l'épisode de la maladie consécutive à la séparation d'avec ma mère. Je tâche aussi de m'entraîner physiquement : quand une infirmière me change, je guette toujours le moment où elle va relâcher son attention. Par exemple, si elle s'éloigne pour aller chercher du linge propre, j'en profite, j'essaie de me décaler, de glisser pour tomber de la table sur laquelle elle m'a posé. C'est arrivé une fois, déjà. Même pas eu mal ! Je me mets aussi souvent debout sur mon lit, j'accroche un des barreaux, je me hisse le plus haut possible, ensuite, je pousse sur mes pieds, je soulève les fesses et me retrouve tête en bas. Je teste ainsi ma peur du vide... Inquiétées par cette vivacité qu'elles jugeaient extrême et dangereuse, les infirmières ont prévenu Josefa, laquelle a alerté le docteur Ebner.

– Konrad est doté du *Draufgängertum*! a déclaré celui-ci après mûre réflexion. C'est parfait! Parfait! C'est une qualité primordiale, essentielle de notre jeunesse.

Draufgängertum, ça veut dire «fonceur, casse-cou». Ça veut dire que chez moi l'instinct de conservation est réduit à son plus strict minimum. C'est un des premiers enseignements dispensés dans les *Napolas*. En d'autres termes, je suis un surdoué!

Néanmoins, en accord avec le docteur Ebner, Josefa a demandé aux infirmières de se montrer vigilantes et de m'attacher solidement. Pas grave! Je m'imagine alors prisonnier de guerre et j'essaie de m'échapper en rongeant les liens qui m'entravent.

Pour le moment, patience! Je m'en remets au destin. On verra bien si je suis adopté aujourd'hui.

Nous y voilà, la porte s'ouvre.

Josefa, tout sourires – malgré les regards noirs et anxieux qu'elle jette de côté pour vérifier que tout est en ordre – fait entrer un premier groupe. Elle laisse tout d'abord les couples papillonner à leur gré dans la salle avant de les orienter vers les bébés dont on a déterminé à l'avance qu'ils correspondraient le mieux à leur profil. Les femmes sont parfaitement à l'aise. Les officiers, eux, nettement moins, ils auraient plutôt envie d'aller fumer une cigarette dehors en attendant que leurs épouses respectives fassent leur choix. Ils les ont accompagnées par politesse, par galanterie, mais qu'est-ce qu'ils en ont à cirer, au fond, hein ? Pour eux, n'importe lequel d'entre nous fera l'affaire. Ils ont d'autres choses en tête, bien plus importantes. La préparation de la guerre, déjà. Rien que ça.

Les femmes s'ébrouent dans la salle, excitées et émues tout à la fois.

— Moi, déclare l'une d'elles, je vais choisir parmi les filles ! J'ai déjà trois garçons, autant vous dire que ça remue à la maison, alors une fillette bien calme, ce serait parfait !

— C'est l'inverse pour moi figurez-vous, je n'ai fait jusqu'à présent que des filles et j'apprécierais un petit garçon au tempérament bien trempé.

Pour d'autres, peu importe le sexe. Elles désirent adopter un nouvel enfant dans l'espoir d'obtenir la croix de bronze, d'argent ou d'or. (Des croix sont décernées aux mères allemandes les plus méritantes lors d'une cérémonie officielle qui a lieu une fois par an, le 12 août, jour anniversaire de la mère du Führer. Les femmes qui ont quatre enfants reçoivent la croix de bronze, celles qui en ont six, la croix d'argent, et les plus vaillantes, qui en ont huit ou plus, la croix d'or. Les croix donnent droit à de nombreux avantages : des primes, des allocations, l'attribution d'une bonne à tout faire prise dans le lot des prisonnières qui peuplent les camps, etc.)

Baldur et Bruno, mes voisins les plus proches, ont attiré l'attention de ces dames.

Alors, toi, viens voir un peu par là! Oh! Oui! Tu tends les menottes! Tu veux que maman te prenne dans ses bras, n'est-ce pas? Est-ce que tu sais faire un sourire? Allez! Fais-moi une risette! Et un bisou, est-ce que tu saurais déjà faire un bisou?

Pesé, emballé, pour Baldur, on dirait. Le choix a été rapide. En revanche, la femme intéressée par Bruno réclame des précisions supplémentaires à son sujet avant de se décider. Est-il en bonne santé? A-t-il bon appétit? Fait-il ses nuits? C'est sans doute un peu prématuré, mais a-t-on idée du caractère qu'il aura? En cas de problème, quelle solution propose l'administration du *Heim*? Josefa rappelle poliment, mais fermement, à son interlocutrice, que Bruno fait partie de l'élite des bébés et que, par voie de conséquence, il ne posera aucun problème. Cependant, un échange serait envisageable à titre exceptionnel.

Vient ensuite le tour de Trudel et Erna, les filles qui sont juste en face de moi...

Qu'est-ce que je m'ennuie! Autant que les officiers, dont bon nombre ont fini par quitter la salle en assurant à leur épouse qu'ils leur laissaient carte blanche. Il y en a un toutefois qui a eu suffisamment de patience pour rester et qui suit sa femme, alors que celle-ci s'approche de moi. Josefa, qui la talonne, s'empresse de faire mon éloge.

— Vous avez là un de nos meilleurs éléments, affirme-t-elle avec fierté.

Puis elle lit à haute voix le contenu de ma fiche raciologique, insistant sur tous les critères qui font de moi un magnifique spécimen de la race aryenne.

La femme s'agenouille pour être à ma hauteur. Elle me tripote les mains, me pince la joue, me chatouille le menton, les pieds. Je m'efforce, comme son mari, de me montrer patient. Il faut en passer par là... Tandis que je la fixe de mes grands yeux bleus – vous savez, ce regard typique des bébés qui, une fois qu'il vous a accroché, ne vous lâche pas et finit parfois par vous mettre mal à l'aise s'il n'est pas accompagné d'un sourire – la femme se lance dans un long discours. Elle m'explique qu'à la maison je trouverai deux grands frères de dix et huit ans, Friedrich et Rudolf, ainsi que deux sœurs de six et quatre ans, Katharina et Cora, qui m'attendent de pied ferme, qui ont bien l'intention de s'occuper de moi. Elles se sont déjà entraînées avec leurs poupées pour être à même de me changer, m'habiller, elles ont appris des chansons pour me bercer, le soir. Je partagerai la chambre des garçons. Je profiterai du grand jardin où, tant que je ne saurai pas marcher, le chien, baptisé Rex par les enfants, n'aura pas le droit de m'approcher. Plus tard par contre, je pourrai jouer à la baballe avec lui. Elle me donne une profusion de détails sur ma vie future... Qui s'annonce mortellement ennuyeuse!

Mes oreilles bourdonnent, la voix de la femme se perd peu à peu dans un brouhaha confus, je ne suis plus en mesure d'écouter ce qu'elle me dit. Elle me prend dans ses bras et mon regard est alors attiré par sa bouche dont les lèvres sont maquillées d'un rouge orangé, criard. J'y pose mon doigt. Le contact est gluant, visqueux, je laisse dériver mon doigt vers sa joue que je marque ainsi de traces rougeâtres. Elle feint de trouver amusante la maladresse de mes gestes, tandis que Josefa, se forçant à sourire béatement, lui tend un mouchoir pour effacer les marques disgracieuses.

– Ils sont drôles à cet âge-là, n'est-ce pas ? Allez savoir un peu ce qui leur passe par la tête !

Le rouge à lèvres ne m'amuse plus, je cherche dans le visage de la femme un autre détail qui pourrait m'accrocher. En vain... Je finis par me détourner tandis qu'elle tente de m'embrasser. (Berk ! Manquerait plus que ça !) Son mari, l'officier SS. J'aimerais mieux être dans ses bras à lui, j'aimerais mieux l'écouter, lui. A-t-il un rang important dans la Waffen-SS ? Lui arrive-t-il de croiser notre Führer ? A-t-il le privilège d'évoluer dans son entourage ? Fait-il partie de ses conseillers ? Lorsque notre Führer aura envahi les pays qu'il compte conquérir dès le début de la guerre, sera-t-il envoyé, par exemple, en France, avec toute sa famille, moi y compris, donc ?... Mais il demeure muet, ne me lance que quelques regards distraits lorsque sa femme le prend à partie, comme il le ferait si, dans un magasin, elle lui demandait conseil pour choisir une nouvelle robe... Je vais tâcher de trouver moi-même les réponses aux questions que je me pose. Des étoiles sont brodées sur son bel uniforme noir, je vais les compter, comme ça, je connaîtrai son grade. Et puis ça me fera passer le temps...

Alors, si je ne me suis pas trompé, si j'ai bien compté – ce qui n'est pas évident du tout, vu que cette satanée bonne femme n'arrête pas de me secouer en continuant à débiter ses fadaises – il a trois étoiles et deux galons, ce qui veut dire qu'il est soit *Obersturmführer*, soit *Hauptsturmführer*. J'hésite entre les deux. À moins qu'il ne soit plutôt *Obersturmbannführer*?... Non, non, je dis n'importe quoi là, je mélange tout!... Et moi qui pensais connaître par cœur la liste des décorations et des grades qui leur correspondent. J'ai un trou tout à coup... Bon, pas de panique! C'est le bavardage incessant de cette femme qui m'empêche de me concentrer. Une petite révision s'impose. Je vais réciter la liste depuis le début jusqu'au milieu, comme si c'était la première strophe d'une comptine. Si je n'ai pas d'hésitations, je continue sur la seconde partie...

Alors, ça donne :

« *1 galon pour le* Sturmmann, *soldat première classe.*

2 galons pour le Rottenführer, *caporal.*

*1 étoile pour l'*Unterscharführer, *caporal-chef.*

1 étoile et 1 galon pour le Scharführer, *sergent.*

*2 étoiles pour l'*Oberscharführer, *sergent-chef.*

*2 étoiles et 1 galon pour l'*Hauptscharführer, *adjudant.*

*3 étoiles pour l'*Untersturmführer, *sous-lieutenant.*

*3 étoiles et 1 galon pour l'*Obersturmführer, *lieutenant.*

*3 étoiles et 2 galons pour l'*Hauptsturmführer, *capitaine.* »

Ça y est! Je suis arrivé au milieu de la liste sans faire une erreur, sans avoir la moindre hésitation. Maintenant, la suite!

« *4 étoiles pour le...* »

Qu'est-ce qui s'est passé? Le couple a disparu. Je suis de nouveau sanglé sur mon siège. Frau Josefa et une infirmière, debout devant moi, m'observent d'un air inquiet.

— Je ne sais vraiment pas ce qu'il a, Frau Josefa, dit l'infirmière à voix basse. C'est vrai qu'il a l'air bizarre, tout à coup. Il était pourtant en pleine forme ce matin, je vous assure... Peut-être qu'il couve quelque chose?

— Moi qui pensais que ce serait le premier à partir! Qu'on se le disputerait!

Josefa, visiblement déçue, s'éloigne sans ajouter un mot et s'en va rejoindre le couple à l'autre bout de la salle.

Je crois comprendre ce qui s'est passé. Je me suis concentré si fort sur ma récitation que ça a dû me donner un air complètement crétin.

Je ne quitterai donc pas le *Heim* aujourd'hui. Tant mieux!

J'espère que Josefa n'est pas trop contrariée et que cette petite mésaventure ne parviendra pas aux oreilles du *Herr Doktor* Ebner. Il ne faudrait pas que mon air nigaud me fasse passer pour un «lapin». J'ai pris un gros risque. Mais c'est ça, l'intrépidité de la jeunesse, telle que la veut notre Führer, non?

En tout cas, je suis bien content, j'ai évité l'adoption aujourd'hui et c'est autant de gagné pour mon rêve secret. J'ai beau n'être qu'un bébé, je ne suis pas fait pour la vie de famille.

Il faut que je trouve le moyen d'occuper intelligemment les six années à venir.

8

Dominer ma peur. Résister à la douleur. Supporter la douleur. Avoir la force d'un jeune fauve. Comme le veut notre Führer.

Je dois faire travailler mon imagination. Me persuader que tout ceci n'est que… je ne sais pas… un exercice, une simulation, un entraînement que je pratique à l'École des *Pimpfe*.

Sauf que je ne suis pas encore un *Pimpf*. Juste un bébé! Et que c'est pour de vrai.

Il fait noir. Il fait froid. J'ai tellement peur.

Dire que, durant les semaines qui viennent de s'écouler, usant et abusant de mon *Draufgängertum*, je me suis efforcé de rebuter les parents adoptifs qui s'intéressaient à moi. J'ai rusé et ça a marché. Je suis le seul bébé âgé de neuf mois à être demeuré au *Heim*.

Et maintenant je suis puni.

Parce que je viens d'être «adopté». (J'emploie là un mot codé qui n'existe pas, je l'ai inventé pour la circonstance et vous allez bientôt en comprendre le sens caché.)

Tout s'est passé si vite. C'était la nuit dernière.

Un bruit suspect dans le dortoir. Un craquement. Ensuite, silence. Je tends l'oreille.

Ça recommence. Plusieurs fois de suite. Il y a quelqu'un. Quelqu'un qui s'efforce de marcher le plus doucement possible. Quelqu'un qui semble effrayé par le bruit de ses propres pas, car chaque craquement sur le sol s'accompagne d'une espèce de halètement. Un souffle rauque. On dirait un animal. Un chien ? Qui aurait échappé à la vigilance d'un des soldats en faction dehors et serait entré à l'intérieur du *Heim* ? Impossible. Si un chien peut haleter de cette façon, un chien se déplace sur quatre pattes. Pas deux. Est-ce Josefa qui vient chercher un « lapin » ?... Non. Le pas de Josefa est ferme et cadencé, même lorsqu'il se veut discret. Et Josefa ne choisit les « lapins » que parmi les nouveau-nés, dans la pouponnière. Qui, alors ?...

Ça reprend, une course plus rapide et ininterrompue cette fois. On dirait que le rôdeur marche pieds nus. Par moments je ne l'entends même plus, si bien que je me demande s'il ne s'agit pas d'un fantôme, ou bien si je ne suis pas en train de rêver. Puis brusquement, on rabat sur moi les pans de la couverture sur laquelle je suis couché. On me soulève. On m'emporte. Je n'arrive pas à savoir si je suis dans les bras d'une créature – vivante ou spectrale ? – ou dans les serres d'un oiseau de proie. Je ne vois rien. La couverture m'enveloppe dans l'obscurité la plus totale. Des secousses m'indiquent que la créature qui m'a enlevé court, puis qu'elle descend des escaliers à toute vitesse. Après quoi une bouffée d'air glacé s'engouffre sous ma couverture. Nous sommes à l'extérieur. Pas pour longtemps. Nouvelle course, puis on me pousse pour me faire entrer dans un trou. Ça ressemble au terrier d'un animal. Ma couverture se déplie, mais je n'y vois toujours rien. Ça sent la terre, l'humidité, le moisi. Des particules de poussière s'insinuent entre mes lèvres. Je commence à tousser. Je devrais plutôt hurler – pourquoi d'ailleurs ne l'ai-je pas fait dans le dortoir? Mais je n'ai pas le temps d'entamer le moindre braillement, je suis de nouveau empaqueté. Encore une descente. La créature me cale dans son bras gauche et me maintient fermement contre elle. Et là, je comprends qu'il ne s'agit pas d'un fantôme, parce que les fantômes peuvent traverser les murs et les obstacles. Quant à un oiseau, ça vole, ça ne s'enfonce pas dans les profondeurs de la terre. Or la créature s'accroche de la main droite – celle qui est libre – à une sorte d'échelle qu'elle descend palier par palier. Cette plongée vers les Enfers me semble durer des heures.

L'échappée s'achève enfin. La créature se laisse tomber sur le sol. J'entends sa respiration, saccadée, syncopée, sifflante. On dirait qu'elle va crever. J'espère qu'elle va crever! Quelques instants se passent ainsi dans l'immobilité et le silence. Je suis tellement paniqué que je ne trouve toujours pas la force de hurler. Quelque chose me dit que, de toute façon, ce serait peine perdue, personne ne m'entendrait. Puis la créature se ranime et me dépose par terre, doucement cette fois, avec une certaine précaution même, elle cale sa main sous ma tête pour que je ne heurte pas le sol. Elle s'éloigne et j'entends le craquement d'une allumette. La flamme vacillante d'une bougie dispense une faible lumière.

Je suis dans une cave.

La créature revient vite me prendre dans ses bras et je découvre enfin son visage. Maigre, décharné, exsangue. La peau est si tendue sur les pommettes qu'on devine les os en transparence. Une de ses joues est traversée par une longue balafre, une plaie qui doit être assez récente, car elle est encore rouge et boursouflée. Ses cheveux sont rasés de manière irrégulière, à certains endroits on voit le cuir chevelu, à d'autres, un duvet repousse en petites touffes de poils raides et hirsutes. Les yeux sont grands, immenses, écarquillés, presque exorbités, on dirait qu'ils grignotent peu à peu le visage, qu'ils vont finir par le dévorer. Ils sont bleus. Bleu clair. L'espace d'un très court instant, ce détail me rassure. Mais ces yeux bleus ont un regard angoissant, empreint d'une peur sauvage, animale. Ou peut-être est-ce ma propre peur qu'ils reflètent ?

La créature est une femme.

Elle pue.

La sueur, l'urine, mêlées à d'autres relents que je n'ai pas encore appris à reconnaître et qui me donnent un violent haut-le-cœur.

J'ai envie de vomir.

Je comprends enfin ce qui vient de se passer. Cette femme... c'est une détenue. Une de celles qui, pour la préparation d'une visite des familles adoptives, ont été autorisées à entrer à l'intérieur du *Heim* pour y travailler. Elle a, Dieu sait comment, réussi à échapper à la «réinstallation» et s'est cachée dans cette cave. Et elle m'a enlevé. (Maudite soit Josefa et son obsession du ménage ! Elle aurait mieux fait de demander aux *Frauen*

106

de récurer les sols, ou de se coller elle-même à la tâche ! Je n'en serais pas là !)

Moi, bébé de la race des seigneurs, dans les bras d'une représentante de la lie de l'humanité.

Qui est au juste cette femme ? Une Juive ? Une Tzigane ?... Impossible ! Elle a les yeux bleus... À moins que... À moins qu'il n'y ait des Juifs et des Tziganes aux yeux bleus ? La nature peut-elle donner lieu à de telles aberrations ?

Que va-t-il se passer maintenant ? Est-ce que... Est-ce qu'elle m'a enlevé pour me manger ? Me dévorer tout cru ? Oh ! oui, tel est sûrement le sort qui m'est réservé. Les Juifs et les Tziganes sont des êtres abjects aux mœurs immondes. Comme ils sont vils et lâches, ils s'en prennent aux enfants. Ils les attirent en leur distribuant des bonbons – du poison en réalité. Sur les journaux que lit Josefa, il y a souvent des dessins qui le montrent.

Courage. Je suis un Bébé *Pimpf*. Je saurai mourir avec dignité.

Elle ne m'a pas mangé.

Au contraire, elle a essayé de me nourrir.

Elle a dormi pendant un long moment. (Elle doit se terrer dans cette cave depuis plusieurs jours, et la course de cette nuit pour monter jusqu'au dortoir où elle m'a enlevé, la peur panique qu'elle a dû éprouver, l'ont épuisée.) Sa tête et le haut de son buste sont appuyés contre le mur, le reste de son corps étant affalé par terre, bras et jambes écartés. Elle a la tête penchée sur le côté, le cou complètement de travers, on dirait un pantin désarticulé. Moi, je me trouve posé en équilibre instable sur ses cuisses. De temps en temps, dans son sommeil, elle est prise d'une secousse, une violente convulsion qui la fait sursauter et contracter les muscles – ce qui me fait glisser un peu plus sur ses cuisses en direction de ses genoux. Puis elle se relâche à nouveau et sombre dans l'inconscience. À chaque sursaut, je gagne quelques centimètres, et j'espère ainsi atterrir bientôt sur le sol. Il me faudra alors mobiliser mon *Draufgängertum* pour essayer de ramper par terre à la force des bras jusqu'à ce que je trouve une issue. (Je n'ai encore jamais essayé de ramper ou de marcher à quatre pattes, il est temps d'entamer cette étape de mon développement.)

Mais je n'ai pas l'opportunité de tenter quoi que ce soit. Elle se réveille en sursaut, me reprend dans ses bras avec une vivacité surprenante et me serre contre elle. Très fort. Comme si tout à coup elle voyait quelqu'un qui voulait m'arracher à elle. Hélas, il n'y a personne. Ensuite elle déboutonne la veste de son uniforme (crasseux, malodorant, en lambeaux) et me presse contre sa poitrine. Sa peau est moite de sueur. Il fait pourtant froid dans la cave, elle doit avoir la fièvre, à cause d'une maladie quelconque. Les Juifs et les Tziganes véhiculent tellement de parasites, elle a peut-être la gale, la lèpre, le typhus, pire encore... Je sens ses côtes qui saillent sous la peau. Son buste n'est, comme son visage, qu'un assemblage d'os. Je finis par comprendre qu'elle veut que j'attrape son sein.

D'abord, je suis pris de dégoût. Quelle horreur ! Puis une sorte d'instinct se réveille en moi.

Quelque chose s'active au fin fond de mon cerveau, comme une sorte de signal. Je me souviens de la période où la grosse vache de nourrice s'évertuait à me faire boire son lait. Mais ces souvenirs sont si lointains. Depuis plusieurs semaines, on me donne un biberon le matin et le soir, tandis qu'à midi j'avale une bonne purée de carottes ou d'épinards, cuisinée avec les légumes du potager. Alors, attraper un sein dans ma bouche, c'est un retour en arrière, une régression indigne de moi... Mais le fait est que j'ai faim. Je ne sais pas si c'est toujours la nuit ou bien si, dehors, le jour s'est levé. Comment trouver un repère dans l'obscurité de cette cave ? D'autant que jour, nuit, ça se mélange encore pour moi par moments. Il m'arrive souvent de réveiller une infirmière pour qu'elle me donne à manger en pleine nuit. Pour l'heure, mon ventre douloureux m'ordonne d'avaler quelque chose. Alors j'essaie d'attraper son sein... Sauf qu'elle n'en a pas ! Ou plus. À la place, des os, toujours des os, rien que des os ! Comment je peux faire, hein ?... Au bout d'un moment, elle m'aide, elle se pince violemment la peau et un semblant de téton finit par apparaître. Je peux enfin l'attraper entre mes lèvres. Seulement j'ai beau téter, tirer, aspirer, mordre, rien ne sort. J'ai dû lui faire mal – j'ai une dent qui commence à pousser en haut – parce qu'elle crie et me repousse violemment. J'ai bien cru qu'elle allait me frapper. Ou me balancer contre le mur. Mais non. Au contraire, elle me ramène doucement vers elle, elle se met à rire et à pleurer en même temps, tout en balançant son buste de gauche à droite pour me bercer et calmer mes pleurs.

(Je suis si énervé que cette fois ça y est, je gueule à pleins poumons.)

Elle n'arrête pas de répéter un mot dans sa langue à elle. Sa langue de sauvage. (Yiddish? Rom?) Ça commence par «Ma». Ensuite il y a un drôle de son, comme si elle faisait claquer sa langue contre son palais. Quelque chose comme «tchètche» ou «xètche».

«Ma-tchè-tche... Ma-xètche», elle répète, tandis que ses lèvres grimaçantes s'étirent en un semblant de sourire.

Je n'arrive pas bien à m'expliquer ce qui se passe ensuite. La première syllabe de ce mot en langue sauvage, «Max», elle résonne dans mon cerveau, résonne plusieurs fois, provoquant une sorte d'écho qui ravive un souvenir encore plus lointain que celui de la grosse vache de nourrice. Je me rappelle qu'avant la grosse vache il y avait une autre *Frau* qui me tenait dans ses bras. Qui me berçait souvent, exactement comme le fait la détenue en ce moment. Et cette *Frau* m'appelait «Max».

J'arrête de gueuler. Net.

À force de réfléchir comme ça, à force de solliciter les rouages de mon cerveau, je me sens tout à coup vidé. Plus de *Draufgängertum*. Je suis épuisé. Je m'endors.

On se réveille en même temps. À quel moment? Aucune idée. Une heure après, un jour, deux, plus encore peut-être. C'est la faim qui nous extirpe de notre sommeil. J'ai la colique, mes intestins sont noués. Quant à elle, son ventre fait toutes sortes de bruits, comme de l'eau qui s'écoule goutte à goutte dans une caverne. La peur m'assaille de nouveau, je me dis, ça y est, elle, elle a son repas tout prêt, elle va se décider à me manger. Mais non. Toujours pas. Elle sort de la poche de sa veste un biberon de lait. (Elle l'a sûrement volé dans le dortoir avant de m'enlever.) Pendant un moment, elle le regarde avec un air avide, puis elle me regarde, moi. Un regard si méchant tout à coup! Celui d'un rapace. Je lis dans ses yeux ce qu'elle pense: «Et pourquoi je te donnerais ce lait alors que j'ai si faim?» Et, à ma barbe, elle se met à boire goulûment. Quel culot! Mais elle ne prend que trois ou quatre gorgées, pas plus, et elle glisse enfin la tétine dans ma bouche.

Je bois. Je bois.

Et glou et glou et glou!

Que c'est bon! Froid, mais bon. Et puis tout à coup, fini! Elle m'enlève le biberon alors qu'il reste un bon tiers de lait. Je me remets aussitôt à gueuler. Elle me berce, mais ça ne me calme pas du tout, au contraire! Ensuite... Miracle! Elle prononce deux mots. En allemand.

– *Für später! Für später*[1]! elle me dit.

Elle ne veut pas que je boive tout d'un coup, parce que sinon, je n'aurai plus rien après. M'en fiche! C'est maintenant que j'ai faim, moi! MAINTENANT!

Elle me berce encore en répétant son «Max-quelque chose». J'arrête de pleurer. Il est magique, ce mot aux consonances bizarres, il a sur moi un effet apaisant... Elle recommence à parler. Parler. Plus du tout dans sa langue de

---

1. Pour plus tard!

111

sauvage, mais encore en allemand. Un allemand parfait, sans l'ombre d'un accent.

Elle me raconte sa vie. Commence par me dire qu'elle est allemande. (Quel soulagement pour moi!) Je me détends et l'écoute. Il y a quelques mois, elle attendait un bébé. Mais un matin, son mari et elle ont été arrêtés par la Gestapo. On les accusait d'«insulte à la race». (Je me suis réjoui trop vite, cette femme est allemande, certes, mais elle fait partie des individus que notre Führer condamne. Elle a commis une des plus graves fautes qui soit: s'accoupler à un Juif! Quelle horreur!) La femme continue son récit, elle dit qu'elle ne sait pas ce qu'est devenu son mari. Elle, on l'a conduite au camp de Dachau. À son arrivée, elle a été battue sauvagement par un SS qui lui a donné des coups de pied et de matraque dans le ventre. Son gros ventre qui portait le bébé. Ça a provoqué l'accouchement. Alors qu'elle était par terre dans la neige, le visage en sang, le SS lui a crié: «Vas-y! Vas-y! Putain! Sors-le, ton bâtard juif! Qu'on voie un peu de quoi il a l'air!... Allez! Pousse! Pousse!» Elle a hurlé. Elle a pleuré. Elle a poussé. Et le bébé est sorti. Comme ça, dans la neige tachée de sang. Ensuite, le SS lui a tiré une balle dans la tête.

La femme sanglote après son récit. Moi aussi. Mais je ne sais pas si c'est à cause de ce qu'elle vient de me raconter, ou parce que j'ai toujours aussi faim.

Elle me serre contre elle encore plus fort. Elle ajoute, entre deux hoquets, que son bébé, elle voulait l'appeler Maciej. Un prénom polonais, parce que son mari était d'origine polonaise.

Maciej. Maciej. Elle répète ce prénom. Encore et encore. Elle m'embrasse.

Je ne suis pas Maciej, je ne suis pas ton bébé! Je m'appelle Konrad, ou Max!... Je ne sais plus... Mon père n'est pas juif! Une Frau s'est accouplée avec un officier SS pour me concevoir. Cet officier SS, c'est peut-être celui qui a tué ton Maciej!

Si seulement je pouvais lui dire ça. Mais c'est impossible, alors elle continue.

Maciej. Maciej... Et des baisers. Partout, sur mon nez, mon front, ma bouche, sur mes mains et mes pieds. Au début, ça m'agace, ça me dégoûte, et puis je me rappelle que la *Frau* d'il y a longtemps, celle qui me berçait comme la femme en ce moment, elle m'embrassait, elle aussi. Et surtout, le contact de ses lèvres humides me réchauffe, me protège du froid glacial qui règne dans la cave.

Quant à ce «Maciej», répété comme une litanie, il m'aide à me rendormir.

À mon réveil, je suis trempé. Mais vraiment, hein. Complètement souillé. Pipi, caca, tout. Le caca pas bon, celui qui a failli m'envoyer à la camionnette de livraison. C'est d'autant plus désagréable que Magda (le prénom de la femme) ne s'est pas réveillée en même temps que moi. De fait, ses périodes de somnolence sont de plus en plus longues. Elle ne sursaute plus pendant son sommeil. Son corps, toujours disloqué dans des positions aberrantes, reste aussi immobile qu'un cadavre. Elle finit tout de même par ouvrir un œil et se rend compte du désastre... Du lait, elle a pensé à en voler, mais des langes de rechange, non. Elle a l'air paniqué un instant, non pas que l'odeur la gêne – elle n'est pas pire que la sienne – mais parce qu'elle voit que mon cul est aussi rouge que celui d'un singe. Ça me démange atrocement et je me tortille comme un ver. Même la couverture qui m'enveloppe est mouillée. Alors Magda se déshabille. Entièrement. Elle enlève son pantalon, et comme il est déjà en lambeaux elle n'a pas de mal à le déchirer un peu plus pour en faire un lange qu'elle passe entre mes jambes et noue sur les côtés. Ensuite, elle m'enveloppe dans sa veste.

Je suis vêtu de l'uniforme des détenus, à présent ! De pire en pire. Mais après tout, personne ne me voit. Personne ne m'entend non plus, d'ailleurs, sans quoi on serait venu me chercher. S'est-on seulement rendu compte de mon absence ?... Apparemment non. Le *Heim* est désormais aussi grand qu'une usine. On a trouvé un lit vide, et alors ? Trois autres au moins se sont vus occupés dans le même temps.

Alors, même si je porte les vêtements de la honte, je suis au moins au sec. Même si les bras qui me tiennent sont ceux d'une femme qui s'est accouplée à un Juif, ils me procurent de la chaleur et me réconfortent. Comme sa voix. Si faible. Si douce. Si présente, alors que la voix du Führer, ici, dans cette cave, ne résonne plus. Pas de radio, forcément. Je sens qu'au fur et à mesure que le temps passe, cette voix se réduit à un murmure, qui recule loin, loin dans mon cerveau, vers la case de l'oubli.

Magda me donne le reste du biberon de lait. Et après ça, au fil des heures, des jours, des nuits, je ne sais plus, elle me fait grignoter un quignon de pain rassis – reste d'un de ses premiers larcins avant qu'elle ne m'enlève. Elle prend des miettes qu'elle met dans sa bouche pour les ramollir, ensuite elle me les donne et je peux les avaler sans qu'elles provoquent une fausse route.

Le quignon de pain est bientôt fini lui aussi. Ainsi qu'un trognon de pomme. Des os de poulet sur lesquels il restait un peu de chair. Les épluchures d'une pomme de terre, d'une betterave.

Ensuite, plus rien. *Rien.*

Nichts.

La faim. Le froid. La léthargie.

Magda se remet à parler. Elle me raconte Maciej. Comme elle l'aimait quand il était dans son ventre. Comme elle aurait voulu le voir grandir.

Maciej. Maciej. Maciej...

Quand je ferme les yeux trop longtemps, Magda me secoue doucement jusqu'à ce que je les rouvre. Elle a peur que je meure dans mon sommeil. Et moi, de mon côté, c'est pareil. Je me débrouille pour, en gigotant, lui envoyer une main ou un pied dans le visage et la réveiller. Le peu de *Draufgängertum* qui me reste sert à ça. Je sais que je suis lié à elle. Si elle meurt, je crève moi aussi.

Et c'est là qu'un nouveau déclic se fait dans ma tête. À force de dormir dans les bras de Magda et non plus couché sur le ventre comme le recommande l'autre là, celui qui se trouve quelque part au-dessus de nous, le *Herr Doktor* aux yeux de glace – quel est son nom, déjà ? – je crois que mon crâne s'est peu à peu déformé. Il n'est plus dolichocéphale, il n'est plus aussi allongé et ovale, si bien que les souvenirs lointains reviennent vers le devant. Je me souviens tout à coup de la «corde magique». Celle qui fonctionnait avec la *Frau* qui me nourrissait il y a longtemps, très longtemps. Cette *Frau*, c'était... ma mère... Oui, c'était *Mutti*. «Maman». Le mot que j'avais rayé de mon vocabulaire.

Mutti. Magda me le répète à chaque fois qu'elle réussit à se réveiller.

— *Mama ist da. Habe keine Angst.*

Maman est là. N'aie pas peur.

Mais la corde magique ne fonctionne pas très longtemps.

Au fil des heures, des jours, des nuits, de ce temps qui passe dans la cave, elle devient inopérante.

Quand je tire dessus, la réponse tarde de plus en plus à venir. Jusqu'au moment où il n'y a plus de réponse du tout. Jusqu'au moment où moi-même je n'ai plus la force de tirer dessus. Cette fois, c'en est bel et bien fini de mon *Draufgängertum*.

Je ferme les yeux et me laisse aller dans les bras qui, au fil des heures, des jours, des nuits qui passent dans cette cave, se referment sur moi. Froids, rigides comme des crochets.

9

Il paraît qu'il a fallu casser les os des mains et des bras du cadavre qui me retenait prisonnier.

Il paraît que je suis resté en tout cinq jours dans la cave. Dont deux avec le cadavre.

Quand on m'a trouvé, j'étais donné pour mort. Je n'avais plus rien d'un bébé de la race des seigneurs. Sale, baignant dans mon urine, ma merde et mon vomi, amaigri, j'étais à peine plus gros que les rats qui, paraît-il encore, avaient commencé à grignoter le peu de chair qui me restait.

Ma disparition est bel et bien passée inaperçue, comme je l'avais supposé.

L'infirmière de garde la nuit de mon enlèvement, trouvant mon lit vide au petit matin, n'en avait soufflé mot à personne. Incapable de fournir une explication – comment un bébé pouvait-il s'être volatilisé de la sorte pendant son sommeil? – craignant un châtiment sévère si l'on s'apercevait de son impardonnable négligence, elle avait acheté la complicité d'une secrétaire pour établir un faux dossier d'adoption à mon nom. Josefa, de retour d'une mission d'inspection dans un autre *Heim*, avait ainsi appris que Konrad le fonceur, Konrad le casse-cou, Konrad que personne jusque-là ne voulait adopter, avait enfin trouvé une famille. Gobant le mensonge, elle s'était réjouie de cette excellente nouvelle.

L'alerte fut donnée par le jardinier. Le bonhomme remarqua un beau matin qu'un parterre de pelouse, un de ceux qui faisaient sa fierté, avait été saccagé. On conclut dans un premier temps à un acte de sabotage et l'on rechercha le coupable parmi le groupe de prisonniers affectés au jardinage. Faute de trouver l'unique responsable, on « réinstalla » le groupe entier. Par la suite, le jardinier, voulant réparer les dégâts, retourna le monticule de terre pour y jeter de nouvelles semences. Il découvrit alors l'ouverture d'un puits asséché. Dans le trou fort profond, contre le mur, des échelons. Il signala immédiatement sa trouvaille. On appela du renfort, on descendit dans le puits, on suivit une longue portion de couloir souterrain, laquelle menait à l'entrée d'une cave qui n'avait pas été répertoriée sur les plans du bâtiment du temps où celui-ci était un asile.

C'est ainsi que le scandale éclata au grand jour. Alarme. Branle-bas de combat. Enquête. Représailles. « Réinstallation » immédiate de l'infirmière et de sa complice. Déportation de l'architecte qui avait rénové le *Heim*. Quant au cadavre de la détenue, il fut pendu à l'entrée de service du *Heim* et exposé pendant plusieurs jours, à titre d'exemple, jusqu'à ce qu'il soit entièrement dévoré par les corbeaux.

Le docteur Ebner eut alors à décider de mon sort. Que faire de l'épave que j'étais devenu ? La camionnette de livraison ?... Vu le piètre état dans lequel je me trouvais, je ne ressemblais même plus à un «lapin» digne de ce nom. Je mourrais pendant le transport avant d'arriver dans un «institut scientifique».

Restait l'incinérateur.

Quel gâchis! Ebner ne put se résoudre à réduire ainsi en cendres l'enfant qu'il avait lui-même mis au monde, le premier-né du programme *Lebensborn*, qui avait eu l'honneur d'être baptisé par le Führer en personne. C'était un sacrilège. Il décida donc de me garder. Dans son laboratoire. Comme sujet d'étude afin d'avancer dans ses propres recherches. Je souffrais d'une déshydratation très sévère consécutive au jeûne prolongé que j'avais subi. J'avais perdu quinze pour cent de mon poids, à tout instant ma pression artérielle menaçait de chuter, entraînant un «choc hypovolémique» (terme médical pour dire que j'allais crever).

Comment moi, jeune représentant de la race aryenne, allais-je résister à cet état de mort imminente? se demandait le docteur Ebner. Combien de temps allait durer mon agonie? Les réponses à ces questions fourniraient de précieuses données pour l'avenir de la science. Mobilisant toute son énergie, le *Herr Doktor*, dès lors, nota sur mon registre – celui qui avait été établi à ma naissance – la description rigoureuse et minutieuse de mon supplice.

J'avais les yeux enfoncés dans les orbites, la peau froide et marbrée, la langue «rôtie» – encore un terme médical signifiant qu'elle était complètement sèche, rouge et couverte d'une couche jaunâtre. J'avais constamment soif. Une soif atroce qui me mettait à la torture. Quand le docteur Ebner me pinçait la peau au niveau de l'abdomen, il restait une trace flétrie qui ne disparaissait pas. Pour clore le tout, je n'arrivais plus à pisser.

Le docteur Ebner procéda à une réhydratation d'urgence, par voie veineuse, une perfusion de soluté. C'était censé me guérir, mais cela n'étanchait pas ma soif. Ma bouche, sèche comme du carton, mes pauvres petites lèvres rugueuses comme du papier de verre réclamaient quelque chose à téter. N'importe quoi! Mais j'avais beau hurler, personne n'était en mesure de le comprendre.

Je souffrais en plus de tachycardie et de troubles de la conscience qui s'accompagnaient d'un délire persistant. Oh! les atroces visions que j'avais! Elles revenaient en boucle, ne me laissant aucun moment de répit. D'abord il y avait la vision de ce téton que je réclamais tant qu'il finissait par apparaître en songe. Lourd des promesses de ce lait dont j'avais tellement envie, il m'emplissait de joie, mais à peine l'avais-je attrapé entre mes lèvres qu'il gonflait, gonflait, devenait énorme, monstrueux. Il m'étouffait et finissait par m'écraser sous son poids comme une mouche sous une botte.

À d'autres moments, je me voyais dans le ventre de ma mère, tranquille, bien au chaud dans la poche d'eau, quand soudain celle-ci était prise de secousses. De terribles secousses qui allaient croissant jusqu'à ce que la poche se rompe. Plus d'abri. Plus de protection. Et les secousses se transformaient en véritable cataclysme, comme si on écrasait le ventre qui me portait. J'étais ensuite poussé en avant. Poussé. POUSSÉ. J'entendais des hurlements, des insultes : on me traitait de bâtard ! De Juif ! Ça me faisait horriblement peur, je tentais de reculer mais c'était impossible. Je commençais même à voir la lumière, une lumière blanche, éclatante et froide quand... pan ! un coup de feu. Et mon crâne explosait.

Un abominable calvaire. Le docteur Ebner me faisait une prise de sang toutes les quatre heures et prélevait mes urines toutes les six heures, pour les analyser. Il me pesait huit fois par jour, surveillait ma température, l'abondance de mes selles. Il auscultait mes poumons, faisait des radios pour surveiller la taille de mon foie. Il mesurait mon périmètre crânien. Guettait les signes de convulsions.

Mon martyre dura trois jours et trois nuits.

Jusqu'à ce matin où la fièvre tomba enfin. Où ma peau retrouva son aspect normal, ainsi que ma langue, tandis que mon poids commençait à augmenter.

Ebner, qui n'avait pas quitté mon chevet, m'observa avec une attention redoublée, complétant ses notes, ses graphiques, ses chiffres. J'étais dans la phase de rémission. Il fallait me réhydrater maintenant par voie orale et voir si je le supportais. J'ai bu au biberon. Enfin. De l'eau. Beaucoup d'eau. Puis, peu à peu, du lait. J'ai recommencé à faire pipi. Caca. De minuscules crottes de bique d'abord, ridicules, comme celles d'une chèvre, puis de belles crottes bien dures.

Vingt-quatre heures sont passées. Quarante-huit

heures. Ma température demeurait stable. Mon poids continuait d'augmenter. Ebner auscultait. Pinçait. Palpait. Guettait. Plus de pli cutané. Plus de diarrhée. De vomissement.

Ce n'était pas une rémission, c'était une guérison. Totale. Un vrai miracle. Non, pas un miracle. Exultant de joie, Ebner avait devant lui, en ma petite personne convalescente, la preuve tangible que la race aryenne pouvait résister aux maladies qui terrassaient les races inférieures.

J'étais un seigneur. Un vrai.

Après la guérison, la convalescence. Assortie d'une période de rééducation – au sens propre du terme.

Celle-ci fut l'œuvre de Josefa. Elle se sentait responsable de mon malheur. Si elle n'avait pas fait partie de la vague massive de «réinstallations» lorsqu'on m'avait trouvé à demi mort, son sens du devoir l'avait poussée à faire son *mea culpa* en présentant sa démission. Comment avait-elle pu se laisser duper de la sorte par une subalterne? Elle était impardonnable.

Sa démission fut néanmoins refusée et Josefa trouva l'occasion de se racheter lorsque le docteur Ebner, après m'avoir ramené à la vie, me confia à ses soins. Elle mit un point d'honneur à me redonner toute ma superbe. Parce que je l'avais bel et bien perdue.

Je n'avais plus une once de *Draufgängertum* en moi. Rien. Les semaines passèrent, on arriva au 20 avril 1937, j'avais un an, or j'étais incapable de me tenir debout, même avec l'aide d'un appui. Aucun son articulé ne sortait de ma bouche. Je ne voulais plus avaler de nourriture solide, quelle qu'elle fût. Il me fallait du lait, uniquement du lait. Qui plus est, pris au sein. Je ne pouvais dormir que si l'on me prenait dans les bras, que si l'on me berçait longuement en me susurrant de douces paroles. Autant de mauvaises habitudes dont il fallait absolument me débarrasser... Je ne répondais plus à mon prénom, Konrad. Je ne tournais même pas la tête lorsqu'on le prononçait. J'étais en train de devenir débile. Autiste, peut-être. Incapable de toute communication, je ne m'exprimais que par des hurlements. Et rien n'y faisait. La patience de Josefa s'épuisait : elle avait beau me promener dans le salon – en l'absence des *Frauen* que je pouvais effrayer par mon comportement – et passer en revue tous les portraits des représentants du Reich, ma mauvaise humeur ne se dissipait pas. Au contraire, elle s'en trouvait décuplée.

Josefa remarqua pire : la vue d'un uniforme brun ou noir me mettait hors de moi. Je me rendis même coupable un jour d'un acte qui finit de mettre à mal le moral de la malheureuse : alors qu'elle se tenait penchée au-dessus de moi pour me changer, j'attrapai l'insigne du parti accroché au revers de sa blouse, l'arrachai, déchirant le tissu, et le jetai violemment à terre.

Que m'avait donc fait cette chienne de putain dissidente ? se demandait Josefa, déconcertée par mon comportement. Non contente de m'avoir affamé, elle avait pollué, corrompu mon esprit ! Elle avait fait de moi un pourceau de demi-Juif ! Elle avait détruit en quelques jours le travail de plusieurs mois – plusieurs années même, si l'on prenait en compte la période qui avait précédé ma conception.

L'enfant du futur doit être vif et élancé, avait dit le Führer. J'étais en passe de devenir gras et adipeux à force de ne boire que du lait et de bouder les légumes. *Coriace comme du cuir*. J'étais mou et flasque, éternellement couché ou posé sur mes fesses, sans jamais me prêter à l'exercice de la station debout, encore moins de la marche. *Dur comme de l'acier de Krupp*. Je ne faisais que pleurer. Pleurer.

Josefa décida d'employer la manière forte.

Elle me mit en quarantaine. Mon corps était sain et sauf, certes, mais pas mon cerveau, qui avait été infecté de la pire manière. Et je ne devais pas contaminer les autres. Je demeurai donc seul à longueur de journée, enfermé dans une pièce à l'arrière du bâtiment pour étouffer la portée de mes hurlements permanents.

Josefa venait me rendre visite plusieurs fois par jour, pour me laver, m'habiller et me donner à manger. Je ne voulais pas me laisser habiller ? D'accord. Je restais nu. Je ne voulais pas manger ma purée ? Très bien. Elle posait l'assiette par terre et s'en allait. La faim finirait bien par me rendre raisonnable. La nuit, rien. Je pouvais m'époumoner, tendre désespérément les bras pour que la porte s'ouvre, pour qu'on me prenne, qu'on me berce, qu'on me rassure, il n'y avait personne. La porte de ma chambre demeurait fermée et je finissais par m'endormir par terre, épuisé. Je criais encore plus violemment à mon réveil après avoir recouvré quelques forces pendant la nuit.

Josefa trouva le moyen de couvrir mes hurlements.

Elle déposa dans la pièce où j'étais enfermé un poste de radio, réglé sur une station qui diffusait en boucle les discours du Führer. Volume à fond. Je ne pus rivaliser bien longtemps avec la puissance vocale de notre Führer. Je finis par me taire pour écouter, puis, peu à peu, apprécier cette présence sonore.

Les rouages de mon cerveau se remirent progressivement en place.

Je redevins celui que j'avais été. Un matin, Josefa eut le bonheur – elle en eut les larmes aux yeux – de me trouver debout et habillé. Ou presque. Certes, j'avais tenté d'enfiler ma culotte et je m'étais emmêlé les pinceaux, mes deux pieds s'étant glissés dans la même jambe ; je n'avais pas réussi à trouver l'encolure de mon tricot et ma tête était coincée dans l'emmanchure, mais je me tenais debout. Raide, droit, solidement campé sur mes pieds, sans aucun appui.

Mon petit bras droit était tendu comme un arc.

Et je prononçai enfin mes premiers mots :

– *Sieg Heil!*

10

J'ai quatre ans maintenant.

Je suis très beau. Tout le monde le dit. Je veux bien le croire, parce que je vérifie moi-même qu'on ne peut me croiser sans se retourner sur moi. J'attire le regard. Surtout celui des *Frauen*.

Mon diagnostic racial est excellent, même s'il n'est pas encore définitif. Beaucoup de traits physiques ne sont pas encore marqués chez l'enfant en bas âge comme moi et il faut attendre un stade de développement plus avancé. Néanmoins, tous les espoirs sont permis.

Je suis très grand pour mon âge, mince, sec, presque maigre, sans que ce soit alarmant, bien au contraire. (Je n'ai aucune carence. Nous ne manquons de rien au *Heim* : semoule, riz, flocons d'avoine, cacao, fruits frais, légumes, alors que dehors on commence à distribuer des tickets de rationnement. La guerre a débuté il y a un an.) Cette légère tendance à la maigreur souligne le dessin naissant de mes petits muscles – bras, cuisses, mollets – et promet un corps athlétique. Mes cheveux ne sont pas seulement blonds, ils sont platine, quasiment blancs, si bien que le contraste avec le bleu de mes yeux est saisissant. Deux gouffres d'eau turquoise perçant une étendue de neige. Quand je les pose sur une *Frau*, c'est radical, son cœur fond. Dolichocéphale j'étais à ma naissance, et le suis resté. Mon teint est blanc, légèrement rosé, comme si une touche de fard avait été délicatement posée sur mes joues. Mes oreilles ne sont pas décollées – grand Dieu, non ! – elles sont petites, bien ourlées, on dirait des coquillages. Mon visage est étroit, mes lèvres, fines, mon front, haut. Mon nez, mince, implanté haut lui aussi, trace une ligne sans rupture jusqu'à mon menton.

Une gueule d'ange. Un ange aryen.

On ne croirait vraiment pas, à me voir, que j'ai failli mourir. Je ne garde aucun souvenir de la terrible épreuve que j'ai vécue et qui a bien failli m'être fatale. Mais Josefa ne cesse de me raconter en détail, ainsi qu'aux nouvelles *Frauen* qui ont intégré le *Heim*, ce sinistre épisode. J'ai été fait prisonnier par une putain de dissidente qui m'a torturé et affamé. Elle a essayé de me tuer, mais, malgré mon jeune âge, j'ai été plus fort qu'elle et c'est moi qui ai survécu ! J'ai ainsi illustré l'une des principales théories de notre Führer : « Ce qui rend l'homme supérieur à l'animal, c'est sa capacité à survivre aux batailles les plus sauvages. »

Josefa affirme aussi que j'ai été vengé, car il s'est passé un événement très important, dans la nuit du 9 au 10 novembre 1938 – soit un an et demi après mon enlèvement par la putain dissidente. Cette nuit-là, on l'a appelée *Kristall Nacht*, la « Nuit de cristal ». Sur l'ensemble du pays, plusieurs centaines de synagogues ont été détruites ainsi que des milliers de commerces et industries juifs. On a tué cent Juifs, des centaines d'autres se sont suicidés ou sont morts de leurs blessures et près de trente mille autres ont été déportés en camps de concentration. Josefa m'a dit que, comme ça, aucune femme allemande ne sera plus tentée de s'accoupler avec un Juif. Elle m'a assuré que je suis désormais à l'abri, que jamais plus je ne serai exposé à un danger similaire.

En tout cas, ce haut fait de ma jeune vie, à force d'être raconté, répété, colporté – chacun y allant d'un détail de son invention – fait désormais office de légende dans le *Heim*. Je suis devenu une sorte de mascotte.

En tant que tel, il a été décidé que je ne serai pas adopté. C'est un peu comme si j'étais mis en vitrine. Je suis un échantillon parfait, une manière de bijou qu'on peut admirer mais qu'il est défendu d'essayer, encore moins de porter. Je sers de référence aux *Frauen* enceintes et aux nouvelles accouchées : voici le portrait à venir du fœtus qu'elles portent dans leur ventre, dit-on aux unes ; voici comment grandira leur bébé, affirme-t-on aux autres. De quoi remonter le moral des troupes en cas de doutes. Idem pour les mères adoptives en visite au *Heim*. Elles tombent toutes en pâmoison devant ma petite gueule d'ange et fondent en larmes lorsque Josefa leur raconte mon histoire, le traumatisme qui m'a été infligé et que j'ai surmonté. Elles veulent aussitôt me prendre dans leurs bras, me cajoler, m'embrasser, me gâter, mais... pas touche ! *Verboten*[1] ! Et si elles regrettent de ne pas repartir avec moi,

---

1. Interdit !

elles choisissent volontiers un autre bébé, assurées qu'elles sont de sa future ressemblance avec le modèle que je représente.

Bon. C'est bien. Je suis très fier.

Seulement, le revers de la médaille, c'est que je m'ennuie. Être poupoulé, chouchouté, adulé, ce n'est pas la meilleure façon d'entretenir mon *Draufgängertum*. Je n'ai pas oublié mon rêve secret. J'aimerais avoir des compagnons dignes de ce nom. Que puis-je donc faire au milieu de tous ces bébés vagissants qui ne pensent qu'à téter et à dormir ? Le cocon du *Heim* devient trop étriqué. Je manque d'air. J'étouffe. Je voudrais bouger. *Sortir, voir le monde !*

D'autant que, dehors, ça barde. Après l'annexion des Sudètes, de la Tchécoslovaquie et de l'Autriche, l'invasion de la Pologne, l'année dernière, a mis le feu aux poudres, les Anglais et les Français ont déclaré la guerre. Nous sommes alliés à l'URSS qui a contribué à écraser la Pologne. Mais de toute façon, même sans l'aide des Russes, notre armée fait la preuve évidente de sa supériorité, la France est déjà au bord de la capitulation, paraît-il. Nous avons aussi envahi la Belgique, le Danemark et la Norvège. Une invasion foudroyante ! L'Angleterre, de son côté, tente quelques bombardements, en réponse aux nôtres sur la City de Londres, mais ils demeurent sans conséquence. On raconte que les habitants de Berlin, loin d'en être traumatisés, ont pris l'habitude de s'amuser en se réunissant dans les endroits prétendument sinistrés par l'ennemi.

Conséquence de toutes ces annexions, le *Heim*

est actuellement sens dessus dessous : on attend un arrivage d'une qualité exceptionnelle. Des Norvégiennes et des Danoises. Inutile de leur faire passer une sélection, on sait par avance que les femmes natives de ces pays répondent parfaitement à tous les critères de la race nordique. Aussi nos officiers SS ont-ils eu ordre de pratiquer une « occupation en douceur ». Cela veut dire qu'ils ne doivent surtout pas procéder à des arrestations et des exécutions massives (comme à Smolensk par exemple, où on exécute les Juifs par milliers d'une balle dans la nuque). Surtout pas. Ils ont pour consigne de séduire les femmes norvégiennes, en les invitant au cinéma, au restaurant, au musée ou au concert. Et après, crac ! Accouplement. Puis accouchement, ici, en Allemagne. De gré ou de force. À coup sûr, les bébés qui naîtront de ces unions seront *harmonisch*. Un magnifique cadeau pour le Führer et la nation allemande. (Offert de gré ou de force, ce sera selon, parce que les Norvégiennes sont belles, certes, mais seront-elles assez intelligentes pour comprendre la nécessité de leur sacrifice ?) Grands, blonds, dolichocéphales, les bébés norvégiens seront dotés de la panoplie complète des enfants du futur et auront probablement un faible pourcentage de « lapins ». D'ailleurs, quand j'y pense, j'en éprouve une pointe de jalousie. Et si l'un d'eux allait me détrôner ?

Je préférerais ne pas avoir à vivre ce moment.

En attendant qu'on décide de mon sort, je m'occupe comme je peux. Je trotte, je cours, je grimpe, je saute, je hurle. Dès que l'occasion se présente, je sème la panique dans la pouponnière en y faisant de brusques intrusions. J'imagine que les berceaux rangés en rang d'oignons sont autant de fantassins ennemis contre lesquels je dois combattre. Je les bombarde de langes ou de biberons, selon ce qui se trouve à portée de ma petite main. Lorsque je suis contraint à des activités moins dérangeantes pour mes jeunes camarades, je me rabats sur mes jouets. J'en ai de magnifiques – comme la nourriture, nous n'en manquons pas ici, les diverses réquisitions nous garantissent des arrivages permanents. Avec mes avions et mes soldats de plomb, je suis un pilote de la Luftwaffe. Voum ! Voum ! Je fais de belles figures acrobatiques dans le ciel, et poum ! je lâche une bombe sur Londres ! Je joue aussi avec une magnifique maquette de château fort. Je suis alors un grand souverain médiéval qui règne en maître sur ses sujets. Mais le jouet que je préfère, c'est un simple petit marteau en bois. Dans mes mains, il devient le marteau de Thor, la plus puissante des armes conçues par les anciennes peuplades nordiques, mes ancêtres. Soit je suis un des deux nains qui ont fabriqué cette arme fabuleuse, soit, mieux, je suis Thor lui-même, dieu de la Foudre et du Tonnerre. Je porte des gants de fer pour lancer mon marteau sur mon adversaire et, quelques secondes plus tard, le marteau revient dans mes mains (c'est là sa magie). Je combats les géants des glaces ! Je suis invincible !...

Dire que bientôt, peut-être, la légende va devenir réalité. Oui, il est fort possible qu'on reconstitue le marteau de Thor. C'est un des objectifs que s'est fixé notre *Reichsführer* Himmler. Il a envoyé des équipes de recherche en Finlande pour étudier et analyser les vieux chants sorciers qui détiennent le secret de la fabrication du marteau.

Parfois aussi, mon jouet de bois devient l'épée sacrée du roi Arthur. Arthur était un enfant roi, comme moi ! Un enfant guerrier ! Je chevauche mon destrier et je pars à la recherche du Saint-Graal ! Et je trouve la coupe de l'immortalité ! Et je la bois ! Et je deviens immortel !

Zut ! Je viens d'envoyer le marteau-de-Thor-épée-sacrée-du-roi-Arthur en plein dans la figure de Josefa. Elle va s'énerver, elle va me punir en me consignant dans ma chambre. Je sais que je l'agace à jouer comme ça partout dans le *Heim*. Parfois, toute mascotte que je suis, elle m'en retournerait bien une. Qu'elle essaie un peu, tiens !

Mais Josefa ne s'énerve pas comme d'habitude, au contraire, elle me sert son plus beau sourire, celui qu'elle réserve pour les grandes occasions et les visites officielles. Elle m'annonce que je dois rassembler mes jouets afin qu'elle puisse les mettre dans ma valise avec le reste de mes affaires. Parce que... Parce que... Devine ! me dit-elle, élargissant son sourire grimaçant.

Parce que... JE SORS DEMAIN !!!

Je vais partir loin, très loin. En mission, ajoute-t-elle en chuchotant.

Où ? Mais où donc ? En Allemagne ou dans un pays étranger ? Avec qui vais-je partir ? Avec elle ? Comment vais-je voyager ? En avion ? En Mercedes ? Ce sera quoi, ma mission ? Retrouver le marteau de Thor ? Le Saint-Graal ? Je suis dans l'incapacité de lui poser toutes ces questions aussi clairement que je le voudrais et ça me met en rage, je trépigne d'impatience! Peu importe de toute façon! L'air comploteur que Josefa affiche en me prenant par la main pour m'emmener, cette façon qu'elle a de murmurer et de lancer des regards en biais pour s'assurer que personne ne l'a entendue parler de bagages et de départ, m'indique que ma mission doit être tenue secrète.

Secret-défense!

Tant pis si je ne sais pas ce qu'on attend de moi. Tant mieux, même, je préfère les surprises. Ce qui compte, c'est que je quitte enfin le *Heim* pour entamer une nouvelle étape de ma vie.

Rendez-vous donc un peu plus tard, en un lieu inconnu, pour la suite de mes aventures.

DEUXIÈME PARTIE

11

J'ai voyagé en Mercedes, une belle et grande voiture noire escortée par des motards qui dégageaient la route devant nous afin que nous roulions le plus vite possible. Le trajet a duré deux jours, en comptant la nuit passée à mi-chemin dans la maison d'un haut dignitaire du parti, un collègue du docteur Ebner.

Munich, Ingolstadt, Nuremberg, Bayreuth, Leipzig, Dessau, Potsdam. Imaginez un peu mon étourdissement ! Moi qui ne m'étais guère aventuré plus loin que la haie de peupliers séparant le *Heim* de la campagne de Steinhöring, je traversais les plus grandes villes d'Allemagne. Je découvrais enfin ma patrie ! Je me sentais grisé. J'ouvrais grand mes yeux pour profiter pleinement du paysage qui défilait derrière les vitres de la voiture. J'aurais aimé m'arrêter, me promener dans l'une de ces villes, mais j'ai bien compris qu'aucune visite n'était prévue au programme. Il ne s'agissait pas d'un voyage touristique, loin de là. Quelques arrêts-pipi, peu nombreux, rien de plus. (Je me suis efforcé de me retenir et de ne pas mouiller ma culotte, ce qui n'a pas toujours été facile.) De toute façon, au fur et à mesure que nous avancions vers l'est, le paysage se modulait, devenait de moins en moins hospitalier et l'envie de me balader m'a passé.

Lorsque nous avons franchi la frontière avec la Pologne, ce ne fut plus qu'un vaste champ de ruines. Maisons bombardées, effondrées, fumées d'incendies, blessés et cadavres dans les champs ou sur les routes, convois qui se traînaient, encadrés par nos soldats. De temps en temps, même si nous les dépassions à toute vitesse, j'apercevais un visage, hâve, exsangue, déformé par la peur.

Les Polonais. Prisonniers.

Je n'ai voyagé qu'en compagnie d'adultes, et pas des moindres. Ma tenue a été exemplaire. Sage, me tenant bien droit, veillant à saluer le bras tendu les diverses personnalités qui nous ont rejoints au cours du trajet, je me suis bien gardé de poser la moindre question, malgré la curiosité qui me démangeait.

Mis à part le docteur Ebner et Herr Sollmann, le directeur administratif du *Lebensborn* qui était souvent venu en visite au *Heim*, je ne connaissais personne. Josefa n'était pas de la fête, ce qui, entre nous, m'allait très bien. J'avais besoin de changement, et me retrouver à nouveau flanqué de cette vieille peau m'aurait déplu. Josefa appartenait dorénavant au passé et il me fallait l'oublier. Elle m'a serré dans ses bras, a même essuyé une larme en me quittant. Hypocrite ! En réalité, elle était bien contente de se débarrasser de moi. Je crois que la larme, c'était plutôt pour le docteur Ebner. Elle en pince pour lui. De mon côté, je me suis dégagé vite fait de son étreinte.

Tschüss! Salut! Au revoir! Merci pour tout! On se reverra peut-être un de ces quatre!

À côté d'Ebner et de Sollmann se tenait Herr Tesch, juriste de sa profession. À Berlin, une deuxième voiture nous a rejoints, avec cette fois une équipe de femmes. Quatre au total. Tout au long du voyage, les *Herren* et *Frauen* se relayaient, changeant de voiture pour discuter avec le docteur Ebner et Herr Sollmann. Lorsque je n'étais pas trop fatigué et que je ne dormais pas, j'ouvrais grand mes petites oreilles pour écouter ce qu'ils disaient. Des choses très importantes.

De fait, ils n'ont pas arrêté de travailler, la Mercedes faisant office, pour la circonstance, de salle de réunion. Ils étudiaient des dossiers, des lettres, des circulaires émanant du *Reichsführer* Himmler. Ils dressaient des comptes rendus, des budgets prévisionnels, évoquant des trains, des convois qui devaient s'acheminer vers telle ou telle direction – des noms polonais, trop compliqués pour que je les mémorise.

La chef des femmes était une Frau Inge Viermetz, première adjointe de Herr Sollmann. Sa mission : représenter les «physionomistes». Ce sont des spécialistes capables de reconnaître au premier coup d'œil si un individu se classe dans la race nordique ou pas. Sous ses ordres, Frau Müller, du NSV (Nationalsozialistische Volkwohlfahrt). Il s'agit d'un organisme qui veille au «bien-être du peuple allemand». Enfin, il y avait Frau Kruger, représentante du *Jugendamt*, l'«Office pour la jeunesse». Toutes ces *Frauen* portaient des insignes sur leurs uniformes ; c'est ainsi que j'ai pu deviner à quel organisme elles appartenaient, car je suis désormais imbattable sur la reconnaissance des grades et insignes. Quant à la dernière *Frau*, elle se disait représentante des «*Braune Schwester*».

Les «Sœurs brunes». Alors là, c'était une colle. *Schwester*, je savais que c'était un mot codé, qui ne signifiait ni «sœur» ni «infirmière». Les *Schwester*, ce sont les *Frauen* destinées à la reproduction, celles qui conçoivent et portent les enfants du futur comme moi. Mais ces *Schwester*-là sont blondes, pas brunes. Elles sont également jeunes et belles. Or, celle qui se trouvait dans la voiture avec nous était vieille et laide. Pour ne pas dire repoussante.

«*Braune Schwester*», il me faudrait attendre encore avant de pouvoir ajouter cette locution à ma liste de mots codés.

En prime, j'appris, à un moment où je fis semblant de dormir et où les adultes parlèrent sans se méfier, qu'on m'avait intégré – moi, Konrad von Kebnersol, quatre ans – à une mission qui portait le nom de code de «Opération»... «Opération Je-sais-pas-quoi», car malheureusement le dernier mot se perdit dans le brouhaha de la conversation.

Quelle pouvait bien être la teneur de cette mission secrète? J'eus beau faire jouer les ressorts de mon cerveau super-hyperintelligent, il me fut impossible de le deviner. Ma curiosité était aiguisée à un point que vous ne pouvez imaginer.

Poznan. Fin du voyage.

Nous avons pris nos quartiers dans une des rares maisons qui tiennent encore debout, près de l'hôtel de ville. Celui-ci est réquisitionné par le docteur Ebner et son équipe. Ils s'y réunissent en permanence pendant la journée pour travailler d'arrache-pied. D'autres personnalités, déjà présentes avant notre arrivée, se joignent à eux. Il y a un va-et-vient incessant.

La maison est belle, grande et joliment meublée. Les anciens propriétaires devaient être très riches. Nous logeons au rez-de-chaussée, parce que les étages ont souffert des bombardements. J'ai hérité de la chambre d'un des enfants. Tout y est demeuré en l'état, le garçon est parti sans rien emporter : ses vêtements traînent encore sur le dossier d'une chaise, l'armoire est pleine et les jouets sont éparpillés par terre. À mon avis, soit il est kaputt, soit il est prisonnier.

Je n'aime pas être consigné dans cette chambre, je préfère m'aventurer dans les étages, parmi les décombres, les gravats, les planchers effondrés. Je m'amuse à sauter d'un endroit à l'autre, au-dessus d'un trou, à m'accroupir sous une fenêtre dont la vitre est brisée, comme un sniper repérant sa cible avant de tirer. Autant d'excellents exercices pour entretenir mon *Draufgängertum*. Bien plus que de faire des coloriages, comme me le recommande Frau Lotte, la *Braune Schwester* qui s'occupe de moi ! Ce n'est pas la même que celle qui se trouvait dans la Mercedes pendant le voyage, mais elle est tout aussi moche et tout aussi vieille. Et bête avec ça. Des coloriages ! Pour qui me prend-elle ? Je sais déjà lire et compter ! C'est Josefa qui m'a appris. Je suis même capable de faire des opérations de calcul. Comme, par exemple : un sac contient trente bonbons, un Juif en vole vingt-cinq, combien de bonbons reste-t-il dans le sac ? Il en reste 30 − 25 = 5. Fastoche !

Frau Lotte a un faux air de Josefa. Raide dans son uniforme, toujours à me surveiller, à me sermonner. Je la respecte, je le dois, mais intérieurement je fulmine. J'en ai assez d'être entouré de *Frauen*. Moi qui croyais que ce voyage en Pologne allait changer cet état de fait ! Je ne suis plus un bébé, je suis un *Pimpf* à présent ! Et en tant que tel, j'aimerais avoir des compagnons *Pimpfe*.

Enfin, ce qui me rassure, c'est que Lotte n'est là pas seulement pour me donner mes repas, m'aider à m'habiller et me laver – ce que je tiens à faire tout seul dorénavant – mais aussi pour me préparer à ma mission. Celle que je dois mener à bien pour servir notre Führer, pour être utile à la patrie. La première étape de cette préparation consiste à apprendre quelques mots de polonais, à les prononcer avec le moins d'accent possible. Au début, j'ai eu des difficultés, c'est une langue barbare, mais je m'entraîne chaque jour et j'y arrive de mieux en mieux. Je connais déjà deux phrases entières que je récite sans accroc, sans hésitation, comme un vrai petit Polack :

« *Dzien dobry ! Mam na imie Konrad. A ty ? Chcesz sie ze mna pobawic ?* » Ce qui veut dire : « Bonjour, je m'appelle Konrad. Et toi ? Est-ce que tu veux jouer avec moi ? »

Dans les prochains jours, je dois apprendre à dire : « J'ai quatre ans. Et toi ? Est-ce que tu as des frères et sœurs ? Où habites-tu ? Est-ce que tu vis seul avec ta maman ? » Plein d'autres choses encore. J'ai du travail. Mais ça me plaît bien et puis… je ne suis pas idiot. Même si Frau Lotte n'a rien voulu me dire de plus sur ma mission, tout porte à croire qu'elle va consister en grande partie à rencontrer des enfants.

J'ai hâte.

Ça y est! C'est parti!

Je commence aujourd'hui. Frau Lotte m'a donné des vêtements chauds et de gros godillots, parce qu'il fait très froid dehors. Il neige, il y a un vent à vous décoiffer votre belle crinière blonde. Lotte, elle, a revêtu son uniforme : une longue robe marron foncé en forme de sac à pommes de terre, avec une grande collerette blanche et deux manchettes blanches. Sur la robe, elle a enfilé une sorte de tablier gris, qui comporte une grande poche dans laquelle elle a fourré en vrac des bonbons, des tablettes de chocolat et des miches de pain. (J'ai enfin compris la signification de ce nom, «*Braune Schwester*» : il est en rapport avec l'uniforme. Les *Schwester* veulent ainsi se faire passer pour de vraies sœurs, des religieuses, ce qui n'est pas du tout le cas. Dans quel but ? C'est encore un mystère.)

Nous montons non pas dans une Mercedes, mais à bord d'une Volkswagen noire, une voiture beaucoup plus discrète, qui s'adapte mieux à notre mission secrète. Une autre *Schwester* nous accompagne. Habillée de manière identique, elle porte un grand couffin rempli de sucreries et, dans une sacoche, tout un tas de fiches. Au volant, un *Unterscharführer*.

Nous quittons Poznan pour sa périphérie et traversons une série de petits villages. La plupart ont été incendiés ou bombardés. Dans les fermes, il ne reste quasiment plus rien, les granges ne sont plus que des amas de ruines calcinés. Les églises ont subi le même sort. Ça pue la chair brûlée.

Alors que nous entrons dans un village qui semble à peu près préservé, la *Schwester* ordonne au soldat de ralentir, d'ouvrir le toit de la voiture et de rouler au pas. Drôle d'idée d'ouvrir le toit, vu le temps qu'il fait, mais c'est amusant et j'aime bien cette sensation de froid sur mon visage, j'aime sentir les flocons de neige fondre sur ma chevelure platine. Neige sur neige...

Nous roulons, doucement, sans bruit, jusqu'à une école. Stop. Nous nous garons à quelques mètres de l'entrée, la voiture est dissimulée derrière un bosquet d'arbres. Silence total. Personne ne descend. Personne ne bouge. On attend... quoi ? Quel intérêt de s'arrêter si on ne peut pas se promener ? Les *Schwester* m'ordonnent d'être patient, de rester sage. Au bout de quelques instants, des femmes commencent à arriver et se postent à la porte de l'école.

Chut ! Je comprends que je dois rester immobile, tout juste si je ne bloque pas ma respiration. Car si nous, nous voyons ces femmes qui papotent entre elles, elles ne soupçonnent pas notre présence. C'est drôle, ce jeu de cache-cache, d'espionnage.

Au bout de quelques instants, le son d'une cloche retentit et la porte de l'école s'ouvre, laissant s'échapper un flot de gamins. Certains courent vers leurs mères et partent avec elles, d'autres se rassemblent en groupes de deux ou trois pour faire ensemble le chemin du retour, quelques-uns s'apprêtent à rentrer seuls et prennent des directions différentes. Ce sont ceux-là qui intéressent les *Schwester*. Elles les observent avec beaucoup d'attention, plissant les yeux pour parfaire leur vision, ce qui accentue les nombreuses rides qui creusent leur visage. On dirait des vautours, des chacals repérant leur proie. En suivant la direction de leur regard, je comprends qu'elles observent uniquement les enfants blonds. Il y en a un bon nombre, ce qui m'étonne. Comment ça se fait ? La blondeur n'est donc pas réservée aux Allemands et aux Norvégiens ?

— Celui-ci devrait faire l'affaire ! décrète Frau Lotte.

— Non, il a des yeux trop slaves.

— Celui-là alors ?

— Le front n'est pas assez haut !... Là, celui qui part vers la droite !

Frau Lotte quitte la voiture et suit l'enfant désigné par sa collègue qui, elle, ne bouge pas. Me retenant par le bras, elle m'intime l'ordre d'en faire autant. J'obéis. Comme toujours. Je suis programmé pour obéir, mais je trépigne. Patience, patience ! Quelque chose me dit que je ne vais pas tarder à agir.

Lotte aborde l'enfant. Elle lui tapote l'épaule pour qu'il se retourne, puis elle lui passe la main dans les cheveux dans un geste qui se veut affectueux, mais qui n'est qu'un leurre. En tout cas, à moi, on ne la fait pas, je devine que, mine de rien, elle veut savoir si le crâne du petit Polonais est dolichocéphale. De loin, au mouvement de ses lèvres, à la façon qu'elle a d'agiter les bras, je vois qu'elle lui parle, lui pose des questions. Elle essaie d'engager la conversation, mais apparemment ça ne marche pas. Figé sur le trottoir, le petit ne lui décroche pas une seule parole. Pas davantage lorsqu'elle lui montre les trésors de sa grande poche et lui propose de piocher dedans. L'enfant a l'air tout à la fois effrayé et tenté. Effrayé par la *Schwester* – ce que je comprends ; avec son uniforme brun, elle ressemble à un épouvantail, et le sourire forcé, figé sur ses lèvres, la fait grimacer. Tenté par le contenu de la grande poche. Des bonbons, des biscuits, de grosses miches de pain, qu'il fixe avec des yeux – bleus, nouvel étonnement de ma part – si écarquillés qu'on les croirait prêts à sortir de leurs orbites. Je me demande bien qui va l'emporter : la peur ou la faim ?

La peur a été plus forte. Sans quitter des yeux les friandises, l'enfant commence à reculer, lentement, marchant à la façon d'un crabe. Dans quelques secondes il va prendre ses jambes à son cou et s'enfuir.

C'est à ce moment-là que j'interviens.

– Souviens-toi de ce que tu as appris ! Vas-y ! me dit la *Schwester* qui est restée avec moi dans la voiture.

Je descends aussitôt et, tout en sautillant d'un air décontracté, je m'en vais rejoindre le petit Polonais. J'adresse un salut à Frau Lotte comme si je la rencontrais à la minute même et, après en avoir demandé la permission (en polonais), je plonge la main dans la poche du tablier, j'en sors une tablette de chocolat dans laquelle je croque à pleines dents. Ensuite, comme le petit Polonais me jette un regard plein d'envie, je la lui tends en lui offrant mon plus beau sourire. (Et mon sourire à moi n'est pas une grimace! Il me rend encore plus beau.)

Le petit Polack se jette littéralement sur la tablette de chocolat qu'il dévore en quelques secondes. Après quoi, il s'empiffre de biscuits et de bonbons. À partir de là, fastoche, je n'ai plus qu'à répéter mes phrases en polonais : «Bonjour, comment tu t'appelles? Où est-ce que tu habites? Quel âge as-tu? Etc., etc.» Il me répond sans hésitation, tout en continuant à se bâfrer. Il me confie qu'il a cinq ans, qu'il habite seul avec sa mère, que son père est mort, qu'il a deux frères de huit et six ans, et il conclut en me donnant son adresse. Frau Lotte note scrupuleusement ces informations sur une fiche, puis elle nous dit au revoir en nous tapotant à nouveau le crâne. Je souris pour faire croire que j'apprécie – ce qui me coûte, je déteste qu'on me touche, je déteste par-dessus tout ce geste, le même que lorsqu'on caresse un chien. Je continue à faire un bout de chemin avec l'enfant qui, une fois lancé, n'arrête pas de parler. Une vraie pipelette. Je ne comprends plus rien à ce qu'il baragouine, ma connaissance du polonais étant limitée aux phrases apprises par cœur, mais je hoche la tête d'un air entendu. Après quelques instants, je prétexte que ma maison est dans la direction opposée à la sienne et je prends congé pour rejoindre discrètement la voiture où m'attendent les *Schwester*.

«*Do widzenia!*» «Au revoir!»

Je serais bien resté avec lui, il est plus sympa que les *Schwester*. Malheureusement, le devoir m'appelle.

Le reste de la matinée se déroule de façon identique : repérage d'un ou plusieurs enfants blonds aux yeux bleus aux alentours d'une école, approche, conversation, etc. L'après-midi, nous rôdons autour des jardins d'enfants, des parcs municipaux – du moins ce qu'il en reste après les bombardements. Et ce jusqu'à la tombée de la nuit.

Inutile de préciser qu'en rentrant je suis épuisé. Même pas envie de jouer au marteau de Thor ou au sniper dans les étages de la maison. C'est à peine si je dîne, je suis ballonné à force d'avoir mangé du chocolat et des bonbons.

Le lendemain, c'est reparti pour un tour.

Et les jours d'après. Et ainsi de suite durant plusieurs semaines.

Vous pensez bien que, entre-temps, je me suis renseigné. En laissant traîner mes petites oreilles derrière la porte du bureau de Herr Ebner qui, le soir, organise des réunions de travail. Maintenant, je sais à quoi je sers et, surtout, je sais ce que deviennent les enfants qu'on a abordés par mon intermédiaire.

Voici toute l'affaire : en fin de journée, les *Schwester* rassemblent les fiches comportant les adresses répertoriées et les donnent à une brigade spéciale, composée de soldats SS, qui s'occupent ensuite d'aller chercher les enfants. Non seulement ceux avec qui j'ai parlé dans la journée, mais leurs frères et sœurs s'ils ont moins de six ans et s'ils répondent aux critères essentiels : la blondeur, les yeux bleus. Je crois bien qu'ils les prennent de force.

C'est ça, la fameuse «Opération Machin-chose», dont je suis l'un des acteurs essentiels : le vol de l'élite des enfants polonais pour les germaniser, pour en faire des enfants allemands aussi parfaits que ceux qui, comme moi, sont issus du *Lebensborn*.

Une idée de notre *Reichsführer* Himmler : «*Par tous les moyens, il nous faut germaniser les enfants étrangers de bonne race*, a-t-il décrété, *même si nous devons les voler. Il nous faut absorber ce que la progéniture de l'ennemi peut avoir de bon.*»

C'est une opération de grande envergure. L'armée de la jeunesse allemande va ainsi voir ses rangs doubler, tripler, quadrupler, elle sera inégalable en nombre. Les *Frauen* des différents *Heime* ne suffisent plus. Les Norvégiennes et les Danoises fraîchement réquisitionnées non plus, ou alors il faudrait que chacune d'elles mette au monde entre vingt et quarante enfants, ce qui est impossible. Alors qu'en prenant des enfants qui existent déjà, les perspectives sont sans limite. Quelle idée de génie! C'est un peu comme une transfusion sanguine. On donne du sang neuf à l'Allemagne et on affaiblit l'ennemi.

La perspective d'avoir des copains *Pimpfe* aussi nombreux me motive et je mets encore plus d'ardeur à la tâche. Le docteur Ebner, très satisfait de mes services, ne cesse de me féliciter, si bien que mon statut de mascotte n'en est que plus renforcé. Grâce à moi, l'«Opération copains» – j'ai inventé un nom de code à ma convenance – repart à la hausse, alors qu'elle marquait le pas. On en a déjà modulé une première fois le fonctionnement. Au début, il n'y avait que les soldats SS qui intervenaient, prenant les enfants n'importe où, les arrachant des bras de leurs mères, ce qui avait fini par créer une véritable panique. On leur avait alors adjoint les *Braune Schwester* pour amadouer les enfants. Cela s'était un peu mieux passé, mais au fur et à mesure, même chose, on avait fini par comprendre que les *Braune Schwester* étaient des oiseaux de mauvais augure. Dès qu'un enfant en apercevait une, il partait en courant.

Alors que moi, moi, avec ma gueule d'ange, non seulement je ne les mets pas en fuite, mais je les attire. Ils veulent tous devenir mes copains.

Plusieurs mois se passent ainsi. Malheureusement, des bruits circulent. On commence à m'associer aux *Braune Schwester*. C'est très vexant pour moi. (Non seulement elles sont moches, mais ce sont de vraies salopes!) Et surtout, je risque de ne plus être aussi efficace.

Mais le docteur Ebner, mon protecteur, n'est jamais à court d'idées.

Alors *exit* les *Braune Schwester*; désormais, je travaillerai avec Bibiana.

12

Bibiana.

En polonais, ça signifie la « dame du lac ». J'aime beaucoup ce prénom. Je l'interprète comme un signe du destin. Je suis l'enfant Roi, comme l'était le roi Arthur, l'enfant guerrier qui un jour boira la coupe du Graal et accédera à l'immortalité. Je ne pouvais rêver meilleure compagne que la « Dame du lac ».

Voilà pour mes motivations personnelles. La réalité est nettement moins poétique.

Bibiana, c'est une moucharde.

Frau Lotte, quand elle me l'a présentée le premier jour, ne me l'a pas dit en ces termes, elle a employé un langage bêtifiant et plein de sous-entendus, de mensonges :

– Konrad, mon petit ! Viens voir un peu par là ! Pose donc ce marteau, tu veux ? Tu vas finir par éborgner quelqu'un avec cet engin... Dis bonjour à Bibiana ! Elle vient de rejoindre notre équipe. Vous allez jouer ensemble à un nouveau jeu. Tu vas faire comme si elle était ta maman, tu vas te promener avec elle et tu vas te faire plein de nouveaux copains... Regarde un peu le déguisement que je t'ai apporté ! Il va falloir le mettre sans rouspéter, hein ? Oui, je sais, il est sale, il est troué, mais c'est justement pour faire vrai ! Tu te déguises en petit garçon polonais !

Taratata. Du bla-bla, tout ça. J'ai parfaitement compris de quoi il retournait.

Bibiana, même si elle parle très bien l'allemand, est polonaise. Elle vient du camp de concentration de Ravensbrück. Les *Schwester* ont dû attendre quelques jours avant de me la présenter, le temps qu'elle reprenne un peu de poids, qu'elle ait moins l'air d'un cadavre ambulant. Elle est d'ailleurs encore très maigre : la robe qu'elle porte flotte sur elle comme un sac, elle a des bras à peine plus gros que les miens et une poitrine toute plate, comme si ses seins avaient été aspirés à l'intérieur de son corps. Ses cheveux ont été rasés à cause des poux et elle dissimule son crâne chauve sous un foulard. Mais la nature lui a fait un don : elle est grande, blonde, elle a des yeux bleus aussi clairs que les miens et, c'est assez troublant, il y a une ressemblance certaine entre elle et moi. Ce qui lui a valu son salut. On lui a donc proposé un marché : elle quitte le camp pour venir ici, à Poznan, où, en se faisant passer pour ma mère, en sillonnant avec moi les différents villages, elle se liera avec les femmes seules ayant des enfants blonds aux yeux bleus. Elle leur soutirera leurs adresses qui seront ensuite communiquées aux *Braune Schwester*.

Entre trahir ou mourir, elle a choisi de trahir. Ça peut se comprendre. Même si c'est très lâche. Je ne trahirai jamais, moi ! Mais, bon, les mouchards ont leur utilité. Il y en a beaucoup qui travaillent à l'hôtel de ville avec les Herren Ebner et Tesch.

Ce que je retiens du baratin de Frau Lotte, c'est que ma mission prend une nouvelle tournure. Elle devient périlleuse : moi, l'enfant-échantillon-type-de-la-pure-race-aryenne, l'enfant élu, âgé de bientôt cinq ans – par conséquent sans défense – je vais désormais passer mes journées en compagnie d'une prisonnière. L'épisode n'est pas sans rappeler celui que j'ai déjà vécu, dont je garde le souvenir par le biais du récit que Josefa m'en a si souvent fait : la putain-dissidente-accouplée-à-un-Juif qui m'a enlevé alors que je n'étais qu'un pauvre petit bébé, qui m'a torturé, affamé, qui a failli me tuer.

Certes, là, c'est un peu différent, toutes les précautions ont été prises pour garantir ma sécurité, une voiture conduite par un soldat SS nous suivra dans nos pérégrinations, Bibiana est avertie qu'au moindre faux pas le soldat lui tirera une balle dans la nuque. Mais je suppose que cette voiture ne nous suivra que de loin, pour ne pas attirer l'attention et éveiller les soupçons, ce qui me laissera à la merci d'une lubie subite. Si jamais Bibiana, prise de remords, décide tout à coup de faire marche arrière, de renoncer à trahir ses compatriotes ? Si, avant de mourir, elle focalise sa haine sur moi et m'étrangle ? Ou me pousse dans un ravin ? Ou me jette dans un puits ? Il suffirait de quelques minutes à peine. Et alors, fini !

Raus, Kaputt, Konrad ! Mort en servant sa patrie.

La perspective de ce danger ne m'effraie pas. Bien au contraire, elle ne fait que m'exciter, exacerber les ressorts de mon *Draufgängertum*. La confiance que mes supérieurs placent en moi monte d'un cran.

Dorénavant, je suis plus qu'un espion, je suis un *infiltré* !

Je me prête donc volontiers au jeu et j'enfile les hardes puantes que me donne Lotte. Je retire vite fait mon bermuda bleu marine, ma chemise brune à brassard, ma cravate et mon calot, et je les troque contre un chandail informe et troué, un pantalon tout chiffonné qui me tombe sur les chevilles si on ne l'attache pas à la taille avec une ficelle en guise de ceinture. Pas vraiment seyant, mais très amusant. De plus, ma toilette sera désormais réduite au strict minimum. Un petit coup sur le visage et les fesses, rien de plus. Peu importe si j'ai les ongles noirs de crasse, les dents jaunes – j'en ai déjà quatre, deux en haut, deux en bas – et une haleine de chiotte.

Nous voilà partis, Bibiana et moi, sur les chemins de la campagne polonaise. Seulement... nous sommes guindés tous les deux, méfiants l'un vis-à-vis de l'autre. Bibiana plus que moi. Elle est morte de trouille, ça se voit comme le nez au milieu de la figure : elle sait que le moindre caprice de ma part peut la renvoyer directo au camp.

« Bibiana s'est très mal conduite, aujourd'hui ! Elle a été méchante avec moi ! Elle m'a traité de sale fils de pute de Boche ! »

Tel est le compte rendu que je pourrais très bien faire, en rentrant, à Lotte qui nous attend de pied ferme.

Eh oui ! Libre à moi d'inventer n'importe quoi si ça me chante ! Elle a refusé de me donner à manger, elle n'a pas voulu communiquer une adresse, parce que c'est celle d'une amie à elle. Que sais-je encore ? Les mensonges, c'est de mon âge, non ?

Alors Bibiana se tient sur ses gardes, elle me vouvoie, baisse les yeux dès que je croise son regard, elle marche toujours derrière moi, à distance, ou bien sur la route, me cédant le trottoir, comme doivent le faire les Polonais lorsqu'ils croisent un Allemand. Quand vient l'heure du déjeuner, elle me regarde manger, n'osant pas toucher aux provisions contenues dans le panier que nous a donné Lotte, se contentant de manger mes restes, un bout de pain que j'ai mâchouillé, une purée dans laquelle j'ai plongé mes mains sales, une compote que j'ai recrachée. Au final, nous ne sommes pas naturels du tout et plusieurs jours se passent sans que personne ne morde à l'hameçon.

Nous rentrons bredouilles. Pas la moindre adresse.

Pas bon du tout. Les *Schwester* tirent une gueule de six pieds de long. Ça sent le roussi aussi bien pour Bibiana que pour moi : elle risque de repartir au camp, et moi, d'être rétrogradé. Retour aux coloriages avec Frau Lotte dans la maison à moitié bombardée.

Alors, un matin, Bibiana décide de réagir. Elle crève l'abcès.

– Konrad, me dit-elle, prononçant mon prénom pour la première fois, personne ne croira jamais que je suis ta maman si tu ne me donnes pas la main.

Je lui suis reconnaissant de parler franchement, sans détour, de poser en termes clairs le problème auquel nous nous heurtons. Elle me tutoie, je passe sur cette marque d'irrespect, mais... lui donner la main ? Elle y va un peu fort, non ? Je ne vais tout de même pas me souiller à son contact ? Je la fixe de mes grands yeux bleus qui font tant d'effet, sans qu'elle baisse les siens comme d'habitude. (Ce qui est normal au fond, mes yeux bleus, je l'ai remarqué, ne troublent que ceux qui ont des yeux foncés, or ceux de Bibiana sont d'une limpidité remarquable. Pas la moindre impureté autour des iris. Ils décrocheraient la meilleure note sur la palette du docteur Ebner.) Un petit sourire vient retrousser ses lèvres, alors qu'elle attend ma réponse. Je lance un regard en coin à la voiture qui se trouve quelque part sur la route, assez loin, en bordure du champ où nous nous trouvons. Je réfléchis... Je pèse le pour et le contre. Il est vrai que, lorsqu'on rôdait avec les *Schwester* à la porte des écoles, j'ai bien noté que le premier geste des enfants était de donner la main à leur mère. Sa proposition n'est donc pas dénuée de pertinence.

Bon.

D'accord.

Ça fait partie de la prise de risques de ma mission d'infiltré. Je glisse ma main dans la main de Bibiana, et je cale mon pas sur le sien au lieu de trotter devant elle. Mon cœur bat très fort dans ma poitrine. C'est que je déteste les contacts physiques ! Je les ai en horreur ! Je n'y suis pas habitué. Au *Heim*, personne n'a jamais eu l'idée de me prendre par la main. Ou alors c'était il y a très longtemps et j'ai oublié... Je me demande si ma peau ne va pas me brûler, si je ne vais pas être pris de démangeaisons ou de tout autre symptôme typique d'une maladie contagieuse.

On dirait que non.

Ça va.

Le contact de la main de Bibiana n'est pas trop désagréable. Il l'est beaucoup moins que celui de Frau Lotte qui, de temps en temps, m'attrape par le bras lorsque je tarde à lui obéir, m'agrippant avec ses doigts crochus. Je sens alors que sa peau ridée et sèche est rêche comme du carton. Ça gratte. Là, non, c'est assez doux. Nous marchons un moment en silence, puis Bibiana ajoute :

– Il faudrait aussi que, de temps en temps, je te prenne dans mes bras... Tu veux bien ? dit-elle en se penchant vers moi.

QUOI ?

Je stoppe net. Je retire ma main aussi vivement que si une abeille venait de me piquer. Là, Bibiana passe les bornes ! À l'idée qu'elle puisse me prendre dans ses bras, je sens une vague de panique m'envahir. Personne, jamais, ne m'a pris dans ses bras. Du moins pas depuis de nombreux mois, des années. Cela remonte au temps où j'étais nourrisson, autant dire que je ne garde plus aucun souvenir de la sensation que cela procure. Je me mets à trembler, j'ai chaud tout à coup, le soleil que je supportais très bien jusque-là – nous sommes en été et il fait une chaleur caniculaire sur cette foutue campagne polonaise – cogne sur mon crâne dolichocéphale, mes oreilles bourdonnent, j'ai du mal à respirer. Je me dis que si jamais Bibiana me prend dans ses bras de force, je hurlerai jusqu'à ameuter tout le village où nous sommes près d'entrer. Je lui donnerai des coups de pied jusqu'à ce qu'elle me lâche, ensuite, je me roulerai par terre, je me taperai la tête contre le sol pour me mettre le visage en sang. Et alors, fini pour elle! L'*Unterscharführer*, dans la voiture qui nous suit, verra bien que quelque chose cloche et elle se la prendra, sa balle dans la nuque!

Voyant ma réaction, Bibiana panique, elle aussi. Elle fait trois pas en arrière. Ses joues rosies par le soleil changent de couleur, elles blêmissent, on dirait que le sang quitte son visage.

– Ne t'inquiète pas! Ne t'inquiète pas! bredouille-t-elle. Ça va aller! Je ne vais pas te forcer à...

Elle n'a pas le temps de terminer sa phrase, parce que moi aussi, je recule violemment et, butant sur une pierre, je me casse la figure.

– Oh! mon Dieu! s'écrie-t-elle en s'agenouillant près de moi. Tu ne t'es pas fait mal au moins?

L'incident a fait du bruit. Nous avons attiré l'attention, non pas de l'*Unterscharführer* dans la voiture, mais d'une femme polonaise qui passait par là. Elle se précipite vers nous et je comprends qu'elle demande à Bibiana ce qui se passe. Bibiana prétexte que j'ai eu un coup de chaud. Un léger malaise sans gravité. Tout va bien... Tout va bien. La femme m'observe tandis que je me remets debout et que je frotte mes mains où perle un petit filet de sang. Elle nous propose d'aller chez elle pour me laver les mains. Elle n'a pas grand-chose à nous offrir, un peu de pain et de l'eau fraîche. Ça aidera à dissiper mon malaise et puis, comme elle a deux enfants, un garçon de mon âge et une fillette de six ans, je pourrai jouer avec eux, ça me calmera, j'arrêterai de pleurer.

On y va et, le soir, on rentre enfin avec une adresse.

Fort de ce premier succès, je me dis que je dois poursuivre mes efforts.

Dès le lendemain, alors que nous marchons, Bibiana et moi, main dans la main, je cogite, je réfléchis. Est-ce que je tente le coup ? Est-ce que ça vaut la peine ?... Je mesure le risque. Il n'est somme toute pas si grand que ça. Il y a d'un côté l'*Unterscharführer* qui peut viser de loin avec son fusil, et de l'autre le fait que je peux très bien me défendre tout seul. Je suis très violent quand je le veux... On verra bien. Tant que je n'ai pas essayé, je ne peux pas savoir ce que ça fait. Je suis prêt à foncer, mais... je m'accorde un petit délai, je décide de marcher encore trois pas. Au troisième, je me lance.

Un. Deux. Deux. Deux et demi. Deux trois quarts... Trois.

Je m'arrête net.

– Qu'est-ce qu'il y a, Maciej ? me demande Bibiana.

(Ah ! oui, j'ai oublié de vous dire : hier, chez la Polonaise qui nous a offert à boire, on a parlé, je ne comprenais pas tout ce que la femme disait, mais quand elle m'a demandé comment je m'appelais, j'ai eu une présence d'esprit incroyable. Si j'avais dit Konrad, comme me l'avait fait répéter Frau Lotte – quelle andouille, celle-là ! – c'était fichu, j'étais démasqué. Alors j'ai eu le réflexe de lancer un prénom polonais. J'ai dit : « Je m'appelle Maxètche ! » Ça m'est sorti comme ça, spontané-ment, je ne sais pas pourquoi. Enfin si, je sais, j'adore cette syllabe : « Max ». En entendant ma réponse, la femme polonaise s'est mise à rigoler. Elle m'a repris :

– Maciej, c'est comme ça qu'on dit ! Pas Max-è-tche ! Répète après moi ! elle a dit avec un air attendri.

Les défauts de prononciation des petits, ça attendrit toujours les mères. De son côté, Bibiana, elle, a eu l'air surprise de mon réflexe. (Estomaquée, qu'elle était !)

Donc, Bibiana me demande ce que j'ai, pourquoi je me suis arrêté net comme ça et elle commence à virer au blanc-jaune, comme hier. Elle a peur que je pique encore une crise.

Pour toute réponse, je lui tends les bras.

– Tu... Tu veux que... (elle n'ose pas continuer, elle a la pétoche)... Tu veux que je te prenne dans les bras ?

Ben oui, c'est ça ! Me regarde pas avec ces yeux de merlan frit. (Ont-ils les yeux bleus, les merlans ?)

Elle s'approche de moi tout doucement, comme si elle s'apprêtait à saisir une pleine brassée d'œufs frais. Elle se penche, passe ses mains sous mes aisselles, et hop ! elle me soulève.

– Ouh ! tu as l'air tout frêle comme ça, mais tu pèses ton poids, petit bonhomme ! s'exclame-t-elle d'une voix amusée, teintée encore d'une pointe d'angoisse.

L'angoisse que je me mette à hurler tout à coup. Parce que j'ai le visage tout plissé, les sourcils froncés, les lèvres pincées, les poings fermés. Le fait est que je ne sais pas moi-même si je vais me mettre à gueuler ou pas. Je n'ai pas encore décidé. En attendant, je me tiens tout raide.

Elle, de son côté, prend un peu d'assurance. Elle fait passer son bras droit sous mes fesses et du gauche, elle me maintient le dos. Elle se remet ensuite à marcher. Doucement, comme si, tenant sa brassée d'œufs dans les bras, elle s'aventurait aussi sur un tapis d'œufs.

Eh bien...

Ce n'est pas désagréable. Pour l'instant, en tout cas. Déjà, l'avantage, c'est que ça soulage mes pieds. Parce que mes godillots de Polonais qui puent la morue ont des semelles complètement éculées et des échardes me sont entrées dans la plante des pieds... Je me décontracte un peu. Je rapproche ma tête de celle de Bibiana. Jusque-là, je la tenais à distance et ça me fait mal dans la nuque. Je sens son odeur. Elle sent la sueur, mais ce n'est pas trop aigre. En tout cas, elle ne pue pas de la gueule comme Frau Lotte. Quand elle me parle, celle-là, elle me postillonne dessus et j'ai l'impression que je vais tomber raide, tant son haleine est mortelle. Je me décontracte davantage et je laisse aller ma joue contre la sienne. D'un regard en coin, je vois qu'elle s'est détendue elle aussi. De sa main gauche, celle qu'elle tenait derrière mon dos, elle prend ma main droite et la serre. Ça, ça va, je connais depuis hier. Un autre regard en coin et je constate qu'elle sourit. Un sourire mouillé. C'est-à-dire que ses yeux se remplissent de larmes au fur et à mesure que ses lèvres s'étirent.

Je reconnais le sourire typique des *Frauen* dont le cœur fond devant ma petite gueule d'ange.

Le soir, nous rentrons avec trois adresses en poche.

Plus on devient copains, Bibiana et moi, plus ça rapporte d'adresses.

Le lendemain, elle me prend dans ses bras plusieurs fois pendant le chemin qu'on doit parcourir pour arriver au village que les *Schwester* nous ont montré sur une carte. Je pique même une crise parce que, à un moment, elle veut me poser par terre, alors que je n'ai pas envie de marcher. Une Polonaise s'approche alors et lui dit :

– Qu'est-ce qu'ils peuvent être capricieux à cet âge-là, c'est terrible, hein ?

Résultat : l'adresse d'une maison où vivent quatre enfants.

Le surlendemain, Bibiana me dit :

– On va voir si tu sais courir vite ! Essaie de me rattraper un peu !

Je la rattrape (parce qu'elle a triché, elle a fait exprès de me laisser gagner), je lui fais un croche-pied, elle tombe par terre et m'entraîne dans sa chute. On roule alors tous les deux ensemble dans la terre qui est toute boueuse et gluante parce qu'il vient de pleuvoir. En rentrant le soir, la *Schwester* me dit :

– Ach ! tu es vraiment dégoûtant ! Un vrai petit Polack !

De quoi tu te plains, vieille bique ? Tu les as eues, tes six adresses aujourd'hui, non ?

Un autre jour, Bibiana me fait des chatouilles, je me mets à rigoler, rigoler très fort. Puis elle me colle ses lèvres sur la joue... Bizarre. Plutôt dégoûtant. Je ne crie pas, je ne pleure pas, mais je dois faire une drôle de bobine en m'essuyant vigoureusement la joue, car Bibiana éclate de rire. Quand elle me demande de faire la même chose, non, je veux pas. En tout cas pas maintenant.

Un après-midi, on s'endort tous les deux après le déjeuner. En plein soleil. J'ouvre les yeux le premier. Je secoue Bibiana et elle ne se réveille pas. J'ai peur. Très peur tout à coup. Qu'est-ce qui se passe dans ma tête ? C'est difficile à expliquer. On dirait que je me souviens du récit de Josefa : quand, bébé, j'étais dans les bras du cadavre de la putain dissidente qui m'avait enlevé. Je crois que Bibiana est morte. Peut-être que les femmes qui viennent des camps de prisonniers, elles se ressemblent toutes, elles meurent vite ? J'ai l'impression que Bibiana et la putain dissidente qui m'a torturé ont le même visage. Ah ! c'est très confus tout ça dans mon esprit ! Parfois, il y a des images qui viennent me hanter, mais elles sont floues, mouvantes. C'est dû au fait que mon cerveau est trop jeune pour emmagasiner les souvenirs, les cases se mélangent. Alors, avant de s'en aller définitivement, les souvenirs font parfois des incursions.

Bref, ce jour-là, voyant que je pleure en secouant Bibiana, une femme s'approche de nous.

– Qu'est-ce qu'il y a, mon pauvre petit ? Elle est blessée, ta maman ?... Mais non voyons, regarde, elle n'a rien ! Elle s'est juste endormie !... Ils sont traumatisés, nos enfants, pas vrai ? Faut dire qu'il y a de quoi ! ajoute-t-elle à l'intention de Bibiana quand elle émerge enfin de son sommeil.

On a passé la fin de l'après-midi chez cette femme. Elle nous a parlé de ses amies qui habitaient le village voisin.

Des adresses plein les poches, ce soir-là.

Nous progressons ainsi pendant des semaines. Jusqu'au jour où Bibiana, tout à trac, me demande :

– Dis-moi, Maciej, elle est où, ta maman ?

Je ne lui réponds pas. Je suis en train de manger. Je ne peux pas faire deux choses en même temps, mâcher ma saucisse et parler. Parler sérieusement en tout cas, exprimer ce que je vous dis clairement à vous, mais que ma bouche d'enfant de cinq ans n'est pas en mesure de formuler distinctement. Je lâche donc quelques onomatopées typiques d'un enfant de mon âge. Du genre :

– Moi, pas maman !

Bibiana baisse les yeux. Elle se met à triturer une feuille – nous sommes assis par terre dans une forêt, c'est elle qui l'a décidé, elle a dit qu'on avait bien travaillé toute la matinée, qu'on pouvait se reposer un peu. Elle finit par réduire la feuille en miettes.

– Je comprends, ajoute-t-elle d'une voix triste après un silence. Ta maman est morte, c'est ça ? Dans un bombardement ? Après tout, vous aussi, vous en subissez tout de même quelques-uns.

Ce n'est pas du tout ça. Bibiana se fourvoie complètement. Je n'ai pas de mère. C'est un mot que j'ai rayé de mon vocabulaire. Je ne sais même plus ce qu'il signifie au juste, à part ce que je vois en observant les enfants polonais.

– Et ton papa ?

Je continue de mâcher ma saucisse, mais elle a du mal à passer. J'en ai marre des saucisses ! Frau Lotte me prépare toujours la même chose à manger. Pourquoi ne met-elle pas dans le panier à provisions des bonbons, comme dans la grande poche du tablier de son uniforme quand on partait en tournée ? Je fais la grimace, la saucisse me dégoûte.

– Ton père est mort aussi, c'est ça, hein ? Pauvre petit Maciej, tu es orphelin ?

De grosses larmes se mettent à rouler sur les joues de Bibiana. Elle est triste. C'est ridicule de se rendre triste comme ça, pour rien. Elle a parlé toute seule, elle a fait les questions et les réponses.

Comme je n'ai pas envie de la voir si chamboulée, et que, tout de même, je ne suis pas un demeuré, j'arrive à formuler des phrases quand je veux, je lui dis tout à trac :

– Ma mère, c'est l'Allemagne, et mon père, le Führer !

Et je tends le bras. Bien droit. Comme si c'était un sabre. *Heil Hitler !* Je crie ensuite.

Bibiana recule vivement. Une étrange lueur passe dans ses yeux. L'espace d'un instant, j'ai l'impression qu'elle va me retourner une baffe. Mais non, elle se rapproche, attrape mon bras, le baisse, l'attire à elle et embrasse ma main. Je me décide alors à lui rendre la pareille. Je l'embrasse moi aussi. Sur la joue.

J'aurais cru que, ce jour-là, on battrait notre record d'adresses. Eh bien non. Enfin, si, on en a récolté plein. Mais bon sang, quelle mouche l'a piquée, Bibiana ?

Quand nous sommes rentrés, au lieu de donner aux *Schwester* les papiers et de me dire au revoir pour aller dormir dans la cave de l'hôtel de ville comme tous les soirs, Bibiana s'est plantée devant les *Schwester* et, avec un air rogue que je ne lui

165

avais jamais vu, qui transformait son visage, qui le rendait hideux, elle qui est si jolie, elle a mangé tous les papiers avec les adresses. Elle se les est enfournés dans la bouche à la file, très vite, avant même que les *Schwester*, médusées, aient le temps de réagir.

Pourquoi elle a fait ça ? Pourquoi ?

Si elle avait tellement faim, elle n'avait qu'à me le dire, je lui aurais laissé ma saucisse. Moi, je me suis forcé à la manger, et résultat, maintenant, elle me pèse sur l'estomac.

J'ai mal au bide.

J'ai envie de vomir.

13

Le mal de bide ne me quitte pas.

J'ai l'impression que mes intestins refusent d'obéir aux ordres donnés par mon estomac. Un vrai soulèvement. Au lieu de rester en place, ils se contractent, se tordent, font de drôles de bruits, des gargouillis, comme si une voix s'élevait de mon ventre pour se plaindre et gémir sans arrêt. Frau Lotte dit que j'ai la diarrhée à cause d'une maladie attrapée au contact de Bibiana. Mais je n'ai pas la diarrhée, je le sais. Je vois bien ce qui tombe dans la cuvette quand je vais aux toilettes, non ? Bien moulé. Même un peu trop parfois. Je le reconnais au bruit que font mes crottes quand je les expulse. Plouf ! Plouf ! Des obus.

Avoir mal au ventre à mon âge, c'est un signe de *perturbation psychologique*. Même pas fichue de savoir ça, la *Schwester* ! En langage simple, ça veut dire que quelque chose ne tourne pas rond dans ma tête. Suite à une contrariété, un événement traumatique.

Je ne fais plus rien depuis plusieurs jours. Je reste seul la plupart du temps – ou presque. Lotte est avec moi dans la maison, mais elle a toujours le nez fourré dans ses dossiers, à classer les fiches des enfants dont elle a eu les adresses, en leur collant des lettres codées ou des couleurs. De toute façon sa présence ne compte pas. Trop moche. Trop vieille. Ce n'est pas une vraie compagnie.

J'ai plus envie d'apprendre des comptines ou de faire du calcul comme avant.

Je ne fais que rêver. Je me repasse en boucle les jours que je viens de vivre, comme si c'était un film. Vite ! Le matin, il fallait se réveiller tôt, s'habiller, enfiler le déguisement rigolo, Bibiana arrivait et nous partions dans la campagne, main dans la main.

Main dans la main.

Je revois les longues marches, les courses-poursuites, les chatouilles, les parties de rigolade. Je revois le visage de Bibiana, ses yeux bleus si limpides, les taches de rousseur que le soleil avait dessinées sur ses joues, ses cheveux blonds qui commençaient à repousser sans les poux. J'entends même sa voix par moments.

Je pense aussi à tous les enfants que j'ai croisés. Lorsque nous allions chez les femmes polonaises, nous y restions une heure ou deux et j'avais le temps de jouer. Parfois ça ne se passait pas très bien, parce que j'ai un caractère de cochon, j'aime donner des ordres, crier, être le chef. Il m'arrivait de flanquer aux petits Polacks un coup de marteau-de-Thor-épée-Excalibur en plein sur la tête ou, tout à coup, de les faire tomber par terre et de les marteler de coups de pied, pour imiter les soldats SS dans les rues quand ils décident, comme ça, sous l'effet d'une lubie, de s'en prendre au hasard à un Polonais. Dans ces cas-là, Bibiana faisait semblant de me réprimander, de m'administrer une fessée ; en réalité, elle me donnait juste une petite tape sur le cul. J'aimais bien.

Ça me manque, toutes ces rencontres, toutes ces activités. Je déteste l'oisiveté. Ça ne me dit plus rien de jouer seul dans les étages de la maison bombardée. Je reste assis par terre pendant de longs moments et au fil de ma rêverie, je ne sais pas au juste à quel mécanisme mon corps obéit, mais je balance mon buste d'avant en arrière. Quand elle me voit dans cette posture, Lotte me secoue, elle me prend par les épaules et dit :

– Voyons Konrad, qu'est-ce qui t'arrive ? Veux-tu bien te tenir correctement ? On dirait un vieux Juif en prière !

Salope. Elle sait toucher là où ça fait mal. Je bondis aussitôt sur mes pieds et je tends le bras pour lui montrer que je ne suis pas un vieux Juif. Je suis l'enfant-échantillon-type-de-la-race-aryenne ! Le spécimen le plus parfait, conçu selon les vœux du *Reichsführer* Himmler ! Le protégé du docteur Ebner ! La mascotte du *Lebensborn* ! *Sieg Heil !!!*

C'est plutôt elle qui doit avoir du sang juif dans les veines, tellement elle est vieille, tellement elle est moche. Je ne comprends pas pourquoi le docteur Ebner ne lui fait pas passer une sélection. Il n'y aurait même pas besoin de mesurer son nez ou son front ou l'emplacement de ses oreilles ou la hauteur de ses pommettes, on voit bien que rien, dans son visage, ne correspond aux normes de la race nordique. Quant à ses yeux, ils sont aussi petits et noirs que des billes. Comme ceux de l'ours en peluche que j'ai trouvé dans la chambre du garçon qui habitait la maison avant que je m'y installe. Il devait y tenir beaucoup, parce qu'il était bien au chaud dans son lit, sous les couvertures. Je l'ai mis en charpie, cet ours, pour passer mes nerfs. Je lui ai arraché le nez, les yeux, je lui ai ouvert le ventre, jusqu'à ce qu'il n'ait plus l'air de rien. C'était une saloperie de saleté d'ours polack!

Plus je grandis, plus je me rends compte à quel point les adultes sont bizarres, bourrés de contradictions. Les *Braune Schwester* ont suivi des stages chez les «physionomistes» pour être capables, en un seul coup d'œil, de savoir si un individu peut prétendre appartenir à la race nordique ou pas. Elles n'ont jamais eu l'idée de se planter devant un miroir? De demander d'elles-mêmes leur « réinstallation »?

J'essaie tant bien que mal de réduire ces moments où, bouche ouverte comme si je gobais les mouches, regard vide, je me laisse aller à me balancer. On finirait par me prendre pour un débile et m'envoyer à la «désinfection».

Mais je ne suis pas débile du tout. D'ailleurs, je sais parfaitement ce qui est arrivé à Bibiana. J'ai fini par comprendre que ce n'est pas parce qu'elle avait faim qu'elle a mangé les adresses devant les *Schwester*. J'ai compris qu'il s'agissait d'un acte de révolte. Et la révolte, on la punit. Très sévèrement. Les premiers jours, voyant que plus personne ne venait me chercher le matin, j'ai demandé:

— Elle vient quand, Bibiana?

— Elle ne viendra pas. Ni aujourd'hui ni demain. Elle ne fait plus partie de notre équipe, a répondu Frau Lotte d'un ton pincé en prenant bien garde de ne pas croiser mon regard.

Une phrase codée.

Première signification possible de cette phrase codée : Bibiana s'est étouffée avec le papier qu'elle a avalé. Mais je n'en suis pas convaincu. Deuxième possibilité : elle a fini par se la prendre, sa balle dans la nuque. Nettement plus probable. Lotte m'a tiré à l'écart quand Bibiana a eu sa fringale de papier, elle m'a vite emmené dans ma chambre pour que je ne voie pas la suite des opérations, c'est-à-dire l'autre *Schwester* qui appelle un soldat, et pan ! le soldat qui tire. J'ai vu ce genre de scènes plein de fois, par la fenêtre de la maison quand je jouais au sniper. Des soldats SS amènent un groupe d'hommes ou de femmes coupables de sabotage, ils les alignent contre le mur, et pan ! pan ! pan ! ils les exécutent. Ou bien ils tuent un groupe d'innocents pour punir les coupables qu'ils n'ont pas pu arrêter. Ou bien ils les enferment dans une église et ils y mettent le feu.

Troisième possibilité : Bibiana a été renvoyée à Ravensbrück. Et si elle n'y est pas encore morte, ça ne va pas tarder.

Ou alors...

Ou alors, il y aurait bien une quatrième possibilité, mais celle-là ne correspond pas au langage codé des *Schwester*, elle ferait plutôt partie de mon langage codé à moi. Bibiana, c'est la Dame du lac. Elle est retournée sous les eaux magiques, là où plus rien ne peut l'atteindre. Il suffirait que je boive la coupe de l'immortalité et je pourrais la rejoindre. Mais quand ? Il faudrait vraiment que les équipes de recherche du *Reichsführer* Himmler se dépêchent de la trouver, cette fichue coupe.

Pourquoi Bibiana a-t-elle décidé de se révolter ? Quand elle s'est bâfrée avec son papier, a-t-elle pensé à moi une seconde ? Pourquoi m'a-t-elle fait connaître les sensations de *la main dans la main, des bras, des rigolades et des courses-poursuites* pour m'abandonner ensuite ?

Je lui en veux. Tant mieux si elle a crevé, après tout !

Ce qu'il faut, c'est que son image aille rejoindre les autres à l'arrière de mon crâne dolichocéphale, dans les cases floues de mon cerveau, celles qui sont peu à peu éjectées vers l'oubli. Je suis jeune, cela devrait être assez rapide. Mais en attendant...

Je déguste.

D'autant que, tenant à son idée fixe – je souffre du ventre à cause d'une pseudo-diarrhée – Lotte m'a mis au régime sec. Riz, carottes cuites à l'eau et confiture de coings. Non seulement c'est dégueulasse, mais j'ai encore plus mal, parce que je suis complètement constipé. Mon bide est tout dur à force d'accumuler le caca qui ne veut plus sortir. Quand je vais aux toilettes, je fais une série de pets si retentissants qu'on dirait une rafale de mitraillette. Je me dis qu'en bas, dans l'eau de la cuvette, sous mes fesses, si jamais il y avait eu des êtres vivants, personne n'aurait survécu à cette attaque de gaz asphyxiants. Malgré la douleur, ça me fait rigoler. On pourrait me lâcher d'un avion sur une cible ennemie, mon bide exploserait en faisant autant de dégâts qu'une bombe.

Je rigole encore un peu en sortant des toilettes, et puis la tristesse me reprend. Je m'assois par terre ou je me mets au lit avec mon déguisement d'enfant polonais. Je me fourre sous le nez le chandail troué qui pue ou le pantalon crotté, et je le respire, et ça me fait du bien. J'y retrouve, à certains endroits, un peu de l'odeur de Bibiana.

Pour me distraire, Lotte me dit de dessiner. C'est plutôt pour que je lui fiche la paix et qu'elle puisse continuer à classer ses fiches, rédiger ses rapports sans que je la dérange. «Oh! c'est très joli!» s'exclame-t-elle quand j'ai fini, en jetant un coup d'œil distrait sur la feuille que j'ai gribouillée. Elle n'a pas compris ce que le dessin représente: les coups de crayon noir, à l'horizontale, c'est elle. Morte. Et les gros points rouges tout autour, c'est son sang qui coule. Parce qu'elle s'est pris une balle dans la tête.

La nuit, j'ai du mal à m'endormir. Je ne m'en rendais pas compte à l'époque des rondes en voiture avec les *Schwester* et des marches avec Bibiana, parce que j'étais fatigué et que, une fois la tête posée sur l'oreiller, pouf! je m'endormais aussitôt, mais il y a beaucoup de bruit et d'agitation dans la maison. Le docteur Ebner rentre tard le soir avec Herr Tesch et d'autres personnalités importantes. Ils ne cessent de discuter, parfois de se disputer. Ça gueule souvent dans le bureau.

Les officiers SS, eux, se rassemblent dans la salle à manger et ils mettent de la musique à tue-tête. Souvent je quitte mon lit et, sans que personne s'en aperçoive, je vais jeter un coup d'œil. Ils sont tous soûls, à cause du schnaps, et ils sont entourés d'une multitude de *Frauen*. Au début, je n'ai pas bien compris ce qu'ils faisaient, mais après, si.

Ils s'accouplent.

Certaines nuits, les *Frauen*, quand elles arrivent, sont bien habillées et très maquillées. Elles mangent des tas de choses qu'on ne trouve plus du tout dans le pays (des friandises, du chocolat), elles dansent avec les officiers, rigolent, boivent elles aussi beaucoup de schnaps ou du champagne quand il y en a. Après, elles retirent leurs vêtements et elles restent toutes nues. Ou en petite culotte. Ou en soutien-gorge. Ou juste avec leurs bas et leurs chaussures à talons. Elles s'allongent par terre sur les tapis, ou sur une table au beau milieu des assiettes même pas débarrassées, ou sur un fauteuil, un canapé. Ou encore elles restent debout, adossées à un mur, et c'est à ce moment-là que les officiers viennent mettre leur zizi en elles. On dirait que ça les fait encore plus rigoler que l'alcool. À force de coller leurs lèvres sur celles des officiers, leur rouge à lèvres bave et elles en ont plein autour de la bouche, comme si elles saignaient. Ces *Frauen*-là sont allemandes. Ce sont des prostituées. Des putes. Elles sont payées pour s'accoupler avec les officiers.

D'autres nuits, les femmes sont polonaises. Je le sais parce qu'elles sont habillées comme des paysannes, elles ne sont pas maquillées, elles ne dînent pas avec les soldats, elles ne disent pas un mot et ne rigolent pas du tout. Au contraire. Elles ne boivent pas non plus, ou alors, les soldats leur font avaler de force une bonne rasade de schnaps et elles manquent de s'étouffer. Et quand les zizis des soldats entrent en elles, certaines pleurent, crient, d'autres serrent les dents très fort en attendant que ce soit fini.

Les putes, elles, s'accouplent avec les officiers les plus gradés, et les Polonaises avec les simples soldats. Les putes, elles crient «oui, oui!». Et les Polonaises, «non, non!». Elles sont violées.

J'observe tout ça avec beaucoup d'attention. C'est intéressant de savoir comment on fait les bébés. Parce que certains de ces accouplements donneront des bébés, c'est sûr. Voir un accouplement en direct contribue à étendre mes connaissances et à développer mon intelligence. Moi, on ne pourra jamais me raconter de salades, me berner avec les bébés qui arrivent dans des paniers déposés par les cigognes ou je ne sais quelle autre ânerie.

Est-ce que j'ai été fabriqué comme ça, moi? Avec une pute allemande blonde qui a retiré tous ses vêtements pour laisser entrer en elle le zizi aryen?... Elle buvait du schnaps en rigolant, ou elle pleurait en serrant les dents?

Je traîne dans la maison à espionner les putes et les soldats plusieurs nuits d'affilée, ce qui me permet de veiller très tard et d'être suffisamment fatigué pour dormir une bonne partie de la journée le lendemain. Le temps passe ainsi plus vite.

Mais l'ennui me reprend. Une fois qu'on a assisté à un accouplement, le revoir plusieurs fois de suite ne présente plus aucun intérêt. C'est toujours la même chose. Et puis, parmi les femmes polonaises violées par les soldats, j'ai beau chercher, je ne vois jamais Bibiana. Elle doit vraiment être morte, il faut décidément que je me fasse à cette idée.

Je remarque que certains soldats SS, une fois leur affaire terminée avec les *Frauen*, repartent en voiture en pleine nuit. Je me demande bien où ils vont à pareille heure. Ça m'intrigue tellement qu'une nuit je me glisse en cachette dans un de leurs véhicules.

14

Ce n'est pas une voiture, c'est plutôt une four-gonnette. Je me hisse à l'arrière, sur la plate-forme recouverte d'une bâche et j'attends. Très longtemps. J'aperçois bientôt deux SS qui sortent de la maison. Ils ne marchent pas droit, ils sont soûls et à moitié déculottés. Ils reboutonnent maladroitement leur braguette, ajustent leur uni-forme en échangeant des plaisanteries avant de monter dans la fourgonnette, à l'avant. Ils allu-ment chacun une cigarette et la fumée me donne une furieuse envie de tousser. Mais elle a l'avan-tage de couvrir l'odeur du schnaps qui envahit l'habitacle.

Quelques minutes plus tard, une *Schwester* les rejoint. Je l'ai déjà vue une ou deux fois, celle-là. C'est la plus moche et la plus vieille de toutes. Elle est très grande, maigre, avec de longs bras noueux qui ressemblent à des tentacules. Elle a un menton carré, couvert d'un duvet brun, comme un homme. Des yeux méchants. Tout petits. Tout noirs. Des yeux de requin.

Le chauffeur démarre. Le roulis de la four-gonnette accentue la nausée causée par l'odeur du schnaps et la fumée. Mon ventre, encore patraque, se remet à gargouiller et j'ai peur qu'il ne me trahisse. Les secousses n'arrangent rien à l'affaire. Nous nous sommes sûrement engagés sur une de ces routes de campagne complètement défoncées et la voiture ne cesse de buter sur des obstacles. Je tente de m'accrocher comme je peux pour ne pas rouler, tel un gros sac de pommes de terre, d'un bout à l'autre de la plate-forme et pour contenir mon envie de vomir.

Je m'habitue peu à peu à l'inconfort de ce voyage improvisé qui, heureusement, ne dure pas trop longtemps.

La voiture s'arrête au bout de quelques kilomètres. Les soldats et la *Schwester* descendent. Je devine qu'ils s'efforcent de faire le moins de bruit possible, car ils éteignent les phares, referment tout doucement les portières de la voiture, sans les faire claquer, sans échanger un mot, et ils marchent avec précaution, sur la pointe des pieds. Comme ils ne se sont pas aperçus de ma présence, une fois qu'ils sont suffisamment loin, je me risque à soulever un coin de bâche.

Nous sommes devant une maison. Je la reconnais immédiatement. C'est une des dernières où nous avons été accueillis, Bibiana et moi. (On lui a ouvert le ventre, à Bibiana, pour récupérer cette adresse?) La *Schwester*, encadrée par les deux SS, s'approche de la porte, s'efforçant toujours d'être silencieuse. Puis elle lève la main, hoche la tête, donnant ainsi un signal. C'est parti! L'un des deux SS donne un grand coup de pied dans la porte qui cède aussitôt. À partir de là, fini le silence et les précautions. J'entends une succession de bruits, des portes qui claquent, des chaises qui tombent, des objets qui se brisent, le martèlement des bottes des SS, les ordres qu'ils hurlent, le tout étant bientôt couvert par un cri strident. Celui de la femme qui habite la maison. Auquel répondent instantanément les pleurs de ses enfants. Les lumières de la maison se sont allumées successivement, une première fenêtre, puis une deuxième, une troisième, on dirait une guirlande qui s'illumine. Et derrière les carreaux, des manières d'ombres chinoises vont et viennent, courent, s'agitent, luttent. Immobile, figé, yeux écarquillés, bouche ouverte comme lorsque je rêvais seul dans ma chambre, je reste là, accroupi dans la fourgonnette, fasciné par ce spectacle.

J'ai compris.

Je suis en train d'assister à l'un des enlèvements d'enfants polonais orchestrés par la Gestapo et les *Braune Schwester*. On peut dire que j'ai eu du flair en choisissant cette fourgonnette. Je vais enfin connaître toutes les étapes de l'«Opération copains»! Juste retour des choses pour moi qui en ai été l'un des principaux acteurs depuis de longs mois.

Les deux soldats SS se précipitent dehors, tenant chacun un garçon par la main, tandis que la *Schwester*, elle, porte une petite fille dans ses bras. Elle l'a calée sur sa hanche comme un paquet, si bien que la fillette se trouve en position horizontale, la tête plus bas que les pieds. La mère, qui ne cesse de hurler, se rue dehors à son tour, elle court d'un côté puis de l'autre, essayant de récupérer un de ses enfants. Elle accroche la main de l'un, les cheveux de l'autre, mais à peine les effleure-t-elle qu'ils lui échappent, elle ne peut lutter contre la force des soldats qui la repoussent avec brutalité. Elle tente alors de sauver sa petite fille qui lui tend les bras en pleurant. Elle parvient à rattraper la *Schwester*, dont la course est moins rapide que celle des soldats, néanmoins, celle-ci se débarrasse d'elle en la giflant violemment. La femme s'écroule à terre.

Les soldats, arrivés à la fourgonnette, soulèvent la bâche et hissent les garçons à côté de moi – je veille à me cacher au fond pour qu'ils ne me voient pas. La *Schwester*, elle, garde la petite dans ses bras, lui plaquant la main sur la bouche pour atténuer ses hurlements. Dans la précipitation, personne ne remarque ma présence. Il s'en est fallu de peu. C'est grâce à la mère des enfants. Elle s'est relevée et, bien que groggy par la gifle de la *Schwester*, elle a réussi à se traîner jusqu'à la fourgonnette, dont elle agrippe le rebord de la main. L'un des soldats frappe alors sa main avec la crosse de son fusil pour qu'elle lâche prise. Elle ne cède pas, bien que sa main soit rapidement en sang. Il continue de frapper, frapper jusqu'à lui briser les os. L'autre soldat, lui, est occupé à repousser les enfants qui veulent aider leur mère à monter dans la fourgonnette, au risque de se prendre un coup de crosse.

La mère s'écroule à terre pour la seconde fois.

La bâche se rabat sur nous. La fourgonnette démarre.

La mère continue de hurler. Hurler. Quand on est suffisamment loin, on ne l'entend plus.

Tout ça s'est déroulé en quelques minutes à peine.

Ils m'ont reconnu. Les deux garçons polonais. Ils se sont même souvenus de mon prénom. Le faux, celui que j'utilisais avec Bibiana.

– Maciej, Maciej! Tu es là, toi aussi? Où ils nous emmènent, dis? Où?

Je parviens à comprendre ce qu'ils me disent. Je suis fier qu'ils m'aient reconnu. Ça veut dire que ce sont mes copains. Ça signifie aussi qu'ils ne font pas partie de ceux avec lesquels je me suis disputé ou que j'ai roués de coups en jouant. Ou alors, vu l'urgence de la situation, ils ont oublié et ne m'en veulent plus... Moi aussi, je crois que je me souviens de leurs prénoms. Le plus petit, celui qui tremble de la tête aux pieds, à tel point que j'entends le bruit de ses mâchoires qui claquent l'une contre l'autre, c'est... Andrzej. Oui, c'est ça! Et l'autre, son frère aîné, qui me pose toutes ces questions d'un air paniqué, c'est Jacek.

– Oui, oui, on m'a enlevé moi aussi, je lui réponds.

Ce qui est faux, bien entendu, mais il ne peut pas le deviner, d'autant que, avant de monter dans la fourgonnette, j'ai pris soin de revêtir mon déguisement d'enfant polonais.

– Je sais pas où on nous emmène, je lui dis encore.

Ça aussi c'est vrai.

– *Mamo? Mamo?*... Bibiana?

Ce Jacek a une sacrée mémoire. Je marque un temps, puis:

– *Ona nie zyje*, je réponds.

«Elle est morte.» Là encore, je dis vrai. Et je baisse la tête. Et j'ai mal au ventre en pensant à Bibiana, à tout ce que j'ai souffert à cause d'elle, ces derniers jours. Jacek, voyant que je suis triste, me tapote l'épaule dans un geste de réconfort. Il se sent tout à coup beaucoup mieux. Sa mère à lui a juste eu la main cassée, elle n'est pas morte, il espère bien la revoir. Je continue à bouder un petit moment – je m'étais efforcé de l'oublier, cette satanée Bibiana, et voilà que Jacek m'y fait à nouveau penser, voilà que l'image de son visage revient me hanter. Je finis par relever la tête et je dis à Jacek que je suis content d'être avec lui et son frère, que ça me réconforte. Vrai, encore. Cette nuit est de loin la plus excitante que j'aie vécue depuis le début de ma jeune vie. C'est bien plus agréable d'être avec des copains que d'assister à des accouplements répétitifs ou de se morfondre seul dans son lit.

Calmés, rassurés pour un temps, Jacek et son frère viennent se blottir contre moi. On se serre fort tous les trois.

Notre silence ne tarde pas à alerter la *Schwester*, qui jette un coup d'œil à l'arrière pour voir ce qui se passe. Je me cache vite derrière Jacek, ce qui lui confirme que j'ai peur et que je suis l'un des leurs. Ensuite, une fois que la *Schwester* a de nouveau le dos tourné, nous reprenons notre discussion, en chuchotant pour ne pas être entendus.

Je rassure mes nouveaux copains. Je leur dis, en baragouinant comme je peux en polonais, qu'il n'y a pas à s'inquiéter. Si je ne sais pas où on nous emmène, je suis sûr que tout ira bien. Et c'est vrai! Ils doivent se réjouir! On les a enlevés à leur vie de misère pour qu'ils deviennent de vrais enfants allemands! C'est formidable! Ils ont beaucoup de chance! Malheureusement je n'ai pas assez de vocabulaire pour leur expliquer tout cela dans leur langue, alors je me contente d'afficher un grand sourire qui finit de les rasséréner. Ils hochent la tête en me fixant de leurs grands yeux – bleus – pleins de larmes. Il semblerait que, à l'avant, leur petite sœur elle aussi se soit calmée, car on ne l'entend plus crier. On entend juste de gros hoquets qui ponctuent sa respiration.

Nous roulons encore un moment, puis la fourgonnette s'arrête de nouveau et le même scénario se répète. Une maison. Une porte défoncée. Des cris. Des coups. Et d'autres enfants viennent nous rejoindre. Toujours plus d'enfants. Jusqu'à ce qu'il n'y ait plus de place dans la fourgonnette.

À chaque arrivage, les pleurs et les cris résonnent, mais Jacek et moi, nous parvenons à apaiser les craintes des nouveaux. Nous arrivons à destination, seuls les enfants de notre fourgonnette descendent sans pleurer, en se mettant sagement en rang, comme nous l'ordonnent les *Schwester* et les soldats qui nous attendent.

Je suis fier de mes copains qui savent si bien se tenir. Je suis fier de leur confiance.

J'ai voyagé en Mercedes, en fourgonnette, et maintenant, je vais sans doute prendre le train. Que de découvertes en si peu de temps !

Nous sommes à la gare de Poznan.

Il y a un monde fou. Des soldats avec des chiens, des officiers, des *Schwester*, des *Frauen* en uniforme. Et des enfants, bien sûr, plein d'enfants ! Les soldats nous placent en file indienne, sur le quai. De part et d'autre, il y a deux trains. L'un porte l'écriteau «Kalisch», l'autre «Auschwitz». Je me demande lequel nous allons prendre, Jacek, Andrzej et moi. (Nous avons fait en sorte de ne pas être séparés à la descente de la fourgonnette lorsqu'on nous a placés dans la file.) Tandis que nous attendons, debout sur le quai, je sens que l'angoisse reprend Jacek et son petit frère. Normal, il y a beaucoup d'enfants, la plupart ne cessent de pleurer et crier. C'est contagieux, l'angoisse. Je dois d'ailleurs avouer que si je ne me savais pas à l'abri, j'aurais eu peur, moi aussi. Les soldats, les chiens, leurs aboiements, la vapeur qui s'échappe des locomotives en grondant, les ordres lancés par les soldats, les cris des enfants, les pleurs. On ne s'entend plus. Et puis la nuit est fraîche. Moi, je ne souffre pas trop du froid, je porte le pull de mon déguisement ; même s'il est troué, il me tient chaud, tandis que les autres sont en pyjama. (Normal encore, ils dormaient quand ils ont été enlevés.)

La file avance lentement. Trop lentement. Je commence à en avoir assez d'attendre. La patience n'a jamais été mon fort. Je tente de sortir de la file, mais un soldat me remarque et, d'une bourrade, me force à réintégrer ma place, tandis que son chien me mordille les chevilles. Quel toupet ! Je n'en veux pas au chien, mais au soldat, qui n'a que deux galons sur son uniforme, un vulgaire *Rottenführer* ! Quand il saura qu'il s'en est pris au protégé du docteur Ebner, il entendra parler du pays ! Mais je ne veux pas me faire reconnaître pour l'instant. C'est bien plus rigolo de passer pour un Polack.

Je me hisse sur la pointe des pieds afin de voir un peu ce qui se passe au bout du quai. Et quand je le découvre, je pousse un grand soupir de soulagement, tout juste si je ne crie pas de joie. Le docteur Ebner. Il est là. En compagnie de plusieurs *Frauen* que je reconnais, car elles viennent souvent assister à des réunions dans la maison à moitié bombardée. Je m'autorise alors à flanquer un coup de pied dans le tibia d'une *Schwester* qui nous pousse pour qu'on se serre davantage dans la file. Ça fait longtemps que ça me démangeait !

La file avance tant bien que mal. Chaque enfant s'arrête devant le docteur Ebner qui, d'un signe de la main, le dirige à droite ou à gauche. Ceux qui vont à droite montent dans le train de Kalisch, les autres dans celui d'Auschwitz.

C'est une sélection. Une sélection rapide, car le docteur Ebner n'a pas avec lui ses instruments de mesure et son coffret avec les yeux de verre et les faux cheveux, comme au *Heim* lorsqu'il inspectait les bébés. Je comprends, au fur et à mesure que la file progresse, qu'il oriente vers le train de Kalisch les enfants blonds aux yeux bleus, tandis que les bruns et les rachitiques vont dans l'autre. (Dans la précipitation des enlèvements, les soldats et les *Schwester* ont pris dans les maisons ce qui leur tombait sous la main sans faire le tri. Or il arrive qu'entre frères et sœurs on n'ait pas la même couleur de cheveux.)

Je dis aussitôt à Jacek que je connais bien le monsieur au crâne chauve et aux lunettes rondes. Pas de problème, il ne nous séparera pas. Malgré son air sévère, il est très gentil. J'aimerais ajouter que Herr Ebner est mon deuxième père, juste après le Führer, qu'il m'a mis au monde et ne m'a jamais quitté depuis, mais c'est trop compliqué d'expliquer tout ça en polonais. La seule chose qui m'inquiète, c'est que, une fois que je serai devant le docteur Ebner, il me reconnaîtra et le jeu prendra fin.

Bon, j'ai encore un peu de temps devant moi, la file n'avance pas vite et nous sommes placés vers la fin.

Comme j'ai toujours envie de bouger – à l'inverse de Jacek et de son frère, qui restent là, immobiles, à attendre leur tour – je m'agite, je me retourne, je regarde à droite, à gauche, et c'est à ce moment-là que, en dépit de l'agitation qui règne, j'entends un bruit.

– Psst! Psst!

Je me tourne dans la direction d'où vient ce bruit – c'est un appel – et je vois un petit garçon qui fait un rapide signe de la main en guise de réponse. Juste après, il s'échappe de la file et vite, vite, court jusqu'à l'une des fourgonnettes garées sur le terre-plein à l'entrée de la gare. Ni les soldats ni les *Schwester* ne l'ont vu. Personne. Il n'y a que moi. De là où je me tiens, j'aperçois maintenant ses jambes et ses fesses, car il est accroupi derrière la fourgonnette. Il attend quelques secondes, puis il détale encore comme un lapin jusqu'à l'orée du bois qui jouxte la gare.

Qu'est-ce qu'il fabrique, celui-là?... Un instant plus tard, je vois qu'un deuxième enfant fait la même chose, puis un troisième, un quatrième. Je dis à Jacek: «Bouge pas, je reviens!» et je pousse des coudes pour me poster au bout de la file. Je prends la main du petit garçon qui s'apprêtait à s'échapper comme les précédents, lui faisant ainsi comprendre que je veux partir avec lui. Il hésite un instant, paniqué, il me demande d'attendre mon tour, puis il finit par hocher la tête et on y va.

On file jusqu'à la fourgonnette. Un temps d'arrêt. Regards effarés en direction des soldats, de leurs chiens, des *Schwester*. Du moins ce qu'on en aperçoit. Comme on est accroupis, on ne voit que les bottes des SS, le bout de leurs fusils, les pattes des chiens, leur museau quand ils baissent la tête pour renifler le sol, le bas des robes brunes en forme de sac à patates des *Schwester*. «*Raz! Dwa! Trzy!*» me souffle le gamin. «Un! Deux! Trois!» On fonce jusqu'au bois.

Et là, je découvre, caché derrière un buisson, un groupe de femmes. Des Polonaises. Elles sont une dizaine à peu près. Ce sont les mères. Elles devaient savoir que les fourgonnettes se rendaient à la gare et elles les ont suivies pour récupérer leurs enfants. La plupart des gamins qui ont réussi à quitter la file sont déjà dans les bras de leurs mères respectives. Celui avec lequel j'ai couru vient juste de reconnaître la sienne et se blottit contre elle.

Et moi?... Eh bien, moi... je reste planté là, debout. Seul. Forcément. Puisque je n'ai pas de mère. J'ai l'air bête. Puis, tout à coup, une main saisit la mienne et me tire vivement. Y aurait-il une femme qui voudrait me prendre dans ses bras? Pourquoi? Elle me confondrait avec son fils?... Je n'y vois rien. Il fait très sombre, la lumière du réverbère qui éclaire le quai ne parvient pas jusqu'à nous. L'espace de quelques secondes, en sentant cette main qui me tire, ces bras fébriles qui ensuite m'entourent, une idée folle me traverse l'esprit, je me dis... c'est Bibiana. Bibiana n'est pas morte, elle est revenue, c'est elle qui me prend dans ses bras, qui pleure de joie, parce qu'elle m'a retrouvé. Elle a réussi à se sauver de Ravensbrück, elle a rejoint les autres femmes et elle est venue exprès jusqu'ici pour moi. Moi seul.

Mais ce n'est pas Bibiana. C'est la mère de Jacek, je la reconnais à cause de sa main cassée qu'elle a entourée d'un bandage tout ensanglanté. Elle me serre contre elle et ne cesse de me répéter à l'oreille : « Jacek ! Andrzej ! » Les prénoms de ses garçons. Elle a dû repérer que j'étais à côté d'eux dans la file et elle me demande d'aller les chercher. Elle sanglote. Elle me supplie. Elle se tord les mains et ça doit lui faire rudement mal.

J'hésite. Je réfléchis.

Puis je lui dis... oui. D'accord !

Je refais le chemin en sens inverse. Je me cache derrière la fourgonnette. J'attends. Ensuite, je rejoins la file. Je me glisse en jouant des coudes jusqu'à Jacek et son petit frère.

– Où t'étais ? me demande Jacek.

Pâle, livide, il tremble aussi fort que son petit frère qui s'est remis à pleurer. Je suis content de voir que mon absence les a inquiétés, que je leur ai manqué.

Jacek a vraiment l'air d'un garçon très chouette. Il a de beaux yeux bleus, des cheveux blonds très épais. Je n'ai pas envie qu'il aille retrouver sa mère. À quoi ça sert, une mère ? À part vous flanquer un mal de bide du tonnerre quand elle s'en va ? Ce serait tellement injuste que Jacek soit condamné à rester un vulgaire petit Polack. Il *doit* devenir allemand. Il le mérite. Je le vois dans ses yeux bleus.

Alors je quitte encore la file. Ouvertement cette fois. Je cours si vite que j'arrive à échapper au soldat qui tente de me rattraper et je vais directement trouver le docteur Ebner. Il me reconnaît.

— Konrad ! Bon sang, que fais-tu là ? me demande-t-il avec sévérité.

Je vois déjà la grosse veine battre sur sa tempe.

En guise de réponse, je tends le bras vers l'endroit où se cachent les femmes et les enfants qui se sont enfuis.

L'alerte est aussitôt donnée. Les soldats lâchent les chiens.

15

Grâce à moi, on a pu sauver une dizaine d'enfants qui seraient repartis avec leur mère dans leur taudis, à crever la faim et à fuir les bombardements ou les fusillades des SS. Autant d'enfants qui ont trouvé une mère d'adoption. La mienne. L'Allemagne. Autant de futurs fauves qui grossiront les rangs de la jeunesse allemande toute-puissante. Autant de futurs frères pour moi.

Qu'est-ce que je suis content ! Vous ne pouvez pas savoir. Je n'ai plus du tout mal au bide, je me sens en pleine forme.

Le docteur Ebner m'a félicité.

– Ah ! Konrad ! Konrad ! tu ne finiras jamais de me surprendre ! s'est-il exclamé.

Ses lèvres fines et serrées ont presque réussi à esquisser un sourire quand il a prononcé ces paroles. Les *Frauen* des différents organismes, présentes à la gare elles aussi, m'ont couvert de louanges. Même ces saletés de *Schwester* ont reconnu mon mérite. Celle qui se trouvait dans la fourgonnette où j'étais caché a rapporté au docteur Ebner que, grâce à moi, les enfants s'étaient montrés beaucoup plus calmes et plus faciles à sélectionner. Bref, les compliments pleuvaient de partout !

Sauf que Herr Ebner m'a tout de même un peu disputé. Une fois de retour à la maison bombardée, il m'a emmené dans son bureau. Nous nous sommes retrouvés tête à tête, ce qui n'était pas arrivé depuis que nous avions quitté le *Heim* de Steinhöring.

– J'ai à te parler, Konrad ! il m'a dit.

Il a fermé la porte à double tour, s'est assis sur une chaise et m'a fait signe de le rejoindre. Garde à vous. Buste droit. Pieds joints. Menton relevé. Bras le long du corps. Regard vissé sur le haut de son crâne chauve. J'avais un peu la frousse, pour être franc. J'ai cru que Herr Ebner allait me faire passer une visite médicale, une nouvelle sélection. Vu qu'il est spécialiste en la matière. Heureusement que j'avais eu le temps de quitter mon déguisement de Polonais. Il puait la pisse et la merde, à cause des enfants qui, dans la camionnette, avaient fait sous eux tellement ils avaient la trouille. J'avais pris une douche et revêtu mon uniforme de *Pimpf* : bermuda, chemise brune à brassard, cravate, calot, que j'avais pris soin de retirer devant Herr Ebner.

– As-tu conscience, Konrad, que tu as couru un grand danger ?

Quel danger ? j'ai demandé d'un simple regard, en croisant le sien, levant vers lui mes grands yeux bleus pleins d'innocence. J'espérais par la même occasion, au cas où il prévoirait tout de même une petite vérification de l'évolution de mon appartenance à la race nordique avec la croissance, qu'il se rendrait compte que mes yeux étaient toujours aussi clairs. (Je vérifie régulièrement moi-même, dès que je trouve un miroir, que mes yeux ne foncent pas.)

— On aurait pu te confondre avec un enfant polonais. Une simple erreur d'inattention, cela peut arriver, et... (il a claqué des doigts) tu partais pour Auschwitz.

— C'est quoi, Auschwitz ? je lui ai demandé, tout aussi innocemment, alors que je le sais, mais je voulais des précisions.

— Un endroit où les enfants polonais travaillent.

Sa phrase sentait le langage codé à plein nez. Je n'ai eu aucune difficulté à la traduire. «Endroit» = camp. «Où les enfants travaillent» = où ils sont exterminés.

— Tu comprends ? a ajouté Ebner, saisissant mon menton entre son pouce et son index, me forçant à le regarder, tandis que je baissais les yeux. Ta perte m'aurait causé beaucoup de chagrin, tu sais.

Oh ! comme ils se trahissent bêtement, les adultes ! «Ta perte» = ta mort. Preuve que j'avais bien saisi le sens de sa précédente phrase. À Auschwitz, on ne travaille pas, on crève. Ou bien on crève à force de travailler.

— Tu avais l'ordre de rester ici et de ne pas bouger, a ajouté Herr Ebner d'une voix sévère. On ne désobéit jamais aux ordres, tu le sais.

— *Jawohl, Herr Doktor !* Mais notre Führer bien-aimé a dit que les enfants doivent développer leur *Draufgängertum* !

Cette longue phrase, je l'ai balancée sans réfléchir. Elle m'est sortie comme ça, d'une traite, sans que je bute sur le moindre mot, alors que, tout à l'heure, j'avais mal prononcé le nom «Auschwitz».

J'avais transformé le son « sch » en « se », parce que j'ai une dent de devant qui bouge et, par moments, ça me fait zozoter.

Ebner a accusé le coup. Je lui en avais bouché un coin avec ma belle formule.

– *Richtig*[1] ! il a dit en hochant la tête.

À partir de là, il ne pouvait plus me sermonner ou me menacer d'une punition. Me reprocher mon attitude à la gare, ma prise de risques, aurait signifié qu'il remettait en cause les principes de notre Führer, ce qui est *absolument interdit*. D'ailleurs, les enfants allemands ont ordre de dénoncer leurs parents s'ils jugent que ceux-ci doutent des principes fondamentaux du national-socialisme. Donc, je pouvais moi aussi dénoncer Ebner, vu qu'il était un peu mon père. Il y a eu quelques instants de silence, puis j'ai profité de mon avantage pour demander :

– C'est quoi, Kalisch ?

J'avais bien noté, à la gare, que l'un des trains portait un écriteau avec ce nom.

– C'est un *Heim*, comme celui où tu es né, sauf que l'on n'y accueille pas des bébés, mais des enfants étrangers racialement valables. On leur apprend à devenir de vrais enfants allemands.

– Comme dans une école ?

– Comme dans une sorte d'école, oui.

J'ai hoché la tête pour lui faire croire que je comprenais. Mais je ne comprenais pas. Pas bien. « Une sorte ». Langage codé encore, dont la signification réelle m'échappait cette fois. Je n'ai pas osé demander de précisions. Ebner s'était

---

1. Exact !

levé et s'apprêtait à s'installer à son bureau pour travailler, ce qui signifiait que je devais dégager le terrain. Mais avant de saluer et de le quitter, je me suis tout de même décidé à l'interroger à propos de Jacek et Andrzej. Étaient-ils partis pour Kalisch ou bien pour Auschwitz ?

Ebner a fait un geste de la main en direction des dossiers entassés sur son bureau. La réponse à ma question se trouvait quelque part dans ces feuillets. Il me la transmettrait bientôt.

Je n'ai jamais eu la réponse, ni ce soir-là ni les jours suivants. Peut-être que Jacek est parti pour Kalisch et Andrzej pour Auschwitz. Jacek était plus grand et plus fort que son frère, ça me semblait logique. Ou bien une faute d'inattention, comme l'avait précisé Herr Ebner, les avait envoyés tous les deux à Auschwitz. À la mort. Cette éventualité m'a contrarié un moment. Je les aimais bien, ces deux-là, surtout Jacek, on aurait pu devenir copains. On aurait pu devenir frères.

Et puis j'ai vite oublié, parce que le docteur Ebner a ordonné qu'on donne une grande fête en mon honneur, pour me récompenser du service que j'avais rendu à la patrie. Il a dit qu'on fêterait par la même occasion mon anniversaire, qu'on avait complètement oublié le 20 avril dernier. (On avait oublié tous les autres, d'ailleurs, mais Ebner avait oublié qu'on avait oublié.)

On célébrerait donc, le lendemain, mes cinq ans et demi.

Belle fête !

Même si maintenant elle est en train de dégénérer. Mais je m'en fiche. Je m'amuse, ça vaut mieux que de rester seul dans ma chambre. Je m'amuse même plus qu'au début de la soirée.

Au début, tout le monde s'est bien tenu autour de la grande et jolie table dressée pour la circonstance dans la salle à manger. Moi le premier. Forcément, j'étais assis entre Herr Ebner et Frau Lotte. J'avais pas intérêt à faire l'andouille. Parmi les invités, il y avait Herr Tesch, deux ou trois autres officiers SS, Frau Viermetz, Frau Müller, Frau Kruger – présentes à la gare la veille, lors de mon exploit – Frau Lotte et quelques autres *Braune Schwester*. Si on m'avait demandé mon avis, jamais je n'aurais invité à ma fête d'anniversaire Frau Lotte et ses sœurs jumelles. Pour casser une ambiance, on ne peut pas trouver mieux que cette horde de corbeaux. Je n'aurais pas davantage invité les autres, d'ailleurs. Que des adultes. Pas marrant. J'aurais préféré avoir auprès de moi Jacek, Andrzej, tous les enfants de ma fourgonnette, pourquoi pas ? Mais on ne m'a pas demandé mon avis.

L'humeur n'était pas à la rigolade. Tout ce monde-là ne parlait qu'affaires, énonçant des chiffres, des statistiques, commentant les nouvelles du front. J'ai ainsi appris que les Russes n'étaient plus nos alliés et qu'on allait envahir leur pays. Pas facile apparemment ; nos troupes, arrêtées à Moscou et à Leningrad, souffraient du froid. J'ai aussi appris que les Japonais, eux, étaient nos amis. (Les Japonais ne sont pourtant pas des Nordiques ?... Bah ! les Russes non plus !) En tout cas, ils n'y étaient pas allés de main morte. Ils avaient carrément détruit, par surprise, l'essentiel de la flotte américaine au Pacifique.

L'ouest de l'Europe était toujours occupé par nos armées, ainsi que le sud. Certes, on accusait de sérieuses pertes dans la Luftwaffe, à cause des super pilotes de la Royal Air Force, mais les invités n'avaient pas l'air trop inquiets.

Je n'écoutais que d'une oreille, je m'ennuyais. Nous allions gagner la guerre, on le savait depuis le début, rien de nouveau sous le soleil !

À la fin du repas, j'ai eu droit à un beau gâteau plein de crème Chantilly. De la vraie. Incroyable, vu la pénurie ambiante ! J'ai soufflé mes cinq bougies et demie d'un seul coup. Le docteur Ebner a annoncé que, comme cadeau, je recevais la somme *astronomique* – il a insisté sur ce mot – de cent Reichsmark sur mon livret d'épargne ainsi qu'une bougie supplémentaire pour orner le candélabre qui m'avait été attribué à ma naissance, au *Heim*. Les invités se sont exclamés « Oh ! » « Ah ! » « *Wunderbar !* ». Mais moi, je m'en fichais royalement de sa somme *astronomique*. Elle n'avait rien de réel. Ce n'était pas une monnaie sonnante et trébuchante avec laquelle je pouvais m'acheter des bonbons. Alors je me suis rattrapé avec le gâteau, je m'en suis mis plein la lampe, au vu et au su de Frau Lotte, pour me venger des carottes cuites à l'eau, du riz et de la confiture de coings dont elle m'avait gavé ces derniers jours.

– Doucement, Konrad ! Doucement ! Tu vas avoir une indigestion ! me lançait-elle de temps en temps d'un ton pincé, en me jetant un regard noir avec ses yeux de requin.

Cause toujours, pétasse ! Ce soir, c'est mon anniversaire, je fais ce que je veux ! Je suis un héros ! J'ai le droit de me bâfrer !

J'ai même mangé ce qui restait dans les assiettes des adultes. Ils ne s'en sont pas aperçus, parce que, après m'avoir applaudi quand j'ai eu fini de souffler mes bougies, ils ont à peine goûté à leur part de gâteau et se sont remis à discuter entre eux. Personne ne faisait plus attention à moi. J'étais censé jouer avec les cadeaux que j'avais reçus en plus de la somme *astronomique* et de la bougie. C'étaient des jouets réquisitionnés dans les boutiques de Varsovie ; je le sais, parce qu'il y avait encore les étiquettes. Mais je préférais manger que jouer. Jouer seul, ça n'a aucun intérêt.

Puis Ebner a décrété que tout le monde était convoqué dans son bureau pour une réunion au sommet. Afin de consigner sur le papier ce qui avait été dit au cours du dîner. (Les officiers supérieurs, ils adorent les papiers et les courriers, je l'ai remarqué.)

Les invités ont donc quitté la salle. Frau Lotte n'a pas vu que je ne la suivais pas. À cause du champagne, elle en avait trop bu. Elle a failli se prendre les pieds dans le tapis en sortant. À mon avis, elle n'a même pas pu se rendre dans le bureau d'Ebner, elle a dû aller directement ronfler dans son lit.

C'est maintenant que la vraie fête commence. C'est maintenant que je m'amuse vraiment. Avec les soldats qui viennent de débarquer dans la salle, comme les autres soirs.

Ils sont tous déjà bien éméchés, parce qu'ils ont entamé la soirée ailleurs, dans un cabaret, avec les putes allemandes. Ce qu'il y a de bien chez les putes, c'est qu'elles ne sont pas guindées comme les *Schwester* ou les *Frauen* gradées. Elles sont nature, marrantes. Elles ne s'embarrassent pas de règles idiotes. Aucune d'elles ne m'a dit :

— Il est temps d'aller te coucher ! Va te brosser les dents et mettre ton pyjama !

Ce genre de fadaises. Au contraire, elles ont insisté pour que je reste. Les putes, peut-être qu'elles aimeraient bien être mères, le fait est qu'elles ont toutes craqué devant ma gueule d'ange.

— Qu'est-ce qu'il est mignon ! Regarde un peu comme il est chou, ce p'tit bout ! Viens voir un peu par là !

Et elles me prennent sur leurs genoux, elles me caressent les cheveux, me pincent le bout du nez, elles me font de gros bisous mouillés qui marquent mes joues de traces rouges. Je me laisse faire, alors que d'habitude je n'aime pas qu'on me touche. Avec elles, je ne sais pas pourquoi, c'est différent. Certaines m'entraînent au milieu de la pièce et, me tenant par les mains, font mine de danser avec moi. Elles me permettent de goûter au champagne. Je trempe un doigt dans leur verre et elles éclatent de rire en voyant ma grimace. C'est amer, le champagne, ça pique un peu, mais ce n'est pas si mauvais au final.

Les putes, en tout cas, elles ont une sacrée descente. Elles sont de plus en plus soûles. Je n'arrête pas d'aller de l'une à l'autre. Sur les genoux. Dans les bras. Y en a même une qui décide tout à coup de me montrer sa poitrine.

— Tu vas être un sacré beau gosse, toi ! elle me dit. Tu vas en avoir, des femmes. Il est jamais trop

tôt pour commencer ton apprentissage. Allez !
Première leçon de sciences naturelles !

Et elle déboutonne son chemisier. Dénude ses
nichons. Ce n'est pas une vraie découverte pour
moi, puisque les nuits où je n'arrivais pas à dormir,
avant l'aventure de la gare de Poznan, j'assistais à
ces soirées derrière la porte entrebâillée. Mais personne ne le sait ; alors, pour ne pas vexer la pute, je
fais semblant d'être surpris. De fait, je suis étonné
de constater que les nichons peuvent avoir autant
de formes. Il y en a des gros, des petits, certains
ressemblent à des pommes, d'autres à des poires, y
en a qui tiennent bien droit, d'autres qui tombent.
Je me demande s'il y a des « nichons nordiques ».
Je me demande si on peut mesurer leur emplacement, leur écartement, la distance qui les sépare du
nombril ou du cou... Certainement. Les spécialistes
du RuSHA doivent avoir, quelque part dans leurs
tablettes, des normes correspondant aux nichons.

Maintenant, vu que l'heure tourne et que les
bouteilles se vident, les putes ne s'occupent plus de
moi et font avec les soldats ce qu'elles ont l'habitude de faire. L'accouplement. Pour ne pas être
en reste, je joue avec les poupées que j'ai reçues
en cadeau. J'arrache leurs vêtements et je les mets
dans les mêmes positions que les putes. (Quand
j'y arrive, parce que les poupées ne sont pas aussi
souples que les putes.) Lorsque j'en ai assez de
ce jeu, je passe à autre chose. Je m'imagine que,
parmi tous les verres qui sont sur la table, se trouve
la coupe du Graal, celle qui contient l'élixir d'immortalité. Je dois deviner laquelle c'est, alors je
bois tous les fonds de verre, un à un.

Et je tombe évanoui.

C'est Frau Lotte qui donne l'alerte le lendemain matin.

Ne me trouvant pas dans mon lit, elle fouille
toute la maison et finit par me découvrir par terre,
sous la table de la salle à manger, au milieu des
bouteilles vides. Elle a beau répéter mon prénom,
me ficher des claques, me secouer comme un
prunier, rien. Je ne me réveille pas. Je ne réagis
plus. Je suis tout mou dans ses bras lorsqu'elle
me soulève, les bras et les jambes ballants, la tête
qui pend. Comme un mort. Paniquée, elle alerte
le docteur Ebner. Vite! Vite! On me transporte
en ambulance jusqu'à l'hôpital, là où on soigne
les soldats blessés au front. Le docteur Ebner,
entouré d'autres médecins, procède à des ana-
lyses et il se rend compte que j'ai un taux alarmant d'alcool dans le sang. Je suis dans un «coma
éthylique» – le mot savant pour «bourré». C'est
très grave.

J'ai failli mourir. Comme quoi y a pas qu'à
Auschwitz qu'on peut crever.

Je finis cependant par me réveiller, indemne,
comme après l'épisode de la déshydratation
quand j'étais bébé. Le docteur Ebner est sidéré :
il vient d'avoir une preuve supplémentaire de ma
supériorité. Je suis *vraiment coriace comme du
cuir et dur comme de l'acier de Krupp*. Je suis *vraiment l'enfant-échantillon-type-de-la-race-aryenne*.
Mais il y a une chose que Ebner ignore : si je m'en
suis sorti, c'est parce que, dans l'un des verres que
j'ai bus, se cachait l'élixir de l'immortalité. Il court
désormais dans mes veines. Maintenant, plus rien
ne peut m'atteindre. Je suis *immortel, invincible* !

Pendant les mois qui suivent, je poursuis ma mission d'infiltré. Ebner a jugé ma présence parmi les enfants polonais si bénéfique que, deux ou trois fois par semaine, je fais exactement la même chose que lors de ma première escapade. Je rassure les enfants au moment où ils viennent d'être arrachés à leur mère. Je leur affirme qu'ils n'ont aucun souci à se faire, qu'ils vont retrouver leurs parents, le temps qu'ils déménagent dans une plus belle maison. J'invente n'importe quoi, je laisse aller mon imagination, d'autant que je parle de mieux en mieux polonais. Sur le quai de la gare, je circule à mon gré dans les files d'attente. Les soldats et les *Schwester*, au courant du rôle que je joue, feignent de me violenter comme les autres, mais ils ne me font jamais mal. Je cause à celui-ci, à celui-là. Parfois, le docteur Ebner me dirige vers le train d'Auschwitz si la panique y est trop grande. Je monte dans un wagon, le temps d'inventer encore une histoire : « On va dans un endroit très chouette, un grand parc avec des bungalows. » Quand les pleurs se calment, je descends, juste avant le départ du train.

Parfois, ça me démange de rester. Maintenant que je suis immortel, pourquoi je n'irais pas faire un tour à Auschwitz, après tout ?... Mais Ebner me surveille. Il a demandé à un soldat de m'avoir à l'œil quand je monte dans le train.

Il n'empêche que, malgré sa vigilance, il y a des incidents de temps en temps. Une nuit, un chien m'a violemment mordu à la jambe. Il a échappé au contrôle du soldat qui le tenait en laisse. Il m'a arraché un morceau de chair, j'ai dû rester au lit plusieurs jours et j'ai maintenant une longue cicatrice, qui ressemble à une blessure de guerre. Ce qui fait encore plus *coriace*. (Heureusement que le chien ne m'a pas mordu à la joue. J'aurais perdu ma belle gueule d'ange.)

Mais la plupart des incidents viennent des mères. Elles ne peuvent décidément pas se résoudre à nous laisser leurs enfants. Comme celle qui, je ne sais plus dans quel village c'était – j'ai oublié le nom – a préféré pendre son enfant plutôt que de le voir enlever. Vous vous rendez compte ? ! ! ! Ou cette autre, encore, qui s'est allongée sur la voie ferrée au moment du départ du train.

Les mères ont de ces idées ! Elles sont folles ! Je suis bien content de ne pas en avoir.

Il y en a une aussi qui m'a repéré, une nuit. Elle avait réussi à échapper à la surveillance des soldats et elle était montée dans le train de Kalisch pour y récupérer son enfant. Bien évidemment, je l'ai dénoncée au docteur Ebner, et quand les soldats l'ont attrapée, elle s'est mise à me hurler dessus comme un démon.

– Maudit ! Tu es maudit ! elle a crié.

Je crois qu'elle n'était même pas polonaise, plutôt tzigane. Les Tziganes, comme les Juifs, font de la magie noire et s'en prennent aux enfants, c'est bien connu. Mais moi, je ne suis pas un enfant comme les autres. Sa malédiction ne m'atteindra jamais. *Je suis immortel.*

Je finis par me lasser de mon travail à la gare.

C'est comme les jouets. Quand ils sont nouveaux, on les apprécie, ensuite, on les laisse de côté. C'est surtout que j'en ai assez de voir chaque nuit les enfants partir tous ensemble, tandis que moi, je me retrouve seul sur le quai de la gare. Il me faut rentrer dans la maison à moitié bombardée et finir la nuit, encore tout seul, dans ma chambre. Pour retrouver au matin Frau Lotte. Je peux plus la supporter celle-là, avec ses yeux de requin et son haleine de chiotte !

Ras le bol. Je veux m'en aller.

16

C'est un grand moment pour moi. Une nouvelle page de ma jeune vie qui se tourne.

J'ai six ans. J'entre à l'école.

Je n'ai ni cartable ni fournitures scolaires. Pas
de nouveaux habits non plus. Je suis vêtu de ma
tenue réglementaire de *Pimpf*. Dans ma valise, le
candélabre offert par le Führer à ma naissance,
avec ses six bougies, un nécessaire de toilette
et quelques vêtements de rechange. Si le docteur Ebner m'accompagne, nous ne marchons
pas main dans la main comme le ferait un père
accompagnant son fils, le premier jour d'école.
Je m'efforce de caler mon pas sur la cadence parfaitement rythmée du sien. *Links. Recht. Links.
Recht.* «Gauche. Droite. Gauche. Droite.» Les
soldats se mettent au garde-à-vous sur notre passage et nous saluent.

Un premier jour d'école peu ordinaire. Normal.
Je ne suis pas un enfant ordinaire. Et Kalisch n'a
rien non plus d'une école ordinaire.

C'est un ancien monastère que l'on a aménagé
pour la circonstance. Il est entouré d'un mur d'enceinte très haut, hérissé de fils barbelés, impossible à escalader. Dans cette école-pas-ordinaire,

aucun enfant n'est venu de son plein gré, aucun n'a été accompagné par son père ou sa mère, et tous ne pensent qu'à une chose : s'évader. Pour preuve, le garde posté près du grand portail, mitraillette au poing, les soldats qui sillonnent la cour avec leurs chiens.

Kalisch, c'est l'école des enfants volés à leurs parents.

Le « SS Gau-Kinderheim », soit le foyer central du *Lebensborn* en Pologne.

Il est aux environs de 21 heures. Il fait nuit. La cour est déserte. Les enfants doivent être déjà couchés. Mais ils ne dorment pas encore. Pas tous, en tout cas. Car j'entends des cris étouffés provenant de différents endroits, derrière une porte verrouillée, derrière une fenêtre, là, au premier étage, ainsi qu'à l'étage au-dessus. Si je tends bien l'oreille, je discerne que ces cris viennent d'un peu partout, comme un bruit de fond, un ronronnement régulier qui fait vibrer l'ensemble des bâtiments. J'entends également des pleurs. Ceux-là s'échappent de la chapelle, située à l'entrée.

Je ne me retourne pas, je fais comme si de rien n'était, imitant le docteur Ebner qui demeure imperturbable en traversant la cour. Herr Ebner m'a tout expliqué pendant le trajet en voiture qui nous a conduits de Poznan à Kalisch. Il m'a dit qu'ici on apprend aux enfants polonais à devenir allemands. C'est un apprentissage difficile et rigoureux. Alors, si on les punit sévèrement, si on les bat, c'est pour leur bien. Pour qu'ils soient heureux plus tard.

De toute façon, je suis tellement content, tellement excité à l'idée d'être entouré d'enfants de mon âge, de vivre enfin parmi eux, que j'arrive à faire abstraction des cris et des pleurs. J'y suis habitué, les enfants criaient et pleuraient aussi à Poznan.

En tout cas, moi, je ne pleure pas, même si j'ai un peu le trac de rencontrer la directrice.

Johanna Sander. Nous arrivons dans son bureau. Grande. Blonde. Yeux bleus. Je ne vois d'elle dans un premier temps que sa haute silhouette vêtue d'un uniforme brun. Quand elle lève le bras pour nous saluer d'un retentissant «*Heil Hitler!*», j'aperçois le pistolet glissé à sa ceinture. Un 9 millimètres Luger. Elle me rappelle Josefa. Mais c'est le modèle au-dessus. Plus fort. Plus autoritaire. Josefa n'avait pas de pistolet à la ceinture.

Je mets dans le «*Heil Hitler!*» que je lance en guise de réponse toute la vigueur dont je dispose, mais ma voix me semble faible, fluette.

L'entretien est rapide. Herr Ebner, après avoir échangé une poignée de main avec Frau Sander, entre dans son bureau, s'y installe, et commence à étudier les dossiers qui l'attendent. Frau Sander et moi restons sur le pas de la porte.

Elle sait déjà tout de moi, me précise-t-elle d'entrée de jeu. Grâce au courrier que le docteur Ebner lui a adressé à mon sujet. Lettre en main, elle chausse ses lunettes.

— Konrad von Kebnersol, lit-elle à haute voix. Né au foyer de Steinhöring le 20 avril 1936, jour anniversaire de notre Führer... (elle passe sur la suite)... Baptisé par le Führer en personne !

Elle retire ses lunettes et m'observe longuement. Des pieds à la tête. J'en fais autant de mon côté, sans toutefois paraître arrogant. Elle a une carrure imposante, un visage large, un front très haut, des lèvres bien ourlées dont les commissures, abaissées, lui donnent un air sévère, méchant. À dire vrai, si je n'étais pas un jeune fauve, elle me flanquerait la trouille. Je sens bien qu'elle n'est pas du genre à s'émouvoir devant ma gueule d'ange, mes cheveux platine et mes yeux bleus si clairs. J'espère que dans le courrier de Herr Ebner, dans la partie que Frau Sander n'a pas relue devant moi, il est bien spécifié, chiffres à l'appui, que je réponds parfaitement aux critères de la race nordique. Que, en outre, j'ai à mon actif des actes de bravoure remarquables : ma résistance à l'enlèvement et la séquestration par une putain dissidente alors que je n'étais qu'un bébé, ma participation à l'« Opération Copains », d'abord avec les *Braune Schwester*, ensuite avec une moucharde polonaise, enfin mon rôle ô combien utile à la gare de Poznan.

– Baptisé par le Führer en personne ! répète Frau Sander après un long silence.

Son regard bleu s'embue de larmes.

– Baptisé par le Führer en personne !

Je me demande combien de fois elle va ressasser cette phrase. On dirait un disque rayé.

Elle se tourne vers le docteur Ebner qui, levant brièvement le nez d'un dossier qu'il a commencé à étudier, confirme d'un hochement de tête distrait.

– Le Führer en personne !

Une larme finit par rouler sur sa joue gauche et, miracle ! les commissures de ses lèvres remontent peu à peu pour esquisser une mimique qui ressemble à un sourire. Mais ce sourire ne s'adresse pas à moi. Frau Sander ne me regarde plus, elle fixe un point, loin, quelque part à l'autre bout du couloir sur lequel s'ouvre son bureau. Comme si quelqu'un venait d'apparaître à cet endroit. Sauf qu'il n'y a personne, je le vérifie d'un coup d'œil en coin. Elle doit avoir une vision. Celle du Führer marchant droit sur elle.

Elle revient enfin vers moi et me caresse le haut du crâne. Doucement. Avec précaution. Presque avec crainte, comme si ma tête était en porcelaine et risquait de se briser. Pourtant, je devine que cette main, large et forte, qui descend maintenant sur ma joue qu'elle effleure et court jusqu'à mon menton, est habituée à distribuer des claques... Je crois que si Frau Sander me caresse ainsi, c'est pour avoir l'honneur de toucher quelque chose que le Führer lui-même a touché, pour entrer en contact avec lui par procuration, par personne interposée – moi, en l'occurrence.

Je suis mal à l'aise. Mon cœur bat très fort. Je n'aime pas du tout le contact de cette main. Mais je m'efforce de le supporter.

Frau Sander se ressaisit enfin. Retire sa main. Ravale ses larmes. Efface son sourire. En un quart de seconde, son visage a retrouvé toute sa sévérité.

– Sais-tu ce que l'on attend de toi, ici, Konrad? me demande-t-elle d'un ton sec et autoritaire qui n'a plus rien à voir avec l'exaltation qu'elle avait mise dans la répétition de sa litanie.

Oui, je le sais. Le docteur Ebner me l'a expliqué. Je suis ici pour servir d'exemple aux enfants polonais de mon âge. Ils doivent croire que je suis d'origine polonaise comme eux, mais que j'ai complètement intégré l'enseignement dispensé à Kalisch, qui a fait de moi un parfait petit Allemand. C'est pourquoi je parle si bien l'allemand, alors que ma langue maternelle, le polonais, je l'ai oubliée. Je dois me montrer positif envers mes camarades. Les encourager à apprendre. Je dois leur affirmer, chaque fois que j'en ai l'occasion, qu'ils ont beaucoup de chance d'avoir été adoptés par l'Allemagne.

– Parfait! approuve-t-elle. Parfait! Va t'installer maintenant!

Sur ces paroles, elle me confie à une surveillante qu'elle appelle d'un claquement de doigts, et me présente ainsi:

– Voici Konrad. Baptisé par le Führer en personne!

Comme si c'était mon nom de famille.

Ce doit être un nom de code, car le visage fermé de la surveillante change du tout au tout. Lorsqu'elle s'est approchée de moi, elle m'a jeté un regard dur, glacial, mais en entendant «BPFP» («Baptisé par...» Vous connaissez la suite, je ne vais pas encore répéter cette phrase), elle me sourit et me prie gentiment de la suivre. Elle me conduit à mon dortoir, précise-t-elle, mais si je désire manger quelque chose avant de dormir, nous pouvons faire un détour par la cuisine. Je décline l'offre. Elle insiste en me proposant une barre de chocolat qu'elle sort de sa poche. M'est avis qu'aux enfants polonais, elle propose plutôt de goûter au fouet dont j'aperçois le manche, glissé dans une de ses bottes.

Non, merci.

Je ne veux pas de traitement de faveur. Et si l'un de mes futurs camarades nous voyait, hein? À peine arrivé, je serais démasqué et ne pourrais plus jouer mon rôle.

J'ai du mal à m'endormir. Je n'ai pas l'habitude de me coucher aussi tôt. Si le dortoir est bruyant, ça ne me dérange pas. C'est une somme de petits bruits – grincements, ronflements, soupirs, toux, froissement des draps – qui s'assemblent de manière régulière et rythmée. Dans la maison à moitié bombardée de Poznan, les SS et les putes allemandes faisaient bien plus de raffut. Les enfants étouffent leurs pleurs pour ne pas être entendus de l'*Aufseherin*[1], postée près de la porte comme un chien de garde. Un mot revient sans cesse. Répété, chuchoté, psalmodié, telle une prière: mamo «maman». Puis vient la phrase tout entière: «*Chce moja mame*» («Je veux ma maman»). Les petits Polonais n'ont pas encore rayé ce fichu mot de leur vocabulaire, comme je l'ai fait, moi, il y a longtemps déjà. C'est pour ça qu'ils souffrent. Gommer ce mot de leur mémoire est une des premières choses que je leur apprendrai dans les jours à venir. Ils s'en trouveront bien mieux après.

Il fait noir comme dans un four, mais quand la surveillante m'a conduit jusqu'à mon lit, elle m'a éclairé avec une lampe de poche et j'ai ainsi compté une quarantaine de lits. Vingt d'un côté, vingt de l'autre. Je n'ai vu de mes camarades que

---

1. Surveillante.

de vagues formes dissimulées sous les couvertures. Pour ceux qui n'avaient pas tiré le drap sur leur tête – comme si ce mince tissu élimé pouvait les protéger – j'ai aperçu une touffe de cheveux, une main, un pied.

Mon voisin de droite ne dort pas lui non plus. Il n'arrête pas de se tourner d'un côté, de l'autre. De temps en temps, je devine, au grincement du sommier, qu'il se penche vers moi. Il a envie de me parler, mais n'ose pas, il a peur de l'*Aufseherin*. Elle pourrait l'entendre, elle pourrait voir, grâce au faisceau lumineux de la lampe dont elle balaie régulièrement l'ensemble des lits, qu'il enfreint le règlement.

Au bout d'un moment, il finit par s'endormir, sa respiration est régulière et un léger ronflement s'échappe de ses lèvres. Une odeur d'urine monte de son lit. À moins que ce ne soit du lit situé à ma gauche. Ou alors de tous les lits.

Ça pue.

Tout le dortoir pue la pisse. Moi, je n'ai jamais fait pipi au lit. Ou c'était il y a longtemps, j'ai oublié.

En plus des pleurs étouffés, des «mamo» chuchotés, des cris perçants fusent sous l'effet d'un cauchemar. «Aj!» «Nie! Nie, nie mnie!» «Litosc!» Tout à coup, un corps se dresse puis retombe mollement sur le matelas. Je comprends la signification de ces cris. À Poznan, je les entendais souvent. «Aïe!» «Non! Non, pas moi!» «Pitié!». Ces cris-là n'alertent pas l'*Aufseherin*, elle doit y être habituée.

Toujours pas sommeil. Difficile pour moi de rompre mes habitudes comme ça, du jour au lendemain. Dans la maison à moitié bombardée de Poznan, je circulais librement la nuit, j'allais écouter aux portes sans que Frau Lotte s'en aperçoive. Mais en comparaison de l'*Aufseherin*, Frau Lotte avait l'air et les manières d'un ange.

J'ai envie de me lever. M'en fiche si le règlement l'interdit. De toute façon, l'*Aufseherin* ne pourra pas me punir. Tout à l'heure, lorsque sa collègue m'a conduit au dortoir, elle a, avec la même vénération que Frau Sander, répété la formule magique. « BPFP ». (Je crois que c'est un nom de code qui a circulé auprès de tous les membres du personnel avant mon arrivée.) Alors j'y vais, je me lève, je vais la trouver et lui dis que j'ai envie d'aller aux toilettes. Elle a déjà retiré son fouet de sa botte et s'apprête à le lever pour l'abattre sur moi, mais en reconnaissant le BPFP, elle stoppe net et me laisse passer. Je fais semblant de me diriger vers la porte qu'elle m'indique et, dès qu'elle a le dos tourné, je bifurque.

Je m'aventure jusqu'au bout du couloir, où se trouve un autre dortoir. Les cris qui résonnent derrière la porte sont ceux de bébés. D'où l'absence d'*Aufseherin* pour monter la garde. Logique. Ces captifs-là ne risquent pas de s'échapper. Je pousse la porte pour voir ce qui se passe à l'intérieur.

Une sacrée pagaille. Des berceaux. Plein de berceaux partout. Ça me rappelle Steinhöring. Sauf que, dans mes souvenirs, les berceaux étaient bien plus beaux, pas à moitié cassés, branlants et sales comme ceux-ci. Les murs étaient blancs et propres, il y avait des fenêtres. Ici, les murs sont gris et il n'y a qu'une toute petite lucarne percée dans le plafond. Les bébés doivent avoir aux alentours de six mois pour les plus petits, un an pour les plus âgés. Ceux de un an sont plus longs mais guère plus gros. On dirait des lapins.

Lapins.

Je me souviens tout à coup de ce mot codé. Un des premiers que j'ai appris. Est-ce que tous ces bébés vont être entassés dans des camionnettes pour être livrés à un hôpital où ils seront découpés en morceaux et rangés dans des bocaux?... Non, je suis en train de tout mélanger! Herr Ebner m'a bien expliqué qu'il y avait à Kalisch, en plus des enfants, des bébés, et que ceux-là ne restent pas longtemps, ils sont les premiers à partir vers l'Allemagne, où des familles d'adoption les attendent.

J'espère qu'on leur donnera un bain avant leur départ. Parce qu'ils puent le caca. Ça empeste! Dans certains berceaux, je le vois nettement, des filets de merde liquide ont débordé des langes et se sont répandus sur les draps. C'est atroce, cette puanteur! Je suis obligé de me boucher le nez pour ne pas tomber en syncope.

Ça hurle, ça pleure de partout. Forcément, avec ce caca qui leur colle au derrière, les bébés ont la peau irritée, brûlée. Ils doivent avoir le cul tout rouge. Il n'y a que deux *Aufseherinnen* pour tous ces bébés puants et vagissants. Allongées sur des lits postés à chaque extrémité de la pièce, elles dorment. Quand l'une d'elles se réveille et se lève en maugréant, elle distribue aux bébés plus de baffes et d'insultes que de biberons et de langes propres.

Je m'en vais. Ce vacarme incessant me casse les oreilles et la puanteur me donne la nausée.

Du coup, l'envie me passe de me promener dans les autres dortoirs. Et puis la fatigue me gagne. Je dois dormir si je veux être en forme demain. C'est demain que je commence véritablement ma vie d'écolier.

Je regagne ma place et m'endors aussitôt.

Je fais des cauchemars pendant la première partie de la nuit. Je me vois sombrant dans une immense marée de pipi et de caca. Je rêve que, assis seul dans le réfectoire, on me force à boire du pipi et à manger du caca. Je vois les bébés du dortoir au bout du couloir qui se lèvent tous ensemble comme une armée de petits êtres maléfiques. Ils m'encerclent et me bombardent avec leurs langes dégoulinant de merde acide qui me brûle la peau, qui abîme ma petite gueule d'ange, qui me défigure.

Je me réveille en sursaut. Ma couverture est trempée et j'ai peur d'avoir fait pipi au lit. Mais non, ce n'est que de la sueur. BPFP ne fait pas pipi au lit ! Je me rendors au bout d'un moment et, cette fois, mon sommeil est paisible. Je rêve que mes petits camarades sont tous propres, beaux, récurés comme des sous neufs, irréprochables.

Germanisés.

Le lendemain matin à 6 heures, l'*Aufseherin* arpente l'allée du dortoir en donnant de grands coups de matraque sur les lits, parfois sur les jambes des enfants, qui se dressent comme des ressorts.

17

Les journées à Kalisch sont bien remplies. Rythmées. Programmées à la minute près. Il n'y a jamais de temps mort. Pas le moindre répit.

C'est fait exprès. Les enfants doivent enchaîner activité sur activité. Sans arrêt. S'ils s'arrêtent, ils réfléchissent. S'ils réfléchissent, ils se souviennent. De leurs parents, leurs frères et sœurs, leur maison, leurs jouets, leur plat préféré. Tout ce qui faisait leur vie avant leur enlèvement. Or ils doivent l'oublier, cette vie-là. *Définitivement.*

Ce système est très efficace, je le vérifie moi-même. Plus les jours passent, plus mon séjour dans la maison à moitié bombardée de Poznan s'éloigne. Elle ne m'apparaît plus qu'en rêve. Frau Lotte et les *Braune Schwester*, elles, s'apparentent à des fantômes sans visage. Si je n'avais pas l'occasion de croiser régulièrement le docteur Ebner – il travaille ici à la sélection des nouveaux – je crois que je l'aurais oublié, lui aussi.

6 heures. Gymnastique.

« *La jeunesse doit être athlétique !* » a dit notre Führer. Alors mieux vaut commencer à se forger muscles et résistance dès le plus jeune âge.

La gymnastique, c'est bon pour le corps. Bon pour l'esprit qui se vide de toute pensée insidieuse. L'effort physique donne un grand coup d'éponge dans le cerveau.

Au saut du lit, on sort tel quel, en tricot et culotte, c'est-à-dire à moitié nus. On doit faire dix fois le tour de la cour en courant. Au rythme des sifflets des *Aufseherinnen*. Si on ralentit, on prend un coup. Si on déborde du cercle parfaitement régulier qu'on doit former, on prend un coup. Si on ne monte pas assez haut les genoux en cadence – une, deux, une, deux! – un coup. Inspirer, expirer, inspirer, expirer. On ne pense qu'à ça. Sinon, avec le froid de l'hiver, on tousse et on s'asphyxie. Avec la chaleur de l'été, on manque d'air et on tombe évanoui.

En hiver, on n'y voit pas clair, il fait nuit noire dehors, on a les paupières gonflées et collées par le sommeil, les jambes qui flageolent. On grelotte, parce que la transition est brutale entre le lit et l'air glacé du dehors. En été, on n'y voit pas non plus, parce que le contraste entre l'obscurité du dortoir et la clarté du jour est aveuglant, parce que l'air est déjà étouffant et qu'on porte sur soi la moiteur de la nuit.

Au début, on se dit «J'y arriverai jamais!», et puis si, on y arrive. Parce qu'on n'a pas le choix. Plus question d'appeler «maman» quand on court. Maman ne viendra pas. Ne viendra plus. Jamais. En courant, on oublie la signification du mot «maman». *Eins! Zwei! Eins! Zwei! Schneller! Schneller!* («Une! Deux! Une! Deux! Vite, toujours plus vite!») Seuls ces mots occupent l'esprit.

ÇA RÉVEILLE.

Une fois la gymnastique terminée, on regagne le dortoir. Toujours au pas de course. Chacun se tient au garde-à-vous à côté de son lit, tandis que l'*Aufseherin* inspecte les draps. Ceux qui ont mouillé leurs draps pendant la nuit sont privés de petit déjeuner et punis : ils transporteront les ordures, nettoieront les toilettes ou déchargeront le ravitaillement. Les autres font leur lit. Au carré, couverture lissée, sans un pli, le bord doit tracer une ligne droite parallèle au mur.

Ensuite, toilette. À l'eau froide, été comme hiver. À 7 h 30, petit déjeuner. Tous les enfants sont réunis dans un immense réfectoire. La première moitié de la salle est occupée par les plus grands, les dix à douze ans, et l'autre, par les moins de dix ans, dont je fais partie. Au nombre de places vides dans les rangs des grands, on devine qu'il y a bien plus de punis parmi eux. Normal. Les grands ont du mal à accepter la germanisation. Trop de souvenirs. Trop précis, ces souvenirs. Ça leur embrouille la tête. La gymnastique ne suffit pas à les en débarrasser. Alors que les petits, exception faite du pipi au lit, se montrent dociles dans l'ensemble. Il faut dire aussi qu'ils supportent mal d'être attachés à un poteau au milieu de la cour et fouettés en cas de désobéissance. Les plus grands pensent qu'ils arriveront à tenir le coup, mais la plupart du temps, ils présument de leurs forces et finissent par crier «*Mamo!*» eux aussi. Sauf que *Mamo* ne peut pas les détacher du poteau ou arrêter les coups de fouet. Seule l'*Aufseherin* décide la fin du supplice, selon son humeur.

Le petit déjeuner ne traîne pas. Juste le temps

d'avaler un bol de chicorée et une tranche de pain noir. Il est suivi du rassemblement dans la cour. Appel. Une heure d'immobilité totale. Sous peine d'être puni à nouveau. Souvent, on voit à ce moment-là arriver les camions amenant les nouveaux, qui passent à la sélection dans une salle à laquelle nous n'avons pas accès.

Le reste de la matinée est consacré à la classe. Quand l'éducatrice entre, il faut la saluer le bras tendu en criant «*Heil Hitler!*». C'est un automatisme chez moi, je suis habitué à bondir et à tendre le bras dès que je vois un uniforme, mais ce n'est pas le cas de mes petits camarades qui s'exécutent avec trop de mollesse.

Punition pour les mollassons.

Une fois l'éducatrice assise à son bureau, chaque enfant, à tour de rôle, doit dire son prénom et sa date de naissance. Pas si facile que ça en a l'air. Car il s'agit d'énoncer son *nouveau prénom allemand*, celui qui a été attribué à chaque enfant dès son arrivée à Kalisch. Même chose pour la date de naissance, une fausse, donnée par le docteur Ebner. Si jamais un garçon bute sur la prononciation de son prénom, punition. Certains ont de la chance, comme, par exemple, «Johann», ex-«Jan». En revanche, passer de «Ryszard» à «Rutger», de «Tadeusz» à «Tomas», ou encore de «Wojciech» à «Wolfgang», c'est plus délicat. Si la date de naissance énoncée ne correspond pas à celle qui est inscrite sur le registre de l'éducatrice, punition.

— Toi! demande ensuite l'éducatrice en désignant un enfant au hasard. Qu'est-il arrivé à tes parents?

– Mon père est mort, tué par un bandit polonais !

Bonne réponse.

– Et toi ?

– Ma mère est morte parce qu'elle avait la tuberculose !

Bien.

– Et toi ?

– Ma mère est morte parce qu'elle était alcoolique !

Encore mieux.

Toutefois, la meilleure réponse demeure la suivante : « Ma mère est morte parce que c'était une putain ! » Mais l'éducatrice a beau la seriner aux enfants, ils ne la retiennent jamais, ou très rarement. Cela ne me pose pas de problème, à moi, quand on me le demande, de dire que ma mère était une putain. Elles étaient gentilles avec moi, les putains de Poznan, je me souviens d'elles.

En tout cas, il ne faut jamais répondre : « Mes parents ont été fusillés. » Ou : « Ils sont morts dans un bombardement. » Ça, ça peut vous valoir le châtiment suprême.

Die Kapelle. La Chapelle.

Tous les enfants pâlissent et tremblent de peur en entendant ce mot. Celui qui est consigné à la Chapelle, située à l'entrée du monastère, reste à genoux toute la nuit sur le sol glacé, les bras étendus en croix, sans bouger, sans boire ni manger, sous l'œil d'une *Aufseherin* qui le bat dès qu'il bouge.

Dans ma classe, c'est très rare que les enfants répondent mal ; chez les grands, en revanche, c'est fréquent. Pour finir, il faut toujours ponctuer sa réponse par la formule suivante, reprise en chœur par l'ensemble de la classe : « Je suis reconnaissant à l'Allemagne de m'avoir arraché à la déchéance de mon milieu ! »

Les jours où je suis interrogé, je réponds d'une traite, d'une voix forte, dans un allemand parfait :

– Je m'appelle Konrad ! Je suis né le 20 avril 1936 ! Je n'ai pas de parents, excepté le Führer, mon père et guide, et l'Allemagne, ma mère patrie !

L'éducatrice ordonne alors à mes camarades de m'applaudir. Pendant l'heure qui suit, ils doivent répéter après moi tous les nouveaux mots allemands à l'ordre du jour en s'efforçant de ne plus parler petit nègre comme ils le font – moi j'aime bien, c'est rigolo – et de se débarrasser de leur accent. On ne dit pas : « Moi être heureux adopté par allemande famille », mais : « Je suis heureux d'être adopté par une famille allemande ! »

Après une courte récréation, pendant laquelle il est interdit de parler polonais, sous peine de passer par le poteau ou la Chapelle, la classe reprend. Selon les jours, on fait de l'histoire, du calcul ou du chant. En histoire, on doit savoir colorier en rose sur une carte tous les pays qui font partie du Reich, et en vert ceux qui en feront bientôt partie. Facile ! Rose : la Pologne, l'Ukraine, la Yougoslavie, la France, la Belgique, le Luxembourg, les Pays-Bas, la Norvège, le Danemark, la Suède, la Grèce. Vert : la Russie, l'Afrique du Nord. Il y a une astuce : pour être sûr de ne pas se tromper, on gribouille en vert tous les pays qui n'ont pas été coloriés en rose et le tour est joué.

En calcul, on doit résoudre des problèmes,

comme, par exemple : « *Pour son anniversaire, la mère de Helmut a commandé un gâteau. Sachant que, pendant la nuit, la pâtisserie est pillée par les Juifs qui volent les trois quarts du gâteau, combien restera-t-il du gâteau pour la fête de Helmut ?* » Le résultat est évident, en tout cas pour moi, qui faisais déjà ce genre d'exercices avec Frau Lotte à Poznan. Le pauvre Helmut, il lui reste juste un quart du gâteau.

Certains jours, pas de cours, mais interrogation surprise. À l'aide de dessins, on doit reconnaître les différents grades des uniformes SS. Mes petits camarades paniquent quand il y a interro, alors que moi je réponds à toutes les questions en deux temps trois mouvements. Je les connais par cœur depuis que je suis bébé, les grades SS.

La fin de la matinée est consacrée au défilé au pas de l'oie devant Johanna Sander. L'après-midi, ceux qui ont été sanctionnés exécutent leurs corvées, les autres font des travaux de jardinage ou de menuiserie.

Et voilà ! La journée est terminée. Après un dîner frugal, extinction des feux. Et dodo.

Ce que je préfère à Kalisch, c'est la cour de récréation, la présence de mes camarades.

Je les aime bien. Je me plais parmi eux. Ils ont rapidement compris que j'étais le meilleur, le chef, le modèle à suivre. Ils me voient souriant, bien portant – ils ne savent pas que j'ai des rations supplémentaires de nourriture – ils constatent que mon savoir dans les disciplines qu'on nous enseigne me met à l'abri des coups et des punitions, alors tout naturellement, ils se disent qu'en m'imitant ils peuvent se rendre la vie plus supportable et abréger leur souffrance. Il leur suffit de bien apprendre leurs leçons.

Par moments tout de même, certains, intrigués par mon comportement, éprouvent le besoin de m'interroger en dehors de la présence de l'éducatrice.

– Vrai, Konrad ? Toi jamais penser à maman ? Toi jamais plus parler polonais ? Toi pas avoir envie pleurer et mourir ? me demandent-ils.

En guise de réponse, je me lance dans un long récit que j'invente à moitié. Pour qu'un mensonge soit crédible, j'ai découvert qu'il fallait l'agrémenter de quelques éléments de vérité. Alors je prends l'histoire que m'a racontée Josefa des dizaines de fois quand j'étais au *Heim*, mon enlèvement par la putain dissidente, ma séquestration dans une cave, et je la raconte à ma façon.

Je réponds à mes petits camarades : oui, des fois je pense à *mamo* – je parsème mon récit de quelques mots en polonais pour le rendre plus authentique – mais cette *mamo* n'a plus de visage. Je raconte que tous les deux, on était dans une cave pour nous protéger des bombardements, à Varsovie, que mamo a été touchée, qu'elle est morte et que je suis resté trois jours dans ses bras rigides comme des crochets, sans boire, sans manger. Je serais mort moi aussi si une infirmière allemande, Josefa, ne m'avait pas trouvé et amené au docteur Ebner. Dès que je prononce le nom du docteur Ebner, mes copains ont un mouvement de recul et leurs yeux s'emplissent d'effroi. Alors je me dépêche d'ajouter : le docteur Ebner a l'air méchant avec son crâne chauve, sa grosse veine et ses yeux glacés, mais en réalité il est très gentil. C'est surtout un excellent docteur, car il m'a guéri de la déshydratation quand j'étais bébé. Je termine en disant que ce n'est pas si difficile que ça d'oublier sa *mamo*, la preuve !

Quand j'ai fini, mes camarades me regardent tous avec de grands yeux étonnés, admiratifs, et ils s'écrient :

— Pauvre bébé Konrad ! Toi, beaucoup souffert !... Quelques Allemands gentils, possible, ça ?

Résultat : les élèves de ma classe font d'énormes progrès et partent rapidement pour l'adoption. Des nouveaux arrivent. Et je recommence à les aider.

Pour ce qui est des matières qu'on nous enseigne et des activités obligatoires, il y en a que j'aime, d'autres que je déteste. (Je crois que c'est ainsi dans toutes les écoles, ce n'est pas particulier à Kalisch.)

Mes activités préférées, par ordre croissant :

La gymnastique du matin. J'aimerais que les séances soient plus longues, plus difficiles, que, par exemple, il y ait des courses d'obstacles comme celles que font les grands. Je cours vite et j'ai une très bonne résistance.

Marcher au pas de l'oie. Ça, j'adore. Sauf que c'est ridicule de marcher au pas de l'oie quand on est vêtu de culottes courtes et de petites socquettes. Il faudrait un uniforme. Une arme à la ceinture.

Ce que je n'aime pas :

Faire mon lit. À Poznan, Frau Lotte ne m'obligeait jamais à faire mon lit, une prisonnière polonaise qui s'occupait du ménage dans la maison s'en chargeait. La plupart du temps, je me débrouille pour déléguer la corvée à mon voisin de dortoir, Wolfgang (ex-Wojciej). En échange, je lui permets de copier sur moi pendant les interrogations surprises ou je lui fais passer sous la table mon petit déjeuner. (Ça ne me pose aucun problème, en tant que BPFP, je peux aller quand je veux en cuisine réclamer une ration supplémentaire.)

L'histoire et le calcul. Le niveau est trop faible dans ma classe. Je peux cocher les réponses les yeux fermés, si bien que je m'ennuie et je baye aux corneilles. Et puis je ne supporte pas d'être enfermé dans une salle toute la matinée.

Ce que je déteste par-dessus tout : me coucher tôt le soir. Je n'arrive pas à m'y habituer.

Parfois j'en ai assez d'être l'enfant modèle. Je trouve que ça ne stimule pas mon *Draufgängertum*. Je risque de devenir une mauviette. Alors je fais une grosse bêtise. Tout à coup, je me mets à parler polonais, haut et fort. Ou en classe, je réponds de travers. Sur les cartes, je coche en vert ce qui doit être en rose, ou pire, je laisse en blanc les pays qui doivent être envahis par l'Allemagne. Je me mets à parler petit nègre, je chante faux, je change les paroles du *Horste-Wessel-Lied*. Au lieu de : « La rue libre pour les bataillons bruns », je chante : « pour les bataillons rouges ».

Les *Aufseherinnen* et les éducatrices sont très embêtées dans ces cas-là, elles sont tentées d'utiliser leur fouet, ça les démange, elles deviennent toutes rouges, cramoisies, elles se mettent à bafouiller en prétextant que je dois être fatigué, et elles résistent à la tentation de me mettre en pièces. Ou se vengent sur quelqu'un d'autre. Bah ! j'arriverai bien à en faire craquer une un jour !

La personne que je hais vraiment, encore plus que le fait de me coucher tôt le soir, c'est Frau Sander. La directrice.

À cause d'elle, j'ai eu mal au ventre pendant plusieurs jours. Pas le mal de ventre consécutif à la nourriture dégueulasse qu'on nous donne au réfectoire. (BPFP mange bien, mieux que les autres.) Le mal de bide typique d'une *perturbation psychologique*. Cette maladie contre laquelle je pensais être immunisé.

Ça s'est passé un matin, juste avant le rassemblement dans la cour. Je marchais à côté de Wolfgang, mon voisin de dortoir, devenu mon copain. En face de nous, à quelques pas, un SS traversait la cour. Tout à coup, pan ! j'entends un claquement sec. Wolfgang s'effondre. Je sens que quelque chose éclabousse mes joues, un liquide chaud et gluant. Je vois ensuite du rouge, plein de rouge sur ma chemise, sur mon bermuda. Par terre, du rouge aussi. Qui s'échappe de la tête de Wolfgang. Un filet qui se transforme rapidement en flaque. Je comprends que c'est du sang. Je comprends que le claquement sec de tout à l'heure, c'était un coup de feu. Je comprends que Wolfgang est *mort*.

Tot. Kaputt.

Je crois d'abord que c'est le SS qui l'a tué. Mais non. Il ne s'est pas arrêté quand nous l'avons croisé. Il portait une grosse pile de dossiers et n'a pas pu tirer. Il est d'ailleurs déjà à l'autre bout de la cour. Le coup de feu – mes oreilles s'en souviennent et me le disent – est parti d'en haut. Je lève la tête et je vois Frau Sander, à la fenêtre de son bureau, qui rengaine son Luger et reste accoudée à la balustrade pour terminer sa cigarette.

C'est elle qui a tiré une balle dans la tête de Wolfgang. Parce que, en surveillant la cour comme elle le fait tous les matins, elle a remarqué que Wolfgang ne saluait pas correctement le SS selon son grade. De sa fenêtre, elle a vu qu'il ne tendait pas le bras. Elle a *vu* Wolfgang, mais elle ne l'a pas *entendu*.

– Konrad! il m'a dit juste avant d'être abattu. Moi plus savoir si saluer officier à partir de une étoile et un galon ou deux étoiles!

Je n'ai pas eu le temps de lui répondre que c'était à partir de une étoile et un galon, soit les décorations sur l'uniforme du *Scharführer* qui venait vers nous. Il a eu un trou de mémoire, Wolfgang, pile à ce moment-là. Alors que la veille, à la dernière interro surprise, il avait eu tout bon. Sans même copier sur moi.

Ce trou de mémoire lui a valu un trou dans la tête.

Ce soir-là, dans le dortoir, j'ai eu encore plus de mal à m'endormir que d'habitude. Forcément, après l'extinction des lumières, j'avais l'habitude de faire réciter à Wolfgang la liste des étoiles et des galons avec les grades correspondants. Lui, ça l'aidait, ça le rassurait pour la classe du lendemain en cas d'interro, et moi, le ronron de sa récitation m'aidait à trouver le sommeil. C'était plus efficace que de compter les moutons.

Le lit vide à côté de moi m'a donné mal au ventre. Et le mal de ventre m'a rappelé celui dont j'ai souffert dans la maison de Poznan, après la disparition de Bibiana. Je croyais avoir oublié Bibiana et voilà que je m'en souviens. Son visage surgit tout à coup dans une des cases de mon cerveau. Son visage est associé au mal de ventre. Et comme les souvenirs reviennent en cascade, je me rappelle le terrible mal de ventre que j'ai eu à une époque, au *Heim* de Steinhöring. Sauf que là, aucun visage n'y est associé. Trop loin.

J'ai déjà vu des SS fusiller des Polonais quand je jouais au sniper dans la maison bombardée de Poznan. Mais c'était de la fenêtre du grenier, au dernier étage. De loin, les Polonais et les soldats paraissaient tout petits, comme des figurines, des jouets. Le sang qui éclaboussait les murs ressemblait à de la peinture.

Le sang ne m'éclaboussait pas, moi.

À Poznan, Frau Lotte m'avait vite emmené dans ma chambre pour que je ne voie pas la balle se loger dans la nuque de Bibiana. Mais celle qui s'est logée dans le front de Wolfgang, je l'ai bel et bien vue.

J'ai fait des cauchemars deux nuits de suite. J'ai rêvé que la tête de Bibiana avec son trou dans la nuque se posait sur le corps de Wolfgang. J'ai rêvé que la tête de Wolfgang avec son trou dans le front se posait sur le corps de Bibiana. J'ai rêvé que ma tête avait un trou dans la nuque et un trou dans le front.

Et j'ai fait pipi au lit. Deux fois de suite. Sans être puni par l'*Aufseherin*, puisque BPFP ne peut pas être puni. Mais si jamais l'*Aufseherin* m'avait puni, je l'aurais tuée. J'aurais criblé sa tête de mille trous !

J'ai compris, pendant les deux nuits où le lit à côté du mien est resté vide, que les souvenirs ne sont pas si faciles que ça à effacer. Même avec un emploi du temps serré comme celui de Kalisch. Même quand on a un crâne dolichocéphale.

18

Le lit à côté du mien est occupé maintenant. Wolfgang a vite été remplacé.

Mon mal de ventre est passé. Mais pas mon envie de traîner le soir à l'heure du coucher. Mon nouveau voisin, trop abruti par le rythme de Kalisch, dort comme une pierre, à peine la tête posée sur le matelas.

Si bien que moi, je m'ennuie.

Alors une idée me vient. Qui me travaille déjà depuis un bon moment.

Les filles.

Nous sommes séparés d'elles. On les aperçoit à leur arrivée quand elles descendent des camions, et puis pouf! elles disparaissent. Mais je sais qu'elles sont sélectionnées avant de repartir. Ici. La nuit. Je sais qu'elles sont toutes nues pour les sélections.

Je me lève et je vais trouver l'*Aufseherin*. Je ne lui dis pas que j'ai l'intention d'aller espionner les filles toutes nues, bien sûr, juste que je dois parler au docteur Ebner. Il est tard, l'*Aufseherin*, contrariée, fronce les sourcils, hésite, finit par me laisser passer. Elle n'a pas le choix. On laisse toujours passer BPFP, surtout lorsqu'il réclame son protecteur, le docteur Ebner. Surtout depuis la mort de Wolfgang. Parce que, depuis ce jour-là, BPFP traite les *Aufseherinnen* comme de la merde. Il les dénonce quand il les voit fumer en cachette. Il les dénonce quand il les voit se rendre à des rendez-vous secrets avec des soldats derrière le mur d'enceinte. Quand elles prélèvent une partie du ravitaillement. Quand, pendant leur pause, elles éteignent la radio alors que celle-ci diffuse un discours de notre Führer. BPFP les dénonce à tout bout de champ, même si elles n'enfreignent pas le règlement. BPFP n'hésite pas à mentir. BPFP sait que la délation est encouragée par le Führer.

Les sélections des nouveaux ont lieu dans deux salles, au sous-sol du bâtiment, une pour les garçons, une pour les filles. Lorsque je demande au docteur Ebner la permission de rester avec lui dans la salle des garçons, il semble surpris par ma requête, mais ne m'oppose pas de refus. Mon comportement est exemplaire, Johanna Sander le lui a confirmé, j'ai une très bonne influence sur mes camarades. De temps en temps je me conduis mal, certes, mais c'est exceptionnel, et en outre, ces écarts contribuent à me faire passer pour un vrai petit Polonais aux yeux de mes camarades. Je ne dors pas bien non plus, mes errances nocturnes ont tendance à agacer le personnel mais, après tout, l'insomnie n'est-elle pas la caractéristique des caractères forts?... Ma présence à une sélection pourrait être utile. Les nouveaux arrivants – sales et fourbus après un long voyage en train où ils ont été entassés dans des wagons surchargés – verraient ainsi en chair et en os ce que Kalisch va faire d'eux d'ici quelques semaines :

un bel enfant plein de vie, aux joues bien roses, aux cheveux propres, aux vêtements impeccables. (Plus aucune trace du sang de Wolfgang sur les joues et les vêtements de BPFP qui affiche de nouveau sa belle gueule d'ange.) De quoi les rassurer, calmer leur angoisse, juguler leur panique.

Herr Ebner me donne son accord, à condition que je me mette dans un coin et ne trouble pas le déroulement des opérations.

J'acquiesce. Je promets d'être sage comme une image. Je m'assois sur le tabouret qu'il m'indique et me fais si discret qu'au bout d'un certain temps, personne ne remarque que je passe dans la pièce voisine.

Je ne suis pas déçu. Il y a plein de filles! Blondes. Yeux bleus. (Je ne devrais même plus le préciser.) Âgées de deux à douze ans. Et c'est bien ce que je pensais : elles sont toutes nues! Ce sont les grandes qui m'intéressent, pas les fillettes qui pleurnichent tandis qu'on leur arrache, pour certaines, un ours en peluche ou un jouet qu'elles ont réussi à garder depuis leur enlèvement.

Les grandes pleurnichent elles aussi, parce qu'une *Aufseherin*, d'un coup de matraque – très léger, le coup, juste une chiquenaude, il ne faut pas les abîmer juste avant la sélection – les oblige à baisser leurs bras qu'elles serrent autour de leur poitrine pour la dissimuler. Je ne vois pas pourquoi elles en font tout un plat. Elles n'ont rien à cacher. Juste de tout petits tétons naissants plus ou moins accentués chez certaines, mais qui dans l'ensemble ressemblent davantage à des renflements de chair qu'à des seins.

Ce qui est drôle, c'est qu'elles obéissent en baissant les bras, mais qu'elles mettent aussitôt leurs mains en bas de leur ventre pour cacher aussi ce qu'elles ont là. Et hop! un nouveau coup les oblige à garder les bras le long du corps! En bas non plus, elles n'ont pas grand-chose à cacher, je trouve. Même pas de poils! Pas l'ombre d'un duvet! Rien, juste la fente qui se dessine entre deux bouts de chair rose. Je sais très bien ce qu'il y a là, chez les femmes. Je l'ai vu sur les putes de Poznan quand elles se déshabillaient pour s'accoupler avec les SS. Il y a une grosse touffe de poils. Dessous, une grande fente qui s'étire comme un élastique et s'ouvre pour laisser entrer le sexe SS.

Les filles passent devant une première *Frau* en blouse blanche. Armée d'un mètre, elle les mesure. Tête. Hanches. Bassin. Il y en a pour qui ça va très vite. «Mauvaise impression!» dit la *Frau* avant de passer à la fille suivante. Habitué comme je suis aux locutions codées, je comprends tout de suite que c'en est une. «Mauvaise impression», ça veut dire «On ne garde pas», traduction : «On tue», ou, au mieux, «On transfère dans un camp».

En revanche, celles qui font «Bonne impression» (= «On garde») passent devant une deuxième *Frau* en blouse blanche qui les prend en photo. Photo du corps, surtout la poitrine, le bassin et les fesses, et photo du visage, de face et de profil. À partir de là – décidément, c'est bien compliqué – on sépare les filles qui ont fait «Bonne impression» en deux files. Une file qui part tout de suite pour la *Heimschule* d'Illenau, une école comme Kalisch, mais ouverte aux filles uniquement. Là, elles seront germanisées, comme le sont mes copains, et adoptées ensuite par une famille allemande.

Les filles de l'autre file passent devant une troisième *Frau* en blouse blanche. Elle commence par leur tâter les tétons. Elle les palpe, les pince, les tire, les enfonce, les mesure aussi. Comme si elle parvenait ainsi à deviner la forme qu'ils auront plus tard : gros, petits, ronds, en poire, en œuf sur le plat ? Donneront-ils beaucoup de lait ? Pas beaucoup ?

Après, elle les allonge sur une table, elle mesure encore leur bassin, pour vérifier le chiffre énoncé tout à l'heure par sa collègue, et elle leur écarte les jambes.

Pour regarder leur fente.

Les filles sont complètement paniquées à ce moment-là. Elles se remettent à pleurer, à hurler, et leurs jambes tremblent tellement qu'une *Aufseherin* vient à la rescousse pour les immobiliser. Elles ont peur que la Frau enfonce dans leur fente la lampe qu'elle tient à la main pour les examiner. Mais elle ne le fait pas. Évidemment ! On n'enfonce pas une lampe dans une fente ! On y enfonce un sexe. Un sexe de SS. Y a que ça qui peut y entrer, je l'ai vu à Poznan.

Une fois fini l'examen sur la table, la *Frau* lance encore une autre phrase codée : «Bonne pour la reproduction pour le compte du Führer.» (Facile de comprendre ce que ça veut dire, le code est vraiment évident. En tout cas pour moi.) Enfin, les filles passent devant une quatrième *Frau* en blouse blanche qui, à l'aide d'un outil ressemblant à un long stylo d'où s'échappe un peu de fumée, leur fait un tatouage. Elle leur dessine une sorte de pastille sur l'avant-bras et sur la nuque. Ça n'a pas l'air d'être douloureux. Les filles crient très fort avant d'être tatouées, elles se débattent pour se dégager de l'*Aufseherin* qui les tient fermement, mais au moment où le stylo les tatoue, elles ne crient plus, elles ne tressaillent même pas.

J'ai besoin de réfléchir un moment. Quelque chose m'échappe. Quelle est la différence entre les filles pastillées et les autres? Pastillées ou pas, elles partent toutes pour Illenau, elles sont toutes inscrites sur le registre des adoptions. Cette fichue pastille doit bien avoir une raison, une utilité particulière. C'est une marque. Une marque de reconnaissance... Je profite du ramdam que fait une fille avant d'être pastillée – elle hurle et se débat tant que toutes les *Frauen* se ruent sur elle pour aider l'*Aufseherin* – et je m'approche discrètement du registre des adoptions... Là, je vois que les pastillées sont inscrites dans une colonne spéciale, avec un chiffre: 16.

Qu'est-ce que ça peut bien vouloir dire? J'ai appris les mots codés, mais pas les chiffres codés... Bon. Le mieux, c'est de raisonner, comme pour un problème de calcul. Je récapitule les données de l'énoncé du problème: les filles ont une pastille après l'examen de leur fente, quand la *Frau* dit que leur fente est «bonne pour la reproduction pour le compte du Führer»...

Ça y est! Pigé!

16, ça veut dire seize ans. Les filles pastillées sont adoptées jusqu'à l'âge de seize ans. Le temps qu'elles grandissent, le temps que leur fente s'élargisse suffisamment pour qu'un sexe SS puisse y entrer. C'est ça ! À seize ans, on les accouple avec des SS et elles font des bébés. De beaux bébés blonds aux yeux bleus. Cadeaux pour le Führer. Comme moi !

Donc, si je poursuis mon raisonnement, les filles pastillées sont de futures putes. Qui vont faire des bébés *comme moi*. Est-ce que ça veut dire que ma mère – ma mère biologique, celle dont j'ai perdu le souvenir à part le mal de bide quand elle est partie – était aussi une pute ?... C'est pour ça que, quand l'éducatrice le demande, en classe, je suis le seul à pouvoir dire que ma mère était une pute ?... Possible. Ça peut expliquer aussi le fait que je m'entendais si bien avec les putes de Poznan. Qu'elles aimaient me prendre sur leurs genoux et me faire boire du champagne... Oui, ça me semble décidément très probable.

Bon, en attendant, les filles pastillées ne sont que de *futures* putes. Pas de seins. Pas de poils. Elles ne rigolent pas. Elles ne sont pas drôles à regarder. Le spectacle ne change pas. Les mesures. Les photos. La table. La pastille.

Je suis fatigué. C'est la première fois que je fais du calcul le soir aussi tard. Je crois que je vais aller me coucher. Je retourne dans la salle voisine. Mais, alors que je m'apprête à saluer le docteur Ebner pour prendre congé, je stoppe net.

La fatigue s'en va. D'un coup. Plus question d'aller dormir. Je reprends ma place sur le tabouret.

Et je regarde, de tous mes yeux.

Mes beaux yeux bleus, si clairs, se posent sur une paire d'yeux non moins beaux, non moins bleus, non moins clairs. Fascinants. Ils ont un regard farouche, arrogant, où l'on ne décèle pas la moindre nuance de crainte. Un véritable regard de jeune fauve, prêt à montrer les dents, à bondir. Ce regard, à lui tout seul, dit haut et clair : « Je vous emmerde tous, autant que vous êtes. »

Au-dessus de cette paire d'yeux, une chevelure dont la blondeur n'a pas été entachée par la crasse et la sueur. Le garçon à qui appartiennent ces yeux et cette chevelure est grand. On devine que sa maigreur n'est que temporaire. Si les côtes saillent sous la peau, les épaules sont larges, le dessin des muscles des cuisses et des jambes est encore visible. Qu'on lui donne pendant quelques jours les mêmes rations de nourriture que BPFP et il retrouvera sa force naturelle. Il est bien plus âgé que moi, il doit avoir, je ne sais pas... douze ans, plus, peut-être ? C'est fou comme il me ressemble. En le regardant, j'ai l'impression de me voir dans un miroir avec quelques années en plus.

Ce garçon, c'est moi, à son âge.

Ce garçon pourrait être mon grand frère.

À tel point que je me demande si la *Frau*-pute qui l'a mis au monde n'est pas la même que la mienne. Il doit y avoir une erreur quelque part. Soit ce garçon n'est pas polonais, soit c'est moi qui ne suis pas allemand. Dans ce cas, le récit que je me plais à raconter à mes camarades, l'après-midi, pendant les travaux de jardinage, serait peut-être vrai ? Je ne sais pas. Je ne sais plus. Tout ce dont je suis sûr, c'est que ce garçon, *je le veux près de moi. Il doit réussir la sélection* pour que nous ne soyons pas séparés. C'est la première fois que je comprends pourquoi, à la gare de Poznan, les enfants criaient tant pour ne pas être séparés de leurs frères et sœurs, pourquoi encore ici, quitte à prendre des coups de fouet ou à passer par la Chapelle, les frères essaient à tout prix de se voir, se croiser, échanger un mot.

La sélection se déroule à peu près de la même façon que pour les filles. Les garçons sont tout nus, eux aussi. Mais on ne les allonge pas sur une table pour les examiner avec une lampe de poche. (L'avantage d'avoir un zizi qui pend à l'extérieur et rien à l'intérieur.) N'empêche, dès qu'ils sont nus, les plus âgés ont le même réflexe que les filles. Ils plaquent leur main sur leur zizi pour le cacher. Tous, sauf le garçon au regard farouche. Lui, il s'en fiche éperdument d'exhiber son zizi, et il a bien raison, ça lui évite quelques coups de matraque.

Un premier docteur (il y a deux officiers en blouse blanche en plus de Herr Ebner) mesure les garçons. Crâne. Cou. Torse. Jambes. Bras. Et les phrases codées tombent. Elles sont différentes de celles qu'on emploie pour les filles. Ici, on dit que «les enfants représentent un accroissement souhaitable de la population», «un accroissement tolérable», ou alors qu'ils sont «indésirables». Fastoche. Pas besoin de traduction.

Le garçon au regard farouche est classé dans les «souhaitables». Ouf! Une première étape de franchie! Ça me paraissait évident rien qu'à le regarder, mais on ne sait jamais, les mesures sont traîtres, elles doivent correspondre à une grille bien précise. On le prend en photo, puis on le dirige vers le deuxième docteur. J'aurais préféré qu'il soit examiné par Herr Ebner en personne, mais celui-ci, assis à un bureau, ne participe pas directement à la sélection. Il se contente de la superviser et de donner un nouveau prénom et une date de naissance à ceux qui ont été choisis. Je meurs d'envie d'aller lui dire de surveiller son collègue, ou mieux, de se lever et d'aller lui-même examiner le garçon au regard farouche. Le docteur Ebner est infaillible, il n'a pas son pareil pour reconnaître les meilleurs représentants de la race nordique ! J'ai aussi envie d'aller trouver le garçon et de lui dire :

— N'aie pas peur, tu vas y arriver, moi aussi je suis passé par là. Moi aussi, j'ai été mesuré et examiné, d'abord à ma naissance, puis au cours de ma croissance. Tu vas très bien t'en sortir.

Mais le garçon n'a pas l'air d'avoir peur. Rien ne bouge sur son visage, pas le moindre muscle, on croirait qu'il porte un masque.

Le docteur examine son pénis. Il mesure sa longueur en tirant dessus, sa largeur en l'entourant d'un ruban, il tire la peau pour faire apparaître le gland qu'il palpe longuement. Il le presse, l'écrase, comme s'il voulait juger de son élasticité. Il tâte ensuite les deux boules qui l'encadrent. (Les couilles, ça s'appelle.) Il les soupèse pour voir si elles sont bien en place. Peut-être aussi pour deviner, comme les seins des filles, si elles seront grosses, plus tard, ou ratatinées. Les autres garçons, gênés, effrayés par cet examen, se trémoussent, reculent, essaient de se soustraire à ces doigts qui les manipulent sans égard.

Mais le garçon au regard farouche, lui, pas du tout. Au contraire. Pour la première fois, les muscles de son visage se détendent, il ne garde plus les mâchoires serrées l'une contre l'autre, mais entrouvre légèrement la bouche, tandis que ses lèvres s'étirent pour esquisser un sourire. Ses yeux – ses beaux yeux si bleus, si clairs, si fascinants – s'allument d'une lueur tandis qu'ils fixent le médecin penché sur son zizi. Jamais un enfant, garçons et filles confondus, ne sourit pendant une sélection. Encore moins à ce moment-là ! Qu'est-ce qui lui prend ? Est-ce que, par hasard... ça lui ferait des... choses ? Comme les SS de Poznan, quand les putes tenaient leur zizi entre leurs mains ? Ils avaient l'air d'adorer ça, ils leur demandaient de ne pas s'arrêter... Quelque chose ne va pas ! Le médecin, c'est un homme, pas une pute... Oh ! ça y est ! J'ai compris ! Ce garçon que je prenais pour un jeune fauve, pour... mon grand frère... c'est juste un... homosexuel ! Un pédé ! Un sale petit pédé ! Oh ! non ! Quelle déception ! Le Führer déteste les homosexuels ! Les homosexuels, on leur colle un triangle rose et on les envoie dans un camp ! Le garçon est fichu, FICHU !

Non. Je me suis trompé. Si le garçon sourit ainsi, ce n'est pas du tout parce que ça lui fait des choses qu'on lui tripote le zizi et les couilles. C'est juste parce que... parce qu'il est en train de pisser sur les mains du docteur. Et il ne s'agit pas d'une petite fuite incontrôlable. C'est une pisse intentionnelle. Un beau jet d'urine dessinant une courbe parfaite. Un jet puissant, qui arrose non seulement les mains du médecin, mais son visage, vu qu'il était penché sur le zizi.

J'ai envie de rigoler! Oh! oui, je sens qu'un fou rire monte en moi, mais il est rapidement jugulé par la peur.

Ils vont l'esquinter. Le mettre en pièces. Ils vont lui casser sa belle gueule d'ange. Il va être complètement défiguré! Le médecin qui s'est pris la pisse en plein visage est tellement en rogne qu'il donne au garçon un violent coup de poing qui l'envoie valser à terre. Si bien que maintenant, c'est le garçon qui pisse le sang. Son nez, fracturé, saigne abondamment. Sa lèvre est fendue. Et comme il affiche toujours son petit sourire narquois, l'officier lui envoie un coup de pied – de botte, plutôt – en pleine figure. Au niveau des yeux, ses beaux yeux si bleus, si clairs, si fascinants! Qui ne vont bientôt plus l'être du tout. L'œil droit se met à enfler, la peau des paupières est boursouflée, ses pommettes sont enfoncées. Tout en jurant et en insultant le garçon – «Sale chien! Sac à merde! Vermine Polack!» – l'officier fait signe au soldat en faction devant la porte. Je sais ce que ça veut dire, ce signe: «Qu'on l'emmène!», «Qu'on le tue!».

Non! Je ne veux pas qu'on tue ce garçon!

Au moment où je m'apprête à bondir de mon tabouret pour aller trouver le docteur Ebner afin qu'il intervienne, celui-ci, d'un geste de la main, arrête le soldat qui empoignait déjà le garçon par les cheveux. Il ordonne le silence et demande au médecin de lui apporter la feuille sur laquelle il a noté les mesures du zizi qui lui a pissé dessus.

Pourvu que les mesures soient bonnes! Je

m'efforce de me convaincre qu'il n'y a aucune inquiétude à avoir de ce côté-là. Il est beau, son zizi! Et ses couilles aussi! Elles sont bien en place! Elles sont déjà bien grosses! En plus, il est impossible que le docteur Ebner n'ait pas remarqué la ressemblance entre ce garçon et moi. C'est un «souhaitable» de la meilleure qualité. On ne peut pas le tuer juste parce qu'il a pissé sur un officier. (J'essaie de chasser le souvenir de Wolfgang, abattu pour une faute bien moins grave.)

Ebner observe longuement le garçon, resté au sol, groggy, sonné après les coups qu'il a reçus. Mon cœur bat à tout rompre. C'est tout à l'heure qu'il fallait l'observer, quand son nez ne saignait pas, quand sa paupière n'était pas boursouflée. Il ne ressemble plus à rien maintenant, en tout cas plus à moi.

J'attends le verdict du docteur Ebner. Je sens des picotements me parcourir les bras et les jambes, jusqu'au bout des doigts, des orteils, ma respiration est difficile, ma poitrine se soulève à un rythme de plus en plus rapide. Je serre les poings si fort que mes ongles m'entrent dans les paumes. J'ai envie d'aller casser la gueule à l'officier. J'ai envie d'aller casser la gueule à Ebner, si jamais son verdict est négatif. Ou mieux: le revolver que le soldat porte à la ceinture, est-ce que j'aurai le temps de courir pour m'en emparer? Oui, certainement. Je cours vite. On m'a appris ici même à courir très vite. Une fois le revolver entre mes mains, je tirerai sur tout ce qui bouge.

Le silence s'éternise. Je me donne encore trois secondes à attendre, pas davantage. Puis, enfin, le docteur Ebner ordonne au soldat non pas de conduire le garçon à l'extérieur, mais de le diriger vers l'*Aufseherin* en charge de distribuer des vêtements propres, pour qu'il prenne place dans la file, devant son bureau.

L'incident est clos. Tout le monde reprend son poste. Et moi, ma respiration. Mon calme.

C'est gagné. Le garçon n'a plus qu'à attendre son tour. Une fois qu'il aura un prénom et une date de naissance, il ira dans le dortoir des grands, où j'irai le trouver.

J'ai hâte de savoir quel prénom on va lui donner.

Lorsque vient son tour, le docteur Ebner consulte rapidement les informations le concernant, soit son prénom (polonais) et sa date de naissance ; puis, après un bref moment de réflexion, il dicte à sa secrétaire :

– Lukas. Né le 18 mars 1932.

Lukas. Lukas, avec un K, comme Konrad, comme l'acier de Krupp. Excellent choix ! J'adore ce prénom ! En revanche, pour ce qui est de la date de naissance... Je fais rapidement le calcul dans ma tête. 1942 − 1932 = 10. Lukas n'a pas dix ans, il en a au moins deux de plus. Le docteur Ebner le sait parfaitement, mais il sait aussi que les familles allemandes n'adoptent pas les enfants de plus de dix ans. Cette date de naissance erronée confirme que le docteur Ebner apprécie Lukas. Il sait qu'il fera un parfait adolescent allemand. Un magnifique *Jungmann*.

Sauf que...

– *Mam na imie Lucjan ! A nie Lukas ! Jestem Polakiem ! A nie Niemcem !*

Crétin ! Connard ! Qu'est-ce qui te prend ? Mais qu'est-ce que t'as donc dans la tête ?

242

«Je m'appelle Lucjan! Je ne m'appelle pas Lukas! Je suis polonais, pas allemand!» Voilà ce que le garçon vient de crier. Haut et fort. En regardant le docteur Ebner droit dans les yeux.

L'*Aufseherin* lève aussitôt son fouet et lui donne un premier coup. Le garçon s'en fiche et répète sa phrase.

Deuxième coup de fouet. Qui le flanque à terre, comme tout à l'heure le coup de poing de l'officier. Il relève pourtant la tête.

– *Lucjan! Mam na imie Lucjan!*

Troisième coup de fouet. Ses nouveaux vêtements sont déchirés. Sa peau, en dessous, aussi. Elle est zébrée de trois longues marques rouges, dont le sang s'écoule.

Quatrième coup de fouet.

Celui-là, c'est moi qui le prends. Parce que j'ai enfin bondi de mon tabouret. Et je me suis jeté sur Lukas.

19

Je n'ai pas droit à un mot de reconnaissance de la part de Lukas, à l'infirmerie, quand nous y sommes transférés tous les deux. Et pourtant, je m'en suis pris plusieurs, des coups de fouet qui lui étaient destinés. J'ai dégusté ! L'*Aufseherin* était déchaînée. Dans sa fureur, son exaltation, la joie qu'elle éprouvait à frapper, frapper, encore et encore, elle n'a pas vu qu'elle était en train de battre le BPFP en personne. Que cette peau – blanche, parfaite, échantillon type de la race supérieure – qu'elle déchiquetait et lacérait sans merci, était celle-là même que le Führer, autrefois, avait caressée de sa propre main. Même le docteur Ebner a mis du temps à me reconnaître. (Comme je m'étais éclipsé discrètement pour aller regarder les filles, il me croyait parti depuis longtemps.)

Le fouet sur BPFP.

Sacrilège !

BPFP a eu très mal. BPFP a perdu connaissance. BPFP a cru qu'il allait mourir.

Pas une parole à l'infirmerie, donc, quand, après avoir repris conscience, Lukas et moi sommes tous les deux allongés sur le ventre, incapables de bouger sans avoir l'impression que notre dos va se briser en mille morceaux. Incapables d'articuler autre chose que de longues plaintes, de lamentables gémissements. Comme deux vieillards à moitié paralysés.

Pas davantage lorsque, une fois guéris de nos blessures, nous quittons l'infirmerie. Lukas pour intégrer le groupe des plus grands, moi pour retrouver le mien. Mes camarades, eux au moins, m'accueillent en héros.

– Bravo, Konrad! Toi rudement courageux! Petit Konrad très fort! Vraiment, très, très costaud pour pas crever sous fouet de putain d'*Aufseherin*!

En d'autres circonstances, leurs paroles me gonfleraient d'orgueil. Là, non. Je n'ai pas besoin de leur reconnaissance. C'est celle de Lukas que je veux. Qu'il ne me dise pas merci, passe encore. (Les Polonais sont vraiment des porcs pour élever aussi mal leurs enfants!) Mais au moins qu'il m'adresse la parole! Qu'il me dise quelque chose, n'importe quoi! Même «*Gowno!*» («Merde!»). J'ai beau essayer de l'aborder dans les jours qui suivent, peine perdue, il ne me voit même pas. Son regard passe au-dessus de moi, comme si je n'étais qu'un objet posé sur son chemin, un caillou, une pierre, un obstacle à contourner. Il adopte d'ailleurs le même comportement avec tout le monde. Ce point-là au moins me rassure, j'ai la consolation de savoir qu'il ne m'en veut pas personnellement. Dans son dortoir, dans sa classe, aucun garçon ne réussit à lier la moindre relation avec lui. C'est comme s'il avait la bouche scellée.

Pourtant, il trouve par moments le moyen de l'ouvrir, sa bouche. Sa grande gueule !

En cours d'histoire par exemple, quand il décrète tout à coup, un beau matin, en regardant l'éducatrice droit dans les yeux, que l'entrée en guerre des Américains va changer la donne et que, alliés aux Européens, ils finiront bien par mettre l'Allemagne à genoux. Quand il affirme que l'Allemagne ne pourra jamais envahir la Russie. (L'éducatrice frôlant la crise d'apoplexie, elle n'a plus de voix pour lui répondre.) Quand, au lieu de répéter les mots de vocabulaire allemand, il crie leur traduction en polonais. Quand il s'entête à répéter son ancien prénom, Lucjan. Quand il refuse de marcher au pas de l'oie. Bref, quand il enfreint systématiquement, intentionnellement, dès qu'il en a l'occasion, le sacro-saint règlement.

Il a droit à toutes les corvées, toutes les punitions, tous les sévices. Il ne va presque plus en classe le matin, il passe son temps à nettoyer les latrines et les poubelles, lorsqu'il ne titube pas sous le poids des cartons de ravitaillement qu'il décharge, seul, sous la menace d'un fusil. Il est si souvent attaché au poteau dans la cour que celui-ci semble lui être désormais exclusivement réservé. Comme pour la Chapelle. Il y passe plus de nuits qu'au dortoir.

Au début, je le trouve courageux. Je l'admire. Il a un sacré *Draufgängertum*, on peut le dire ! Mais à force, ce n'est plus du courage, c'est de la folie. Et il me rend fou par la même occasion. Le soir, lorsque je suis allongé dans mon lit tandis qu'il est encore attaché au poteau après y avoir passé une journée entière, transi de froid, l'estomac vide, abandonné comme un chien alors que la nuit est tombée, j'ai beau me dire : «Oublie-le! Laisse-le crever! Va te chercher ta ration supplémentaire en cuisine, bâfre-toi, histoire de passer le temps, et recouche-toi! Demain à l'aube, son cadavre aura disparu...» C'est plus fort que moi. Je me lève, je quitte le dortoir et je vais le détacher. Je l'aide à traverser la cour, à monter les escaliers, à regagner son dortoir. Je lui apporte à manger – ma ration supplémentaire. Je le borde comme un bébé et je reste auprès de lui jusqu'à ce que, épuisé, il finisse par s'endormir.

Sans qu'il me dise un mot.

C'est plus fort que moi, parce que je sais que si je le laisse crever, je vais encore avoir droit à ce fichu mal-de-bide-perturbation-psychologique. Ce sera un mal de bide du tonnerre, et cette fois, je ne m'en remettrai pas, il me laissera sur le carreau.

Quelques jours passent. Lukas reprend des forces et il remet ça. Et me voilà à nouveau de corvée. À l'aube, je me précipite dans la Chapelle, où l'*Aufseherin*, après l'avoir obligé à rester immobile toute la nuit, après l'avoir battu, l'a laissé inconscient sur le sol glacé.

Il perd de sa superbe à ce moment-là. Fiévreux, grelottant de froid, gémissant de douleur, il est trop faible pour se dégager de mes bras. Alors j'en profite. Je lui fais boire un bouillon chaud, tout doucement, par petites gorgées, ou bien je lui fourre dans la bouche des morceaux de pain après les avoir mâchés pour les ramollir. Les rôles sont inversés. C'est moi le grand frère, et lui, le petit sans défense. Qui pleure. Bien sûr qu'il chiale, qu'est-ce que vous croyez? On ne peut pas indéfiniment se prendre des coups et des insultes sans craquer, sans verser toutes les larmes de son corps! Quand il gémit et renifle sa morve en sanglotant, ou quand la fièvre le fait délirer et qu'il m'adresse enfin quelques mots, incohérents, à peine audibles, je l'encourage, je lui dis:

– T'inquiète! Je suis là! Ça va aller! Ça va aller! Faut juste faire ce qu'ils te disent et ils te ficheront la paix!

J'ajoute que moi aussi ma mère me manquait au début (tu parles!), mais que j'ai fini par me résigner à mon sort. Je lui sers mon histoire de bombardement dans la cave de Varsovie, les journées que j'ai passées entre les bras du cadavre de ma mère. Il m'écoute en rivant ses grands yeux bleus pleins de désarroi dans les miens, il serre ma main très fort. Je crois alors la partie gagnée. Je suis sûr que ça y est, notre amitié, notre fraternité est enfin scellée... Mais quand il prend le dessus sur la fièvre, il finit toujours par esquisser un sourire narquois, moqueur. Je me sens alors bouillir de rage. J'ai envie de prendre le fouet que l'*Aufseherin* a laissé par terre et de le fouetter sur la bouche pour le lui arracher, ce maudit sourire.

– Ils vont te tuer! Tu sais ça? je lui ai dit un jour en hurlant. Ils vont finir par te tuer! Ils en ont déjà tué pour bien moins que ça.

Et c'est vrai. Ça lui pend au nez. Ça *me* pend au nez.

Vous pensez bien que si je le détache du poteau, si je vais le chercher dans la Chapelle, si je lui apporte de la nourriture alors qu'il en est privé, ce n'est pas seulement en ma qualité de BPFP.

C'est parce que le docteur Ebner a donné ordre de me laisser faire. Il veut savoir jusqu'où Lukas est capable d'aller. Une sorte de test, d'expérience sur la résistance physique d'un adolescent. Pour plus tard, au cas où nos soldats les plus jeunes auraient à se battre.

Ebner m'a convoqué quand je suis sorti de l'infirmerie après l'incident du fouet, le soir de la sélection. Il a exigé que j'explique les raisons de mon acte dont les conséquences auraient pu être *catastrophiques*. (Il a insisté sur ce mot.) L'élément modèle de Kalisch qui se rebelle! Un comble!

Je lui ai déballé tout ce que j'avais sur le cœur. Sans fléchir. Sans rougir. Moi aussi, Kalisch m'a rendu plus fort, plus arrogant. À moins que ce ne soit juste parce que j'ai grandi.

J'ai dit à Ebner que je n'avais pas de mère à part l'Allemagne, pas de père à part le Führer – la chanson rituelle – sauf que j'y ai ajouté un couplet personnel : je voulais désormais un frère. *J'avais droit à un frère en chair et en os. Et c'était Lukas.*

Ebner a réfléchi un long moment en massant de l'index la grosse veine qui battait sur sa tempe.

– D'accord, Konrad, d'accord! m'a-t-il dit. Je veux bien te le donner, ce frère. D'autant que tu as raison, Lukas est un magnifique spécimen. Une graine de la meilleure qualité qui n'a pas été plantée au bon endroit et qu'il nous faut récupérer. Ton séjour à Kalisch prend fin dans trois semaines. Ensuite, tu partiras pour une destination que je te ferai connaître en temps utile.

Lukas pourra partir avec toi. À condition que tu aies réussi à en faire un véritable Allemand d'ici là. Tu as trois semaines, pas un jour de plus !

J'y arrive, au bout des trois semaines. Je suis sur le point de réussir, de gagner mon pari. Après dix passages au poteau et cinq nuits à la Chapelle – un vrai record – Lukas semble s'être calmé.

Il ne parle toujours pas, ni à moi ni aux autres, mais il ne provoque plus aucun esclandre. Il n'enfreint plus le règlement. Il consent même, un matin, à marcher au pas de l'oie. Et avec sa prestance, son élégance naturelles, avec cette force qui se dégage de sa silhouette même amaigrie, il attire le regard, y compris celui de Johanna Sander, qui – c'est exceptionnel – lui adresse quelques mots de compliments.

Seulement c'est une ruse. Une feinte.

Le soir même, il me porte le dernier coup en traître.

Il s'évade.

Personne n'a jamais su comment il a pu échapper à la surveillance des soldats et des chiens, comment il a réussi à escalader le mur d'enceinte sans s'empaler sur les barbelés. D'ailleurs, à part moi, personne ne se pose la question. L'urgence est de le retrouver. Une véritable chasse à l'homme est organisée pour le capturer. Une battue de trois jours et trois nuits dans tous les environs. En vain. Soldats et chiens rentrent bredouilles.

Trois nuits blanches pour moi. Trois nuits de cauchemar. Je vois Lukas mis en charpie par les chiens qui finissent par le retrouver. Qui le mangent tel un vulgaire morceau de viande. Je me vois réduit à l'état de zombie. Une fois Lukas mort, je n'existe plus, je suis amputé, je n'ai plus ni bras ni jambes, je ne suis qu'un ventre torturé. Un énorme-bide-qui-fait-atrocement-mal!

Arrive le quatrième jour. Pendant l'appel du matin, alors que nous sommes tous rassemblés dans la cour, une masse sombre tombe tout à coup d'un arbre et s'écrase sur les pavés. Qu'est-ce que c'est? Un corbeau? Un chat crevé? Une bombe qui va exploser et nous déchiqueter?... Ni corbeau ni chat crevé, mais une manière de bombe, oui. C'est lui. C'est Lukas. Après avoir tourné en rond aux abords de Kalisch sans trouver d'issue pour s'éloigner suffisamment et prendre réellement la fuite, il s'est réfugié dans un arbre où, à bout de forces, épuisé par la faim et la soif, il s'est endormi.

Johanna Sander. La directrice. Elle est présente lors de l'appel ce matin-là, et le sort veut que Lukas tombe pile à ses pieds. (Je me demande même s'il ne l'a pas fait exprès, s'il n'a pas programmé de sauter sur elle pour tenter de l'assommer.) Elle recule vivement sous l'effet de la surprise, reprend ses esprits, jette un bref regard dégoûté sur cette chose qui gît au sol, comme elle regarderait une grosse tomate pourrie qui aurait, en s'écrasant, menacé d'éclabousser son bel uniforme. Cette immondice, par terre, n'a plus aucun rapport avec l'adolescent dont elle avait admiré la prestance lorsqu'il marchait si bien au pas de l'oie, quelques jours plus tôt. Ce n'est plus qu'un déchet dont elle doit se débarrasser. Peu lui importent dorénavant les ordres d'Ebner, elle est la directrice de Kalisch, elle entend bien le prouver, et elle en a assez de ce sale chien de Polack qui sème le trouble dans son établissement.

Elle porte la main à la ceinture pour dégainer son Luger.

– Non !

Ce cri vient de ma gorge. Il est puissant. Il résonne dans le silence. Rien à voir avec la petite voix fluette dont j'ai salué Frau Sander à mon arrivée. J'en suis moi-même étonné. Sidérée par l'outrage, Frau Sander stoppe aussitôt son geste, tandis que je m'avance vers elle d'un pas ferme et assuré. Un beau pas bien cadencé, comme elle les aime. Je me mets au garde-à-vous et lui dis :

– Je veux le tuer, moi !

Le regard de Frau Sander, empli de colère quelques secondes auparavant, lorsqu'elle a entendu ce cri qui osait la contredire et dont elle n'avait pas repéré l'auteur, s'adoucit. Non seulement elle reconnaît BPFP, mais elle prend conscience que BPFP, par sa requête, a décidé de tomber le masque devant tous ses pseudo-camarades et de montrer de quelle trempe il est fait. La plus dure. La meilleure.

Les enfants du Führer n'ont pas peur de donner la mort, quel que soit leur âge.

Elle ne se trompe pas. Je suis prêt à aller jusqu'au bout. Je suis prêt à tuer Lukas. Je *dois* le faire. Tant qu'à crever, puisque c'est ce qu'il veut, qu'il crève de ma main ! Si c'est moi qui tue Lukas, je ne souffrirai pas, je ne serai pas perturbé, je n'aurai pas mal au ventre. Je n'aurai plus jamais mal au ventre de ma vie. Je me serai définitivement fabriqué une carapace en acier de Krupp.

Le moment est venu pour BPFP d'être consacré par un nouveau baptême. Celui du sang.

Je prends le Luger que Frau Sander me tend en souriant de toutes ses dents. Je me tourne vers Lukas et je vise. La tête. Le front. Comme pour Wolfgang. Pile là où, chez certains de ses sales compatriotes – pas chez lui puisque, allez savoir pourquoi, il présente toutes les caractéristiques d'un pur Nordique – les sourcils se rejoignent. Juste un petit trou et tout sera fini, pour lui comme pour moi. Je n'ai jamais encore tiré avec un vrai pistolet, je n'ai fait que jouer au sniper, mais je ne raterai pas mon coup, je le sais par avance, la cible est si proche. C'est un jeu d'enfant.

Revenu à lui après l'étourdissement dû à sa chute, Lukas lève sur moi ses yeux, si bleus, si clairs. Qui, encore, s'allument d'une lueur provocatrice.

«T'es pas cap!» me disent-ils.

Bien sûr que je suis cap. Moi non plus, je ne peux pas indéfiniment supporter les brimades et les affronts. Ceux que Lukas me fait subir depuis son arrivée. Il est temps d'y mettre un terme.

Il devine ma détermination. Comprend que je vais presser la détente, mes doigts sont en position. Il se ramasse alors très rapidement, roule sur lui-même et attrape mes pieds pour me déséquilibrer. Le coup part juste avant que je ne tombe par terre. Dans le vide? Sur un enfant? Un soldat? Sur Frau Sander elle-même?... Pas le temps de le vérifier. Nous roulons au sol tous les deux et nous nous battons comme des chiens. Coups de pied, de genou, de poing, morsures, tous les moyens sont bons. En temps normal, Lukas aurait eu le dessus sur moi, mais il est affaibli par la faim, par tous les supplices qu'on lui a infligés, par ses trois jours d'errance. Je crois même que, dans sa chute, en tombant de l'arbre, il s'est cassé le bras droit. Je m'en rends compte au hurlement de douleur qu'il pousse chaque fois que son bras touche le sol. Alors j'en profite. Je fais en sorte, dès que je le peux, de m'acharner sur ce bras cassé. Si ses os sont brisés, je suis décidé à les réduire en miettes. Par ailleurs, mon désavantage – ma taille inférieure à la sienne – je le mets à profit, je m'en sers, j'arrive à me rouler en boule pour me protéger de ses coups, à lui donner des coups de tête dans le ventre, je me relève plus rapidement que lui et lui saute dessus. Il a tellement été sous-alimenté ces derniers temps que nos poids doivent être à peu près équivalents. Quand je me retrouve à califourchon sur lui, je pèse lourdement sur sa poitrine et l'empêche de respirer, je serre mes jambes autour de son abdomen pour l'emprisonner dans un étau. Je lacère son visage avec mes ongles, j'essaie de lui crever les yeux. Sa tignasse blonde, je tire dessus, j'ai l'impression que je pourrais l'arracher comme un scalp. Je prends un plaisir fou à lui casser la gueule. L'effet de miroir que j'avais éprouvé le soir où je l'ai vu pour la première fois est décuplé. Je casse sa belle gueule d'ange. Je casse *ma* belle gueule d'ange. Celle que les services du *Lebensborn* ont mis tant de soin à fabriquer, avec des sélections, des mesures, des calculs, des photos... De son côté, Lukas essaie de porter les mains à mon cou pour m'étrangler. Par moments, il y arrive, ses doigts parviennent à trouver leur chemin, mais son bras cassé l'empêche d'exercer une pression suffisante pour m'asphyxier. Et vous savez quoi ? J'arrive enfin à lui délier la langue ! Parce qu'il me parle. En allemand, qui plus est.

— Sale petite merde de Boche ! il me siffle à l'oreille. (Mon visage est plaqué contre le sien, ma joue écrasée sur la sienne, j'essaie de le mordre.) Tu n'es pas polonais ! Tu es le protégé de ces salauds de nazis ! Ils ont tué ma famille ! Toi et les tiens, vous avez tué ma famille !

— Oui, bien sûr que je suis allemand ! je lui réponds. (Et je lui crache dessus, en plein dans les yeux pour l'aveugler, pour salir ses yeux qui ne méritent pas d'être bleus.) Je fais partie de la race des seigneurs ! Je suis l'enfant préféré de notre Führer ! Tant mieux si ta famille est morte ! Dis-moi merci parce que je vais t'aider à la rejoindre !

Après, je ne suis plus en mesure d'entendre ce qu'il me dit. Trop de vacarme. La cour résonne de mille cris. Tout le monde est là, autour de nous, à nous regarder. La rage qui nous enflamme, Lukas et moi, s'est communiquée aux autres. Le règlement est oublié. Les enfants ont rompu les rangs pour former un cercle autour de nous. Les uns prennent le parti de Lukas, les autres, le mien. Certains, surtout parmi les plus petits, pleurent et nous supplient d'arrêter. Les chiens sont fermement maintenus en laisse. Les soldats n'interviennent pas pour nous séparer. Bien au contraire. Eux aussi choisissent et encouragent leur favori dans ce combat à mort. Parce que si je ne parviens pas à tuer Lukas, ils s'en chargeront.

Une seule et unique personne ne bouge pas. Ne dit mot. Elle se trouve pourtant au premier rang. Je l'aperçois vaguement à travers le nuage rougeâtre que le sang qui s'écoule de mon crâne tisse devant mes yeux, quand, éreinté, fourbu, je m'effondre sur le corps de Lukas, qui ne réagit plus. *Herr Doktor* Ebner. Il est là lui aussi, depuis le début.

Il était là à ma naissance. C'est lui qui m'a mis au monde. C'est sur lui que j'ai ouvert les yeux. C'est sur lui que je vais les fermer. La boucle est bouclée.

J'ai tué Lukas et je vais mourir.

20

Je suis pas mort.

Je suis à l'infirmerie.

Le docteur Ebner est à mon chevet. Encore! À quel moment de la journée sommes-nous? Une heure après le combat? Un jour? Un mois? Un an?... Je n'en ai pas la moindre idée.

J'ai mal partout. Mon corps est en charpie. J'ai envie de pleurer. De hurler pour respirer, pour prendre l'air qui me manque. Comme un bébé. Comme quand Ebner m'a tiré du ventre de la *Frau*-pute qui m'a donné le jour.

J'essaie de me redresser. Pas facile de se mettre au garde-à-vous quand on est allongé. Quand on a l'impression d'être privé de ses membres. Je vais encore avoir droit à un sermon... Cette fois j'ai passé les bornes, je suis renvoyé de Kalisch, on ne me confiera plus aucune mission. Et patati et patata... Je me fous pas mal de ce qu'Ebner va me dire. Je me fous de tout, lui y compris. Et puis, tiens, j'en ai marre d'être à la colle avec Ebner depuis le début de ma fichue vie!

Mais son discours n'a rien à voir avec mes suppositions.

– *Jungmannen* ! Le corps à corps est une des disciplines essentielles enseignées dans les écoles d'élite du Führer. L'affrontement au corps à corps débarrasse les futurs jeunes chefs de l'appréhension de donner la mort. Vous avez prouvé, par votre combat, que vous êtes aptes à intégrer une *Napola*. C'est un grand honneur pour vous. La *Napola* de Potsdam, près de Berlin, vous accueillera dès que vous serez remis de vos blessures. Soit d'ici quatre jours.

Il salue, claque les talons et s'en va.

Mon cerveau fonctionne au ralenti. Je n'arrive pas à saisir pleinement le sens de ce que je viens d'entendre. Je porte la main à ma tête et découvre qu'elle est bandée. Ce gros pansement doit sûrement entraver la circulation des informations dans mon cerveau. Ou alors, à force d'avoir pris des coups, mon crâne n'est plus dolichocéphale et je suis devenu crétin.

J'essaie de récapituler ce qu'a dit Ebner. La façon dont il l'a dit. Il m'a complimenté au lieu de m'engueuler. Il m'a annoncé que j'allais partir dans une *Napola*, ce dont j'ai toujours rêvé. Et pas n'importe laquelle, une des meilleures, à proximité de Berlin, alors que j'aurais pu échouer dans une de celles qui ont été créées dans les territoires occupés de l'Est. Bon, d'accord, c'est bien. C'est très bien... Mais pourquoi m'a-t-il dit «vous» et non plus «tu», comme d'habitude ?... Est-ce qu'il me considère déjà comme un *Jungmann* accompli ?... *Jungmann*. Il n'a pas dit *Jungmann*. Il a dit *Jungmannen*. Au pluriel.

Mon cœur cogne un grand coup dans ma

poitrine. Je me tourne sur le côté en dépit de la douleur que ce mouvement provoque.

Et je vois Lukas. Allongé dans le lit voisin.

Il a la tête bandée lui aussi, le visage tuméfié, le bras droit plâtré. Il ressemble à une momie. Redressé sur son lit, le dos confortablement calé sur un oreiller, il me regarde, lève la main gauche et me fait un signe. Un coucou.

– Ils croient qu'ils m'ont maté, me dit-il en désignant la porte qu'Ebner vient de refermer. Tout ça parce que je leur ai baragouiné deux ou trois phrases en allemand. Je les ai pas attendus pour apprendre l'allemand. Ma mère le parlait couramment.

Il s'interrompt, s'empare d'une assiette posée sur sa table de chevet et enfourne un gros morceau de lard sur une tranche de pain, avant d'ajouter en mâchant sans aucune discrétion :

– Tu t'es pas demandé pourquoi ch'étais revenu me cacher dans l'arbre, alors que che pouvais me tirer de chette shaloperie de monachtère ?

Je secoue la tête en guise de réponse. J'ai perdu ma voix en entendant la sienne.

Il finit de mastiquer, avale, déglutit. Rote bruyamment.

– J'étais revenu te chercher, p'tit con !

P'tit con toi-même.

Pas important, son insulte. Je suis habitué aux injures, j'en entends à longueur de journée, même si elles ne me sont pas destinées. De toute façon, les insultes valent mieux que le silence que Lukas m'a infligé pendant de longs mois. L'important, c'est ce qu'il a dit avant de me traiter de petit con.

Me chercher.
Revenu.
Moi.
Il est revenu me chercher.

Je n'en crois pas mes oreilles et ma voix ne se décide toujours pas à s'affirmer.

– J'ai une dette envers toi, poursuit Lukas. C'est tout. Va pas rêver ! Une fois qu'on sera quittes, fini, on se connaîtra plus !

Après le morceau de lard sur le pain, il avale un grand bol de soupe puis s'attaque à une pomme dans laquelle il croque à pleines dents. L'assiette et le bol vides posés sur ma table m'indiquent qu'il a avalé ma ration pendant que je dormais. J'ai l'impression qu'il serait capable de dévorer les meubles – il faut dire qu'il a du retard à rattraper. J'ai une migraine atroce et le bruit de sa mastication me vrille les tympans.

– Qu'est-ce que t'as ? T'as avalé ta langue ? Je t'ai connu plus bavard.

Il termine sa pomme, avalant trognon et pépins, et crache la queue par terre.

– Le grand chauve, là, tout à l'heure, il a dit qu'on allait partir dans une *Napola*. Qu'est-ce que c'est au juste ?

– C'est... une école. Une excellente école ! (Ouf ! j'ai enfin retrouvé ma voix.) C'est là que les meilleurs éléments de la jeunesse allemande sont formés pour devenir des soldats et plus tard les futurs dirigeants du Reich, je lui réponds, fier de ma formule.

– Les meilleurs éléments de la jeunesse allemande ? répète-t-il en se curant les dents avec ses ongles.

— Oui. Des fils d'officiers supérieurs. C'est vraiment une grande chance pour nous. Enfin... pour toi, je précise avec condescendance. Pour moi, c'est normal.

— Des fils d'officiers SS, donc?

— Oui!

Il n'ajoute rien pendant un long moment. Se contente de fixer le plafond.

— Alors on est mal barrés, conclut-il enfin. Très mal barrés.

— Pourquoi?

— Parce que je suis juif.

Plus de voix à nouveau.

Pire que ça, paralysie totale.

Même pas capable de réfléchir.

Sais plus quoi dire. Quoi penser. J'ai le tournis, la nausée, l'impression que le sol tremble sous mes pieds, que le monde entier s'écroule autour de moi.

Juif. Il est juif. Lukas.

Celui que je considérais comme mon frère. Celui que je me suis évertué à protéger. Celui pour qui j'ai bafoué les règles les plus élémentaires dictées par notre Führer. Celui pour lequel j'ai risqué ma vie. En fin de compte, j'aurais mieux fait de le laisser crever.

Il me regarde fixement, jouissant de son effet de surprise. Il n'a même pas honte de l'aveu qu'il vient de faire. Au contraire, il a l'air d'en être fier. Il sourit. Me nargue en affichant de nouveau son petit sourire narquois, ce maudit, ce fichu, ce satané sourire qu'il m'adressait quand je m'occupais de lui après les tortures des *Aufseherinnen*.

Et ce rictus est encore plus odieux aujourd'hui, sur ses lèvres boursouflées, tuméfiées et striées par endroits de sang séché.

– Alors? Qu'est-ce que tu vas faire? me demande-t-il d'un ton rogue. Tu vas me dénoncer?

– ...

– Oui? Non?

– ...

– Bon, ben le temps que tu te décides, je vais faire un petit somme. J'suis crevé!

Sur ces paroles, il s'allonge sur le côté, me tournant le dos, et une minute ne s'est pas écoulée que je l'entends ronfler.

21

Salopard! Vermine! Raclure! Sale porc!

Qu'il soit polonais, passe. Ebner l'a dit lui-même : «C'est une excellente graine qui n'a pas été semée au bon endroit.» Mais juif, JUIF!!! YOUTRE ! YOUPIN! C'est trop! Un Juif est irrécupérable!

Qu'est-ce qu'il croit, ce bâtard? Que je vais me dégonfler? Bien sûr que je vais le dénoncer! Et sans tarder! Je me lève d'un bond, oubliant mes douleurs, et me précipite sur le pas de la porte pour appeler l'*Aufseherin* qui fait office d'infirmière. Elle rapplique immédiatement. (Elle a dû recevoir des ordres en conséquence : elle ne veille plus seulement sur BPFP et un Polonais germanisé, mais sur deux futurs *Jungmannen*. Tu parles! Quand elle saura!)

– Il faut prévenir *Herr Doktor* Ebner tout de suite! Je tends le doigt pour désigner Lukas. Il est...

Je ravale le dernier mot de ma phrase juste avant qu'il ne sorte. Si brusquement que ça me fait tousser... Je viens d'avoir un éclair de génie. Je viens enfin de retrouver toutes mes facultés de raisonnement. Lukas m'a menti! Dire que j'ai failli tomber dans le piège! J'aurais pu, éventuellement, croire à une erreur aberrante de la nature, à savoir un Juif aux cheveux blonds et aux yeux bleus, sauf que Lukas ignore une chose très importante. La première fois que je l'ai vu, c'était le soir de la sélection. Il ne savait pas que j'étais là. Trop occupé à ses provocations, il n'avait pas remarqué ma présence. Or j'ai vu... SON ZIZI! Entier! Pas coupé comme le sont les zizis juifs! Il m'a menti parce qu'il est dingue, il a une case en moins. Se mettre en situation de danger, c'est un véritable tic chez lui, une manie, une obsession.

Je pousse un long soupir de soulagement, tandis que l'*Aufseherin* reste devant moi, plantée au garde-à-vous, attendant que je termine ma phrase.

– Il est quoi? me demande-t-elle enfin.

– Il est... Il est... endormi.

C'est tout ce que je trouve à dire.

Elle jette un rapide coup d'œil en direction de Lukas.

– Oui, et alors?

– Alors, rien! Rien! C'est juste que... tout à l'heure, j'ai cru qu'il était mort. Mais je me suis trompé, tout va bien.

Les ronflements de Lukas, qui s'étaient interrompus, reprennent à cet instant, comme pour confirmer mes dires. Mais ça ne suffit pas à me débarrasser de l'*Aufseherin*, qui me regarde d'un air méfiant.

Dégage, pouffiasse! Dégage! Je t'ai dit que tout allait bien!

Elle s'avance vers moi et pose sa main sur mon front.

– Tu as de la fièvre, constate-t-elle.

Évidemment que j'ai de la fièvre! Comment pourrait-il en être autrement après tant d'émotion? Elle m'enfourne dans la bouche une cuillerée à soupe d'un sirop répugnant, gluant et amer, que j'avale en serrant les fesses pour ne pas le lui recracher à la figure. Il faut qu'elle déguerpisse. C'est urgentissime.

Une fois que c'est chose faite, je me précipite sur Lukas et le secoue sans ménagement pour le réveiller.

– Menteur! Sale menteur! T'es pas juif!

Pour preuve de ce que j'avance, avant qu'il ait le temps de faire un mouvement – il est encore engourdi par le profond sommeil duquel je viens de le tirer – je baisse sa culotte.

Il se frotte les yeux, bougonne quelques insultes à mon égard (je crois bien qu'il me traite de pédé!), remonte son slip et se retourne.

– C'est ma mère qu'a pas voulu, baragouine-t-il, prêt à se rendormir.

Comprends pas. Je le secoue encore. Il pousse un soupir agacé, se redresse et précise:

– Ma mère, le jour de la circoncision, elle est tombée dans les pommes en voyant le rabbin rappliquer avec son scalpel! Elle n'était pas pratiquante, ma mère! Elle en avait rien à foutre des salamalecs de la religion, et comme mon père l'aimait, il a respecté sa volonté. C'est pour ça que j'ai pas été circoncis. Tu piges?

Oui, je crois bien que je pige. Mes espoirs sont ruinés. Lukas est juif. Son zizi entier ne prouve rien. Même si je refuse encore de l'admettre tout à fait. Je cours vers la porte pour la fermer. Derrière, à quelques mètres de nous, il y a l'*Aufseherin*. Je ne sais pas si je vais dénoncer Lukas ou pas dans quelques courtes minutes. Cependant, pressentant qu'il va poursuivre ses explications, je préfère qu'elles restent secrètes pour l'instant.

Je m'assois sur le bord de mon lit. Face à lui. Bras croisés. J'attends.

Au bout d'un interminable silence, Lukas se décide à continuer.

– Ma mère, c'était...

Il fait semblant de s'éclaircir la voix, mais en réalité, il tente d'étouffer des sanglots.

– C'était une femme pas comme les autres. C'était pas une vieille Polack avec un fichu sur la tête et des bas roulés en accordéon sur les chevilles. Elle était belle, intelligente, indépendante. Elle fumait, elle se maquillait. Elle a fait des études, elle parlait couramment le français et l'allemand. Elle allait régulièrement en Allemagne, parce qu'elle y avait de la famille qui pouvait la loger. C'est comme ça qu'elle a senti très vite que votre Hitler de merde allait foutre la pagaille. C'est pour ça qu'elle m'a appris à parler votre putain de langue. Très tôt, quand j'ai eu à peine quatre ans. Elle a dit à mon père : « Il faut qu'on puisse croire qu'il est allemand », et comme j'étais pas circoncis, ça tombait bien. Mon père, lui, c'était un soldat de profession dans la cavalerie polonaise. Quand il a épousé ma mère, il a tout arrêté pour s'occuper avec elle du magasin dont elle avait hérité. Une librairie...

Il reporte sur moi son regard qu'il avait laissé dériver vers le plafond.

– Hé! Tête de Mort! Tu sais ce que c'est, une librairie?... Tu sais à quoi ça sert, les livres? Ça sert à être lus, pas à être brûlés comme le font tes potes en hurlant comme des sauvages.

Je ne réagis pas à ses insultes. Elles glissent sur moi comme la pluie sur un imperméable. Ça me coûte, mais j'y arrive. J'ai décidé de ne pas répondre à ses provocations. Je suis bien plus intelligent que lui et il finira par se lasser. De toute façon, la porte n'est pas loin. Dès que j'atteins le point de saturation, j'appelle l'*Aufseherin*.

– Quand les premiers soldats allemands sont entrés à Lodz, ma mère a dit à mon père : «C'est fini pour nous, mais lui, il a peut-être une chance de s'en sortir.» Lui, c'est-à-dire moi, pas mon petit frère. Il avait... Quel âge t'as, toi? Six? Sept ans?

J'écarte les doigts de ma main droite, je lève le pouce gauche, puis je pose mon index gauche sur le droit pour lui signifier que j'ai six ans et demi. Je ne veux pas me rabaisser à lui parler. C'est déjà bien que je l'écoute.

– Six ans et demi? Ouais, lui aussi il doit... Il aurait eu dans ces eaux-là aujourd'hui. Mais à ce moment-là, il en avait que trois. Trop petit pour s'en sortir seul, alors que moi j'en avais dix, c'est pour ça que ma mère m'a choisi. Bref, mes parents ont rassemblé tout ce qu'ils possédaient, argent, chandeliers, bijoux, et ils les ont donnés à une cliente de la librairie, une Polonaise goy pour qu'elle me cache chez elle, qu'elle me fasse passer pour son fils. Au bout d'une semaine, je me suis enfui et je suis retourné chez moi. Ma mère, elle s'est enfermée dans la chambre avec mon petit frère pour pas me voir, pendant que mon père me flanquait la raclée de ma vie. «Plus jamais tu dois faire ça, compris? il m'a dit après m'avoir donné trois coups de ceinturon. Tu ne nous connais plus, tu n'es plus notre fils! Va-t'en!» Le lendemain, tous les Juifs de la ville ont été enfermés dans un ghetto.

Lukas s'interrompt. Je ne sais pas si c'est la fin de son récit ou s'il va poursuivre. Je ne sais pas non plus si son regard s'est posé sur la porte par hasard, ou bien s'il a l'intention d'aller l'ouvrir lui-même pour se dénoncer. Il en serait bien capable. Je crois qu'il attend que je lui dise quelque chose. Mais... je sais pas quoi dire.

– À l'entrée du ghetto, y avait un grand écriteau jaune avec écrit dessus: «Quartier d'habitation juif. Zone interdite. Danger d'épidémies». Le quartier était entouré d'une haute palissade et de barbelés. Deux gros blocs de bois servaient de portes. Impossible d'y entrer. Mais moi, je savais que derrière la palissade, les barbelés et les grandes portes de bois, y avait ma famille. Alors un jour, j'ai essayé de me faufiler dans un trou que j'avais repéré dans le mur. Sofia, la Polonaise goy qui m'avait recueilli, elle m'a rattrapé par la culotte et elle m'a retourné une énorme baffe en criant: «Tu es fou, Lucjan! Tu veux attraper le typhus en allant voir ces vermines de Juifs? Tu veux nous rapporter des poux à la maison?» Elle m'a fait un clin d'œil pour que je comprenne que ces paroles, elle les destinait aux passants qui se trouvaient aux alentours, pour leur prouver que j'étais pas juif, que j'étais bien son fils. En rentrant, elle m'a retourné une seconde baffe et elle m'a dit: «Lucjan, ne refais plus jamais ça! C'est très dangereux! Je te promets qu'on va essayer de voir tes parents, mais avant, il faut que tu me jures de m'obéir. » J'ai juré et elle m'a expliqué qu'elle allait se débrouiller pour faire passer un mot à mes parents dans le ghetto. Ils conviendraient ensemble d'un rendez-vous. Une semaine après, Sofia m'a dit : « Écoute-moi bien, Lucjan, demain on va prendre le tramway qui passe par le quartier juif. Tu verras tes parents. Mais tu ne bougeras pas, tu ne diras rien, tu ne feras pas le moindre signe. Sinon, ce sera la mort, pour toi, pour moi et pour toute ta famille. Compris ? » Le lendemain, on a pris le tramway. On est montés dans la voiture réservée aux « inférieurs », c'est-à-dire aux Polonais ; les Allemands, eux, ils avaient leur wagon réservé à l'avant. Les portes du ghetto se sont ouvertes pour faire entrer le tramway, qui s'est aussitôt arrêté. Un policier juif est monté. Il a fait le tour de tous les wagons et, avec une clé spéciale, il a verrouillé les portes pour qu'on puisse les ouvrir que de l'intérieur. Pour éviter qu'un Juif tente de s'évader. Quand il a traversé le wagon réservé aux Allemands, les voyageurs ont mis un mouchoir devant leur bouche, ils avaient peur d'attraper une maladie. Si seulement ça avait pu être vrai ! Si seulement les trois salopards de SS qui étaient là avaient pu se choper une maladie mortelle !

Lukas serre les poings. Les deux, même celui du bras plâtré. Ce qui lui arrache une grimace de douleur. Il me lance un regard noir. (Oui, un regard noir avec des yeux bleus, ça existe, et c'est assez terrible !)

Je résiste à ce regard noir. Je ne baisse pas les yeux. Même s'ils me piquent. Je ne sais pas ce que j'ai, une poussière a dû aller se nicher sous mes paupières.

– Le tramway a démarré. Sofia m'avait prévenu. Après le départ du tramway, au croisement de la quatrième rue, mes parents seraient là. Je devais les regarder le plus discrètement possible, sans bouger, sans manifester quoi que ce soit. Juste un coup d'œil, le temps que le tramway passe son chemin. Les battements de mon cœur ont compté les rues. Boum! la première. Boum! la deuxième. Boum! la troisième. La quatrième rue était plus loin. Pas beaucoup, quelques mètres, mais ça m'a paru des kilomètres et des kilomètres. Et puis je les ai vus. Mes parents. Debout au coin de la rue, mon petit frère entre eux. Ils ont pas bougé en me voyant, rien. Le regard de ma mère m'a accroché le temps que le tramway passe devant elle, mais c'est tout. J'ai juste aperçu ses lèvres qui tremblaient, parce qu'elle se retenait de pleurer, ou bien parce qu'elle luttait contre le sourire qu'elle voulait m'adresser. J'ai vu que, elle qui était si belle, elle était devenue maigre, toute ratatinée. Elle qui était si élégante avant, elle était vêtue de loques sales et trouées. Mon père, lui, il m'a pas regardé : au moment où le tramway passait devant eux, il s'est penché vers mon petit frère. J'ai compris, après, que c'était pour que Czes-law ne me voie pas, pour que je le voie, moi, et c'est tout. Il était trop petit, il aurait pu crier ou m'appeler. Trop dangereux... J'ai pas bougé. J'ai pas bondi sur la vitre du tramway comme j'en avais envie, j'ai pas cogné dessus, j'ai pas hurlé.

Sofia me tenait la main. Elle la serrait, fort, très fort, elle me faisait mal mais je m'en rendais pas compte. C'est seulement le soir en rentrant que j'ai vu une marque rouge sur mon poignet. Quand le tramway a continué sa route, je me suis pas retourné. J'ai pas couru vers l'arrière du wagon. J'ai tenu bon. J'ai tenu bon aussi quand j'ai vu le reste du ghetto. Tous ces gens qui étaient si maigres parce qu'ils crevaient de faim, sales, vêtus de haillons, rongés par les maladies, à cause du manque d'hygiène et de nourriture. Ils étaient en train de mourir à petit feu, tués par les salopards de Boches qui les avaient enfermés dans ce quartier pourri!... Et dans le tramway, rien, aucune réaction des voyageurs. Pour eux, ce qui se passait à l'extérieur, c'était normal.

Nouvelle interruption. J'ai de plus en plus mal aux yeux. Il faudrait que je puisse retirer cette fichue poussière, mais je sens que si je me frotte les yeux, ça va être pire. Ça me fera pleurer et Lukas pourrait se faire des idées.

— Sofia s'est arrangée pour qu'on ait un rendez-vous une fois par mois. À chaque fois, mes parents étaient de plus en plus maigres. Mon père, qui était si costaud avant, il était réduit de moitié, il tenait à peine sur ses jambes. Pareil pour ma mère. Quant à Czeslaw, plus la peine de l'empêcher de crier. C'était plus qu'un petit paquet qui devait pas peser bien lourd dans les bras de ma mère. Y avait des gens vautrés dans le caniveau, avec les rats qui leur grimpaient dessus. Ils étaient si faibles qu'ils pouvaient plus bouger. Ou alors ils étaient morts et pas encore ramassés.

Des hommes sillonnaient les rues pour entasser les cadavres dans une charrette, mais le plus souvent, y avait pas assez de place... On a eu comme ça cinq rendez-vous avec ma famille. Au dernier, debout près du croisement de la quatrième rue, je n'ai vu que mon père et ma mère. Plus de Czeslaw. Tu comprends ce que ça veut dire ?

– ...

– Ça veut dire qu'il était mort. Mort de faim, ou de froid, ou à cause de la fièvre. Ce jour-là je me suis levé, j'ai pas respecté les consignes de Sofia. J'allais pas laisser mes parents seuls, sans enfants. J'étais là, moi ! J'étais vivant et ma place était auprès d'eux. Sofia m'a fait un croche-pied, elle m'a fait tomber pour m'empêcher de m'élancer vers la porte. Le temps que je me relève, le tramway avait poursuivi son chemin et c'était terminé. Le soir, Sofia m'a puni. Fini les rendez-vous. Trop dangereux, elle avait plus confiance en moi. Trois mois sont passés. J'ai supplié Sofia, je lui ai juré que, quoi qu'il se passe, je bougerai pas. Elle a dit non, non, puis elle a dit oui et elle a arrangé un autre rendez-vous. On est partis. Au croisement de la quatrième rue, y avait plus que ma mère. Mon père, le soldat, l'ex-lieutenant de cavalerie, le costaud, le dur des durs, il était mort, il avait pas pu résister. J'ai tenu ma promesse, j'ai pas bougé. J'ai pas pleuré... Y a plus jamais eu d'autre rendez-vous. Plus besoin. Une semaine après, tous les Juifs du ghetto sont partis pour Treblinka.

Lukas s'interrompt pour me regarder. Alors que je m'attends au plus noir de ses regards, non, il pose juste ses yeux sur moi sans que j'aie l'impression d'être mitraillé.

– Tu sais ce que c'est, Treblinka ?

Évidemment que je sais. Treblinka, c'est comme Ravensbrück ou Auschwitz. C'est un camp de prisonniers.

– C'est un camp de concentration, précise Lukas, comme en écho à mes pensées. Et c'est quasi impossible d'en revenir. Quand j'ai appris ça, je me suis enfui de chez Sofia. J'ai couru au hasard sur une route et je suis tombé sur ces putes de *Schwester* qui m'ont embarqué.

Long, très long silence. Je crois bien que Lukas en a fini cette fois. Il ne pleure pas. Rien, ses yeux sont secs, alors que les miens sont tout mouillés de larmes à cause de cette poussière qui me démange atrocement. Il doit sûrement trouver ça drôle, ce crétin, parce qu'il sourit. Ensuite il se couche, se tourne sur le côté comme tout à l'heure, prêt à se rendormir.

– T'as intérêt à te décider, cette fois, Tête de Mort ! me lance-t-il. Après tout ce que je t'ai dit, normalement, t'as plus à hésiter. Tu peux appeler au secours !

Je me suis endormi moi aussi. Pouf ! je suis tombé sur mon oreiller comme si on m'avait assommé.

Seulement j'ai fait un mauvais rêve. J'ai vu l'*Aufseherin* débouler tout à coup dans la pièce.

« *Raus ! Jude ! Raus*[1] ! » elle criait, folle de rage.

Elle donnait des coups de matraque, frappait de toutes ses forces jusqu'à ce que le drap qui couvrait le corps sur lequel elle s'acharnait devienne

---

1. Dehors, le Juif ! Dehors !

rouge, trempé de sang. «Tu veux rejoindre ta putain de mère juive à Treblinka? Tu vas y aller, crois-moi! Si je te tue pas avant!»

Seulement...

Elle se trompait, elle frappait sur le drap qui me couvrait, moi! Elle me réduisait en bouillie. J'avais beau crier: «C'est pas moi! Je ne suis pas juif! C'est lui! Moi je suis BPFP!» Elle continuait en hurlant de plus belle: «Je m'en fous! Comment veux-tu que je m'y retrouve, maintenant qu'il y a des Juifs aux cheveux blonds et aux yeux bleus? Des Juifs au zizi entier! Le Führer a très bien pu se tromper en te baptisant!»

Je me suis réveillé en sursaut. Je crois bien que j'ai crié. Que j'ai pleuré. Mais heureusement, mon cri devait être étouffé par le drap car il n'a pas alerté l'*Aufseherin* – la vraie, pas celle de mon cauchemar – et n'a pas réveillé Lukas non plus. L'avantage, c'est que j'ai beaucoup pleuré en dormant et que mes larmes ont eu raison de la poussière qui me piquait les yeux tout à l'heure.

Je reprends mes esprits peu à peu. J'ai besoin de réfléchir. Je quitte mon lit. Porteur de la menace d'un nouveau cauchemar. Je préfère arpenter la pièce. Quand j'arriverai à la porte, je prendrai ma décision. L'ouvrir pour appeler l'*Aufseherin*.

Ou pas.

Je commence par récapituler tout ce que Lukas m'a dit. Dans l'ordre.

Il est juif. Pas de doute, il l'est.

Un coup d'œil vers la poignée. Je dois avoir la vue encore brouillée par les larmes, parce que j'ai l'impression qu'elle bouge, qu'une main invisible est en train de l'abaisser.

Ensuite, Lukas m'a parlé de sa mère. «Une Polack pas comme les autres», il a dit. Elle travaillait, elle était indépendante, elle fumait, elle se maquillait... Une pute, quoi! Elle parlait allemand, elle allait régulièrement en Allemagne. Qui sait si, pendant ses voyages, elle n'a pas couché avec un Allemand, se gardant bien de le dire à son mari lorsqu'elle s'est retrouvée enceinte?... Ce qui voudrait dire que Lukas est à moitié allemand! Ce qui voudrait dire que le sang allemand dont il a hérité par son père – l'amant de sa mère, pas le cavalier polonais – aurait réussi à l'emporter sur le sang juif!

Je me suis rapproché de la porte, et j'ai recouvré ma vision, la poignée ne bouge plus.

Je poursuis mon raisonnement. Lukas m'a ensuite parlé de ce qui est arrivé à sa famille quand nos troupes sont entrées en Pologne. C'est le moment de mettre à profit mes connaissances en histoire. Nous avons envahi la Pologne en septembre 1939. Lukas a dit qu'il avait dix ans à ce moment-là. Nous sommes en 1942. Un peu de calcul mental. Élémentaire. De 39 à 42, ça fait 3. 10 + 3 = 13. Lukas a treize ans. (Ebner s'est bel et bien trompé en lui attribuant comme date de naissance le 18 mars 1932.) Mais il a beau avoir treize ans, soit plus du double de mon âge, il ne m'impressionne pas! Un Juif – ou demi-Juif, ou trois quarts Juif – de treize ans reste inférieur à un pur Aryen de six ans et demi.

Après, il y a eu toute cette histoire de ghetto, de petit frère mort, de père mort, de mère déportée à

Treblinka. La mort du petit frère me rappelle celle de Wolfgang. C'était dur. J'ai eu très mal au ventre, j'ai fait des cauchemars pendant plusieurs jours... Peut-être que la famille de Lukas ne méritait pas ça ? Peut-être qu'il aurait fallu faire une exception pour eux ? Peut-être qu'il y a de bons Juifs ? Comment savoir ?... À ce stade de mon raisonnement, j'avoue que je suis perdu, alors que j'ai fait plusieurs pas supplémentaires vers la porte.

Je crois que le vrai problème, que ce soit pour Lukas ou les autres enfants, polonais ou pas, juifs ou pas, c'est ce fichu lien qui les attache à leurs parents. Ils s'en sortiraient beaucoup mieux si, comme moi, ils n'avaient pas de famille.

Bon. La porte. Cette fois, j'y suis. Je l'ouvre ou pas ?

Non.
Mon raisonnement ne m'a pas aidé à me décider, mais – j'aurais dû y penser plus tôt – je ne dénoncerai pas Lukas, rien que pour l'enquiquiner. Par esprit de contradiction. Il en a tellement envie que je ne lui ferai pas ce plaisir.

Je cours le réveiller et lui déclare :

– Je te dénonce pas, mais à une condition !

– Laquelle ?

– Arrête de m'appeler «Tête de Mort» !

Étonné par ma remarque, il hausse un sourcil.

– D'accord, mais je veux savoir qui t'es. Raconte, toi aussi ! Donnant, donnant... T'es le fils de cet enculé d'Ebner ?

Je secoue la tête négativement.

– D'un des officiers SS qui circulent ici ? De la salope de dirlo ?

Même signe de tête négatif.

– De qui, alors ?

– De... personne.

J'attends un moment, puis j'ajoute :

– Tu sais ce que ça veut dire, *Lebensborn* ?

– Oui, ça veut dire... « Source... de... de vie ».

– Non, ça, c'est la traduction mot à mot. Le vrai sens, le sens codé, tu le connais ?

Je pose la question pour la forme. Il n'a aucune idée de ce que je lui demande. Jamais il ne pourra deviner. À mon tour de savourer un bel effet de surprise avant de révéler mon secret.

– Alors, t'accouches ?

Bon. D'accord. J'y vais. Je lui livre mon histoire depuis le début.

Les sélections qu'a passées la *Frau* qui devait me porter dans son ventre, avant de s'accoupler à un officier SS, ma naissance au foyer de Steinhöring, le remplacement de la *Frau* par une nourrice, les sélections que j'ai passées moi aussi, comment le *Herr Doktor* Ebner m'a pesé, mesuré, examiné. Les sélections des autres bébés qui, pour certains, sont devenus des « lapins » et ont terminé découpés en morceaux dans des bocaux, sur les étagères des « instituts scientifiques ». Les adoptions des meilleurs éléments du *Heim* par les familles allemandes, et puis tous les autres foyers qui se sont créés en Europe et dans l'ensemble des pays occupés. Je lui décris la programmation et la fabrication à la chaîne de la future jeunesse allemande dont je suis l'échantillon type, le prototype. Parfait. Irréprochable.

Je suis tout content quand j'ai terminé et je guette avec impatience la réaction de Lukas.

Mais, devinez quoi ?

Il ne dit rien, rien du tout pendant un très long moment. Aucun commentaire. Il fixe un point sur le sol. Il semble ahuri, abasourdi, ce qui lui donne un air complètement débile. Puis enfin, il lève les yeux sur moi et je me rends compte que... il pleure. Vraiment. À chaudes larmes. Il en a les joues trempées.

Comprends pas. Il n'a pas pleuré quand il m'a raconté son histoire, et il le fait maintenant, après avoir entendu la mienne, qui est tout simplement FORMIDABLE, EXTRAORDINAIRE !!! Ce sont peut-être des larmes de jalousie ?

Enfin, au bout d'un temps qui me paraît interminable, il se décide à bafouiller quelques mots.

— Alors... Alors... ils font ça aussi !... Ils tuent les enfants juifs et ils les remplacent par des... des... (il renonce à trouver le mot qu'il cherche)... comme toi.

J'approuve d'un hochement de tête sans équivoque. Il a tout compris.

Il se laisse retomber sur son lit, comme s'il venait de recevoir un coup de massue. Il ne va pas se rendormir quand même ?

— Écoute, me dit-il en se redressant brusquement et en me saisissant par les épaules. Je vais aller avec toi dans cette *Napola* de merde ! À partir de maintenant, on se quitte plus. On devient frères. Mais à une condition !

— Laquelle ?

Je demande pour la forme. Il peut exiger tout ce qu'il veut. C'est oui ! OUI !

— Quand la guerre sera finie, si on arrive à s'en sortir, il faudra qu'on témoigne, tous les deux.

Moi, pour ce que les nazis ont fait aux Juifs et aux Polonais; toi, pour ce qu'ils t'ont fait.

– D'accord! je lui réponds, même si je ne comprends pas du tout cette histoire de témoignage.

Témoigner devant qui? Pourquoi? Quand la guerre sera finie, le Reich commencera son règne de mille ans. Le *Lebensborn* ne sera plus un secret pour personne... Bon, tant pis, inutile de le contrarier. On ne sait jamais quelle réaction il pourrait avoir.

– D'accord! je répète, pour entériner définitivement notre engagement réciproque.

Et on se serre la main tous les deux. Une poignée de main forte et énergique. Celle des deux *Jungmannen* que nous allons devenir dans un avenir proche.

TROISIÈME PARTIE

22

Une précision avant de poursuivre. N'allez pas vous apitoyer. Les larmes de Lukas, l'émotion qu'il a manifestée après avoir entendu mon histoire, c'était du pipeau. En tout cas, depuis, jamais plus je ne l'ai vu pleurer. Au contraire, c'est lui qui en a fait pleurer plus d'un, comme vous le découvrirez avec la suite de mon récit.

Il n'a pas tenu sa promesse. Il continue à m'appeler «Tête de Mort», alors que je lui ai demandé d'arrêter. Je déteste ce surnom. J'ai une gueule d'ange, pas de mort. L'autre matin – c'était quelques jours avant de quitter Kalisch – je suis allé le trouver pour lui régler son compte. Mais, alors que je lui fonçais dessus, toutes griffes dehors, prêt à lui démolir le portrait une nouvelle fois, il a rigolé et s'est contenté de me retourner quelques petites claques en guise de riposte, comme s'il ne voulait pas s'abaisser à se mesurer avec moi. Humiliant. J'aurais très bien pu le pousser à bout, l'obliger à se battre, quitte à en découdre – il a récupéré toutes ses forces, il aurait certainement eu le dessus sur moi – mais je n'ai pas insisté. Pas par peur, je n'ai peur de rien, moi ! Mais pour ne pas arriver à Potsdam avec une gueule cassée. Ça aurait fait mauvais effet.

Histoire de me venger tout de même de son affront, je l'ai traité de sale Juif. J'ai fait mouche. Il n'a pas apprécié. Son regard s'est allumé d'une lueur guerrière et il m'a traité en retour de fils de pute. Ça ne m'a pas du tout vexé. Puisque c'est vrai.

La *Napola* de Potsdam.

Magnifique. Époustouflante. Grandiose. Les adjectifs me manquent. En comparaison, Kalisch n'était qu'une poubelle.

L'école se situe en dehors de la ville, afin que les élèves n'aient pas de contacts avec la population extérieure, nos activités devant rester confidentielles. Les bâtiments sont entourés d'un immense parc, fermé par un mur d'enceinte. À l'intérieur, pelouses, jardins aménagés, plantations. Avant sa création, en 1933, Potsdam était un hôpital psychiatrique qui pouvait accueillir deux mille malades. *Raus*, les malades ! À leur place, des jeunes sains de corps et d'esprit, répartis dans une cinquantaine de bâtiments. Outre les édifices d'habitation, les locaux dédiés au sport (piscine olympique, manège, gymnase, pistes de course, d'athlétisme, installations pour jeux d'équipe), il y a un atelier de menuiserie, d'horticulture, des serres, un stand de tir et même une ferme ! Qui permet à la *Napola* de vivre en autarcie. L'ancienne grange a été réaménagée en garage pour les voitures et les motos, la chapelle a été transformée en salle des fêtes. Bien vu ! Herr Rosenberg, l'architecte du Reich, dénonce le christianisme en tant que religion orientale. Du coup, plus de Kapelle, ce que, pour ma part, je trouve très bien, car j'ai gardé de fort mauvais souvenirs de celle de Kalisch, à cause de ces salopes d'*Aufseherinnen*. Et ce n'est pas Lukas qui me contredira sur ce point. D'une, les *Aufseherinnen* lui en ont fait voir de toutes les couleurs ; de deux, il n'aura pas besoin de faire semblant de prier en latin.

C'est tellement énorme que je ne sais plus où poser mon regard. J'ai hâte de découvrir l'intérieur. Pour l'instant, les nouveaux sont rassemblés dans une des cours, devant la bâtisse centrale, réservée aux dortoirs, salles d'étude et de classe. Elle est flanquée de deux tours, ce qui lui donne l'air d'un château prussien, mieux, d'une forteresse. Un sentiment de puissance, d'invulnérabilité s'en dégage. Je sens que nous allons passer de magnifiques moments ici ! Nous allons en sortir grands, forts, invincibles ! De vrais seigneurs !

Lukas n'a pas soufflé mot depuis notre arrivée. Il est impressionné lui aussi. Nous nous tenons debout l'un à côté de l'autre, au garde-à-vous.

Ebner nous a inscrits en tant que frères et Volksdeutscher, « pupilles de la nation allemande ». Il a ainsi satisfait la demande que je lui avais faite à Kalisch quand Lukas n'était pas encore germanisé. Il a rétabli la vraie date de naissance de « mon grand frère » et choisi Potsdam pour que nous ne soyons pas séparés, car elle est la seule *Napola* à mêler les niveaux primaire et secondaire. Pour valider notre inscription, il a fourni à l'*Obersturmbannführer* Schmidt, le directeur, deux certificats verts d'aptitude raciale, qui nous dispensent de la sélection que les nouveaux doivent subir en arrivant. Pour nous, pas de période d'essai. Il s'est montré vraiment indulgent, Herr Ebner : il s'est bien gardé de préciser que Lukas est un Polonais germanisé, sinon il n'aurait pas été admis à Potsdam, mais orienté vers la *Napola* de Rouffach, en Alsace.

Quand même, quand je pense à ce que vous savez. Un Juif avec un certificat d'aptitude raciale ! Dans une des plus prestigieuses *Napola*s du Reich ! Autant dire que désormais Lukas est une sorte de funambule. Il marche sur un fil au-dessus du vide et, au moindre faux pas... ce sera la mort. J'aime mieux ne pas y penser pour l'instant.

J'espère en tout cas qu'il se rend compte de sa chance. Pendant que le directeur prononce un discours de bienvenue et nous expose le fonctionnement ainsi que les règles de l'école, je lui balance un coup de coude et lui dis à voix basse :

– T'as vu un peu ce qu'on est capable de construire en Allemagne ? Y avait des écoles aussi belles dans ton pays ?

– Dans mon pays, on ne tuait pas les malades pour faire place nette.

Il me lance cette réplique d'un ton neutre et froid, sans quitter des yeux le *Heimführer*[1]. Il veut parler de la «réinstallation» des anciens pensionnaires. Comment il est au courant, lui ?

Constatant ma surprise, avec un petit sourire en coin, il se penche pour murmurer à mon oreille :

– Tu sais ce qu'ils sont devenus, les malades qui se trouvaient ici, avant ?

---

1. Directeur.

– Oui, ils ont été «réinstallés»!

Et je m'empresse de préciser la signification du mot codé. «Réinstallés» = tués.

Lukas se tourne vers moi et me lance un de ses regards guerriers. Son sourire s'efface, il se mord les lèvres tandis que ses sourcils se froncent, creusant une ride sur son front. Il a envie de m'en retourner une. Mais il s'en abstient et, une fois redevenu maître de lui, il ajoute:

– Dis-moi, Tête de Mort, est-ce que tu sais exactement comment on les a tués?

Non. Exactement, je sais pas. Et m'appelle plus Tête de Mort!

– On les a entassés dans des camions. Et puis on a fermé ces camions. On a branché au pot d'échappement un gros tuyau pour diffuser un gaz mortel à l'intérieur. Et les pauvres bougres ont étouffé. Ils se sont asphyxiés. Et ça a pris du temps, beaucoup de temps. Ils ont tenté de se débattre, ils ont cogné contre les portes. En vain. De l'extérieur, les camions ressemblaient à de grosses marmites qui tanguaient, vibraient, comme si elles étaient remplies d'eau en ébullition. C'était une mort lente, atroce, conclut-il en insistant sur chacun de ses mots qui se glissent un à un dans mon oreille, comme les gouttes d'un poison.

Il a fait exprès de parler très lentement, en articulant à outrance pour me laisser le temps de bien imaginer la scène. Ensuite, comme si de rien n'était, il se remet au garde-à-vous, parfaitement droit, le menton relevé et l'allure fière, alors que moi, j'ai les épaules affaissées et les jambes qui flageolent.

Salaud. C'est bien lui, ça! Me gâcher un moment pareil! Je ne riposte pas, malgré l'envie que j'ai de lui rabaisser son caquet. De toute façon, nous sommes séparés peu après. Lukas part avec les élèves de l'*Oberschule*[1], moi, avec ceux de la *Volksschule*[2].

Mon poignard d'honneur.

Ça y est. Je l'ai enfin.

Quelle émotion! Quelle fierté quand l'officier me le remet! Quel plaisir de le sentir, là, glissé à ma ceinture! Il fait désormais partie non seulement de mon uniforme, mais de mon corps, aussi indissociable que le sont mes bras et mes jambes. Splendide. Vingt-cinq centimètres de longueur. Pommeau et garde en alliage nickelé. Le manche est décoré de l'insigne nazi: un losange en émail dont les parties supérieure et inférieure sont rouges, les parties latérales blanches, tandis que le centre est orné de la croix gammée, noire. Sur le plat de la lame, une devise est gravée: *Mehr sein als scheinen* («Être plutôt que paraître»).

Mes nouveaux camarades et moi levons le bras droit d'un même mouvement, vif, énergique, enthousiaste, et nous prêtons serment:

«*L'avenir de l'Allemagne et de notre Führer bien-aimé devient à présent le but de tous nos efforts. Nous lui appartenons aujourd'hui, demain, éternellement!*»

Nous avons des voix haut perchées, aiguës – normal, étant donné notre jeune âge, certains

---

1. Niveau secondaire.
2. Niveau primaire.

de mes camarades n'ont que cinq ans – mais nous crions si fort que les murs semblent trembler autour de nous. J'en ai la chair de poule.

Cependant, lorsque le silence retombe, une appréhension me saisit. Ce silence ne va-t-il pas être brutalement rompu par un cri ? un coup de feu ? un mouvement de panique prouvant qu'un incident est survenu dans le groupe de l'*Ober-schule* ? J'imagine Lukas refusant de prêter serment. Ou déformant le serment. Criant haut et fort quelque chose comme : «*La destruction de votre putain d'Allemagne et de son Führer de merde devient à présent le but de tous mes efforts. Je lui foutrai sur la gueule aujourd'hui, demain, éternellement!*» Je l'imagine crachant à la figure de l'officier qui lui remet son poignard... En un mot, je l'imagine déjà glisser de son fil et tomber dans le vide.

Je tends l'oreille. Je guette. Jette des regards furtifs aux alentours.

Rien. Tout semble normal. Lukas ne s'est pas fait remarquer.

L'emploi du temps de la *Napola* est pratiquement le même qu'à Kalisch, si bien qu'il n'y a rien de nouveau pour moi sous le soleil.

6 heures : réveil et sport en petite tenue, quel que soit le temps.

6 h 45 : douche. Tous les jours. (Alors qu'à Kalisch la douche était hebdomadaire. Au moins ici, les dortoirs ne puent pas. Enfin, pas trop.)

7 heures : tout le monde en uniforme. Appel et *Flaggenparade* (la «levée des couleurs»).

8 heures : travail des punis.

8 h 30 : début des cours.

12 h 30 : pause-déjeuner. Nous prenons notre repas « en lecture », c'est-à-dire que les chefs de section lisent à haute voix des extraits de textes écrits par les personnalités du Reich.

13 heures : cours d'éducation politique. Le professeur nous commente les mêmes textes et nous en apprenons par cœur certains extraits.

14 heures : activités physiques pour les *Jungvolk*, paramilitaires pour les *Jungmannen*. (Nous avons près de quatorze heures de sport par semaine, c'est absolument génial !)

16 heures : entretien de l'école et de nos effets personnels. Un groupe doit nettoyer le dortoir, un autre les douches, un troisième encore doit donner un coup de balai dans les salles d'étude. Bien sûr, du personnel est prévu à cet effet, mais ces corvées nous apprennent à respecter les locaux, à y maintenir une hygiène parfaite. La participation aux tâches ménagères et agricoles ainsi que les travaux manuels font également partie de notre formation.

17 heures : devoirs surveillés.

18 h 30 : baissée des couleurs et appel.

19 heures : dîner.

De 19 h 30 à 20 h 30 pour les plus jeunes, 21 h 30 pour les plus grands, temps libre. Soirée de groupe. Un instructeur nous lit – encore ! – des textes. Ou bien nous procédons à une séance de critiques collectives, d'autocritique. Deux fois par semaine, un autre instructeur nous commente la situation militaire.

Avant le coucher, inspection du dortoir et de nos équipements. Enfin, une fois qu'on est couché, inspection des lits par les chefs de section. On doit être allongé sur le dos, les mains en évidence à l'extérieur des draps.

Une précision s'impose à ce sujet. Pourquoi les mains à l'extérieur ?... Au début je ne le savais pas, mais je me suis renseigné. Pour qu'on ne se masturbe pas. « Se masturber ». Comme j'ignorais la signification du mot, j'ai demandé. Ça veut dire « se caresser le zizi ». Il paraît que c'est agréable. J'essaierai peut-être un jour, mais pas tout de suite. Parce que c'est très sévèrement puni. Les éducateurs disent que si jamais on se caresse le zizi, on aura plus tard des troubles psychiques graves, on deviendra homosexuel, on nous collera un triangle rose sur la poitrine et on sera interné dans un camp de concentration. Si on se caresse le zizi, on risque aussi d'avoir plus tard un « comportement sexuel déviant », c'est-à-dire qu'on ne pourra pas s'accoupler à une Frau pour avoir des enfants et fonder un foyer comme tout bon Allemand qui se respecte. Pour ces raisons, donc, interdit de mettre les mains sous les couvertures, même quand il fait froid, sinon on passe une partie de la nuit debout. (Or il fait très froid dans les dortoirs : le chauffage central n'est branché que dans quelques pièces, et encore, de moins en moins, vu la pénurie de charbon.) De même, il est interdit d'avoir les mains dans les poches. Si jamais, lors de l'inspection du matin, on s'aperçoit qu'un élève a des trous dans les poches de son pantalon, il est puni. (Les trous prouvent qu'on a réussi à atteindre son zizi depuis sa poche.)

J'ai quand même bien envie d'essayer, quitte à être puni. Mais pour ça, il faudrait que je lutte contre la fatigue, que j'évite chaque nuit de sombrer dans un sommeil si profond que, parfois, il ressemble à la mort. D'autant que la journée ne se termine pas forcément à l'extinction des feux. Deux fois par semaine, à 22 heures, il y a «exercices nocturnes».

Je suis surpris de constater que... Polonais ou Allemand, Aryen ou pas, la différence n'est somme toute pas bien grande. Mes camarades, dans l'ensemble, ressemblent beaucoup à ceux que j'avais à Kalisch. Ils ont les mêmes défauts. Surtout les petits de cinq ans. Ils ont du mal à se lever à 6 heures tapantes pour courir pendant trois quarts d'heure quand il pleut à torrent ou qu'il neige. Du mal à s'habiller en quatrième vitesse pour répondre à l'appel de la *Flaggenparade*. Du mal à ne pas s'endormir en cours. Du mal, lors des activités physiques de l'après-midi, à se jeter du deuxième étage dans un filet ou à s'élancer d'un plongeoir sans savoir nager. Du mal à nettoyer les toilettes que les grands ont fait exprès de dégueulasser juste avant. À supporter les châtiments corporels, les mises en quarantaine, les marches nocturnes, le cachot... Résultat, il y a quelques tentatives d'évasion. Toutes ratées bien entendu. La nuit, dans les dortoirs, ça renifle et ça chiale pas mal.

Mais, comme dit notre chef de section – un *Jungmann* de douze ans, parce que ici le principe de base, c'est que «la jeunesse éduque la jeunesse et la jeunesse est éduquée par les adultes» – une fois que tous ces petits morveux auront oublié papa et maman, ça ira mieux.

Décidément. On en revient toujours au même problème. Les parents. C'est vraiment la plaie! Du moins pour les petits. Car, au fur et à mesure qu'on grandit au sein de la *Napola*, on finit par se détacher de ses parents. La plupart des *Jungmannen* ne rentrent plus chez eux pour les vacances, ou bien, s'ils retournent temporairement dans leur foyer, lorsqu'ils reviennent, beaucoup d'entre eux dénoncent leurs parents à l'*Obersturmbannführer* Schmidt, pour défaitisme ou pessimisme.

J'ai de nombreux avantages sur les élèves de ma classe. D'abord, je n'ai pas de parents. Je n'ai jamais été cajolé, chouchouté, poupoulé par une mutti, si bien que ça ne me manque pas. Ensuite, les années passées à Kalisch. L'emploi du temps était calqué sur le même modèle, et les châtiments corporels, j'y ai goûté, j'ai encore sur le dos les marques des coups de fouet que j'ai pris quand j'ai voulu protéger Lukas. Enfin, mon *Draufgängertum*, la qualité que tous les instructeurs cherchent à déceler chez les nouvelles recrues, je l'exerce depuis fort longtemps. Alors, traverser un abîme sur une échelle? Moi, je dis oui! J'y vais! L'affrontement au corps à corps avec mes camarades, j'en sors toujours vainqueur.

Si bien que très rapidement, je suis considéré comme une sorte de surdoué et les instructeurs décident de me changer de groupe. Je quitte le niveau deux[1] de la *Volksschule* pour passer au niveau quatre[2]. Je côtoie dorénavant des enfants

---

1. Équivalent du CE1.
2. Équivalent du CM1.

âgés de neuf à dix ans. Je suis très fier de cette promotion.

Mais je ne suis pas le seul à en bénéficier. J'apprends un jour, à mon plus grand étonnement, que Lukas a fait de même. Il est passé du niveau huit[1] au niveau neuf[2]. Lui! Lui! Le Polonais, le... (Parfois je n'ose pas prononcer le mot, même en pensée, des fois que quelqu'un m'entendrait.) Malgré son... comment dire?... handicap, il est également considéré comme un surdoué! Il s'en sort. Il s'en sort parfaitement bien.

Comment? J'aimerais bien le savoir, mais pour ça, il faudrait qu'on puisse se voir, qu'on ait l'occasion de parler tous les deux. Or ça ne se produit jamais. Si les autres frères aînés rendent visite à leurs cadets dans l'après-midi, souvent pendant l'heure réservée à l'entretien des affaires personnelles, ou bien au moment du temps libre avant le coucher, lui, non. Rien. *Nichts*. Il ne vient jamais me voir. Il ne me fait jamais passer le moindre mot. L'ingrat! Je l'aperçois de temps en temps, à l'autre bout du réfectoire, ou bien dehors, lorsqu'il part en manœuvres avec son groupe. Il a changé. Beaucoup. Il a grandi. Les activités physiques l'ont musclé. Ses cheveux blonds coupés court, en brosse, ont pris une teinte mordorée. Sa peau est éclatante de santé et ses yeux, désormais débarrassés des cernes et de ce regard farouche qui creusaient des ridules au coin de ses paupières, sont d'un bleu hypnotique. Il a encore plus fière allure. Il est beau en uniforme. Il est beau quand

---

1. Équivalent de la quatrième.
2. Équivalent de la troisième.

il salue, le bras droit aussi raide qu'une matraque.
Il est beau quand il claque des talons. Il est beau
quand il crie d'une voix puissante «*Heil Hitler!*»
Et il le sait. Et il en joue... À croire qu'il veut faire
de sa promotion une génération de pédés!

Il s'est fait des amis, deux notamment, avec
lesquels il traîne tout le temps. Ce sont les
fils d'officiers occupant des postes très importants dans le gouvernement. Des durs de durs.
Lukas, Gunter et Herman sont toujours fourrés
ensemble, à tel point qu'on les a surnommés *Die
drei Musketiere*, «les trois mousquetaires». Ils se
pavanent, rigolent, se moquent des autres. Pire,
parfois. L'autre jour, ils s'en sont pris à un type
en salle d'étude, ils ont déchiré ses cahiers et lui
ont donné une raclée en le traitant d'intellectuel.
Ce genre d'équipée est très redouté au sein de
la *Napola*. On les craint beaucoup plus que les
punitions données par les éducateurs. Parce que,
justement, les éducateurs les voient d'un bon œil.
Ils disent qu'elles contribuent à l'«autosélection»,
l'«autoépuration». Les plus faibles sont ainsi éli-
minés au profit des plus forts.

Je suis au courant de l'incident, parce que
Herman a un frère dans ma classe. Et il s'en
occupe, lui! Il vient le voir au moins deux fois
par semaine. D'ailleurs, il a osé un jour m'appeler
«Tête de Mort». Devant mes camarades. Inutile
de se demander d'où il tenait ce surnom. Je me
suis battu avec lui et ça m'a valu une journée
de mise en quarantaine. Interdiction de parler.
Obligation de manger à part dans le réfectoire.
Mise en consigne dans le dortoir. Tout ça par la
faute de Lukas.

Comprends pas.

Il a l'air de se trouver dans son élément à la *Napola*. Et pourtant...

23

Comment?
Cette question m'obsède.
Comment il s'en sort, Lukas, quand...

En classe ce matin, nous sommes un peu
anxieux à l'idée de rencontrer notre nouveau
professeur d'allemand, de retour du front après
neuf mois. (Le précédent, avec lequel nous
avons démarré l'année, est parti à son tour.) Il
entre solennellement dans la classe et salue.
Si les combats l'ont épuisé, rien, dans sa tenue
impeccable, ne l'indique, excepté, peut-être,
un amaigrissement, dénoncé par un uniforme
qui bâille légèrement à l'encolure et à la taille.
Soulagé de retrouver le cocon de la *Napola*, il
n'a pas envie, pour cette reprise, de nous faire
un cours de grammaire ou de se pencher sur
l'étude d'un texte. Aussi nous annonce-t-il que,
satisfait du relevé de notes que son prédécesseur
lui a laissé, il entend nous récompenser de nos
efforts en commençant la journée par un moment
de détente. Nous pouvons fermer nos livres et
cahiers. Nous n'allons pas travailler. Nous allons
chanter. Il distribue des feuilles où sont inscrites
les paroles de la chanson qu'il a choisie. Quant

au couplet, il le note lui-même au tableau de sa belle écriture gothique.

Les Juifs traversent la mer large et sèche,
Les vagues les submergent,
Le monde s'apaise et élève une prière.

Comment il s'en sort, Lukas, quand...

Exercice de maniement du couteau. La cible sur laquelle nous nous exerçons n'est pas un disque où sont tracés une succession de cercles concentriques. L'instructeur en a fait fabriquer une spécialement pour notre groupe, afin de nous motiver tout en nous amusant. C'est une silhouette d'homme, grandeur nature. Elle représente un Juif. Un vieux Juif au nez plongeant sur la bouche, vêtu de hardes noires et crasseuses, aux doigts crochus en forme de pinces. Il a un abdomen difforme et, à la place du cœur, une grosse pièce d'or. C'est bien évidemment cette pièce que nous devons viser si nous voulons réussir notre tir.

L'instructeur place la cible à 10 mètres et l'exercice commence. Nous envoyons nos couteaux à tour de rôle. Une fois que tous les élèves sont passés, nous nous regroupons pour juger de notre travail. Le Juif a un couteau dans chaque œil, dans une oreille, sa lèvre supérieure est fendue et son chapeau est en pièces. Pas mal. Néanmoins plusieurs couteaux, lancés par des mains moins habiles, n'ont touché que son ventre, ses jambes ou ses doigts. En tout cas, aucune lame ne s'est plantée dans la pièce d'or. L'ensemble est donc jugé très insuffisant par l'instructeur qui nous menace d'une punition collective si le deuxième essai ne s'améliore pas. Afin de nous mobiliser, il exige qu'ensemble, d'une seule et même voix, nous scandions l'un des nombreux slogans de la *Napola* :

C'est uniquement quand le sang juif giclera sur nos poignards que nous serons doublement heureux ! Nous continuerons notre marche, nous ferons tout voler en éclats. Aujourd'hui l'Allemagne nous appartient, demain, nous posséderons le monde entier !

Nous déclamons ces phrases une fois, deux, trois, dix, cent fois. Plus fort ! Toujours plus fort ! Jusqu'à ce que nos voix se brisent, jusqu'à en avoir mal à la gorge. Ensuite, très rapidement, dans la foulée, alors que l'écho de nos cris plane encore dans l'air, on vise, on lance !

Bravo. La majorité des lames se sont nichées en plein dans la pièce d'or. Quand on retire les couteaux de la cible, à l'emplacement du cœur, il y a un énorme trou.

Comment il s'en sort, Lukas, quand...

Nous sommes tous réunis dans le réfectoire. Debout, au garde-à-vous. Le repas est servi, mais nous ne sommes pas encore autorisés à nous asseoir pour manger. Aujourd'hui, les chefs de section sont dispensés de la lecture de textes, le *Heimführer* lui-même va s'en charger. C'est la coutume, une fois par quinzaine.

Le réfectoire est une des plus belles salles de l'école. Immense, elle accueille la totalité des élèves. La décoration y est particulièrement soignée : les murs sont ornés de peintures représentant des combats de héros vikings ainsi que des scènes de la mythologie germanique. Le plafond, très haut – plus de 5 mètres – est orné d'une multitude de svastikas, dispersés comme des étoiles flamboyantes dans le ciel au-dessus de nos têtes. Le *Heimführer* prend place à un petit balcon de bois situé à mi-hauteur, auquel il accède par un escalier, comme, dans une église, un prêtre monte en chaire pour prononcer son sermon. Pas de sermon en l'occurrence, mais la lecture à voix haute, amplifiée par un microphone, d'extraits de *Mein Kampf*, le livre de notre Führer. Celle-ci doit se faire dans un silence total, religieux. Notre regard doit demeurer fixé sur le *Heimführer*, en aucun cas nous ne devons détourner les yeux ou les baisser. Pas de raclement de gorge, pas de toux, encore moins de bâillement, jugés comme un manque de respect qui serait sévèrement puni.

« Les Juifs sont des parasites vivant sur le corps des autres peuples. S'ils ont parfois quitté les régions où ils avaient vécu jusqu'alors, ce ne fut pas volontairement, mais parce qu'ils furent chassés à diverses reprises par les peuples lassés de l'hospitalité qu'on leur avait accordée. »

Le *Heimführer* lève le nez de son livre et parcourt son auditoire du regard. Cela signifie que nous devons applaudir.

« La coutume qu'a le peuple juif de s'étendre toujours plus au loin est un trait caractéristique des

parasites ; il cherche toujours pour sa race un nou-
veau sol nourricier. Le Juif ne songe pas du tout à
quitter la contrée où il se trouve ; il reste à l'endroit
où il s'est établi et s'y cramponne à tel point qu'on
ne peut l'en chasser que très difficilement, même
en employant la violence. Il est et demeure le para-
site type, l'écornifleur qui, tel un bacille nuisible,
s'étend toujours plus au loin. L'effet produit par sa
présence est celui des plantes parasites : là où il se
fixe, le peuple qui l'accueille s'éteint au bout de
plus ou moins longtemps. »

Une salve d'applaudissements jaillit cette fois
sans que le *Heimführer* l'ait déclenchée. Ce sont
les *Jungmannen*, les plus âgés, qui en ont donné
le signal. Parmi les *Jungvolk*, les enfants n'ont
pas tout compris, certains mots leur ont échappé.
Qu'est-ce que ça veut dire « écornifleur »,
« bacille » ? Toutefois, suivant le mouvement, ils
applaudissent eux aussi à tout rompre. Le *Heimführer* accueille cette marque d'enthousiasme par
un sourire, puis réclame le silence d'un geste de
la main avant de poursuivre :

« C'est ainsi que le Juif a, de tout temps, vécu
dans les états d'autres peuples ; il formait son propre
état qui se dissimulait sous le masque de la com-
munauté religieuse tant que les circonstances ne
lui permettaient pas de manifester complètement
sa vraie nature. Mais, s'il lui arrivait de se croire
assez fort pour pouvoir se passer de ce déguisement,
il laissait tomber le voile et était subitement ce que
beaucoup n'avaient voulu auparavant ni voir ni
croire : le Juif. »

Nouvelle salve d'applaudissements. L'acoustique est telle dans la salle que ce crépitement résonne comme un bombardement.

– Bon appétit! conclut le *Heimführer*.

Repos. Nous pouvons nous asseoir et manger.

Au menu, soupe de légumes, pain, fromage nappé de miel artificiel, thé. Je plonge la cuiller dans mon bol de soupe. Elle est froide maintenant, cette soupe. Je ne sais pas exactement quels légumes la composent, puisque tout est écrasé, broyé, délayé dans une grande quantité d'eau, mais je discerne tout de même quelques fayots qui ont échappé au massacre quand le mouvement de ma cuiller les fait remonter à la surface.

Je n'ai pas faim. Je n'ai *plus* faim. Tout à l'heure, avant la lecture du *Heimführer*, j'avais une faim de loup, je me sentais capable de dévorer toutes les rations de la table. Mon ventre gargouillait si fort que j'ai même eu peur que cela s'entende, ce qui aurait fait très mauvais effet.

Maintenant la soupe est froide.

C'est dégueulasse, la soupe froide.

Ensuite... Ensuite, il y a les mots du *Heimführer* qui tournent dans ma tête, comme les fayots dans la soupe.

Parasite. Bacille.

Je suis plus intelligent que mes petits camarades, je sais ce que ça veut dire. Des parasites, ce sont des microbes, des saletés de bestioles microscopiques qui s'insinuent dans votre corps et vous rendent malade. «Bacille», c'est la même chose, ce qu'on appelle un synonyme, et tiens! je suis même capable de trouver un autre synonyme: «bactérie». Quant à l'«écornifleur», c'est celui qui vient vous piquer le contenu de votre assiette, par conséquent, qui vous prive de votre nourriture, vous affame et vous rend malade. La seule chose que j'ignore, c'est la forme d'un bacille-parasite-bactérie. Est-ce que ça ressemble, par exemple, aux fayots qui flottent dans ma soupe ?

J'ai un début de mal de ventre. (Ça faisait longtemps !) Comme si je sentais qu'un bacille-parasite-bactérie commençait déjà à me ronger les intestins.

Les mots du *Heimführer* se répètent en boucle. Les Juifs sont des parasites-bacilles-bactéries. Ils infectent tout, ils vous rendent malades.

Je touille. Je touille ma soupe d'un mouvement mécanique, répétitif. En y réfléchissant, je crois bien que les parasites ont une forme semblable à celle des fayots. Les Juifs sont des parasites. Les fayots ont infecté ma soupe. Il y a des Juifs dans ma soupe ! Une infinité de Juifs miniatures grimaçant et ricanant ! Parmi eux se trouve Lukas... Lukas, le fayot – aux sens propre et figuré, puisqu'il cache qu'il est juif, puisqu'il fait du zèle auprès de ses supérieurs, avec ses deux débiles de camarades... Oui, je le vois, tel un petit être maléfique, plongeant à l'intérieur du liquide quand le dos de ma cuiller l'y oblige, puis refaisant surface immédiatement après.

Impossible de manger une soupe avec des Lukas dedans. Je donne ma ration à mon voisin.

Je lève la tête et cherche Lukas du regard. Le vrai, grandeur nature, pas le fayot qui barbotait dans ma soupe. Est-ce qu'il arrive à manger, lui ? Est-ce qu'il a applaudi tout à l'heure ? Est-ce que, avec Gunter et Herman, il y est allé de son commentaire sur l'«infection juive» après la lecture du *Heimführer*?

Je ne parviens pas à le distinguer dans la masse des têtes blondes penchées sur leurs assiettes. Le réfectoire est trop vaste, il faudrait que je me lève, or c'est interdit.

Comment il s'en sort, Lukas, quand...

En cours d'histoire, le professeur nous démontre toutes les iniquités du traité de Versailles, dénoncées par notre Führer. Il nous explique que les Polonais, avec l'aide des Juifs, ont attaqué l'Allemagne socialiste en septembre 1939. (Je n'avais que trois ans en 1939, j'étais encore à Steinhöring, pourtant je me souviens de l'événement. Au *Heim*, on se réjouissait de l'*attaque allemande*, non? Même chose à Poznan...) Le professeur poursuit en détaillant la victoire fulgurante de nos troupes et nous prouve la nécessité de soumettre le peuple inférieur que sont les Polonais.

Et dans la classe de Lukas, comment ça se passe? Est-ce qu'il prend des notes, Lukas? Est-ce qu'il arrive à tracer les mots dictés par le professeur? Quand il doit rédiger un devoir sur table, flanqué de ses deux brutes épaisses qui, n'ayant rien dans le cerveau, ont l'habitude de copier sur lui, est-ce qu'il développe avec une belle rhétorique la théorie du professeur?

Et en cours d'éducation politique? Quand on nous serine que nous sommes l'élite, que demain nous gouvernerons le pays en occupant les postes les plus prestigieux?

Je ne sais pas comment fait Lukas. Je ne lui ai toujours pas parlé seul à seul. Mais moi, je réfléchis, et mon imagination cavale. Comme avec l'épisode des fayots dans la soupe. Il a l'air de se sentir tellement dans son élément à la *Napola*, Lukas, que, une fois sa formation terminée, au fil des mois, des années, il deviendra peut-être ministre ? Puis, ensuite, le successeur du Führer ? Qu'est-ce qu'il fera, alors ? Est-ce qu'il cachera toujours qu'il est juif ? Est-ce que quelqu'un aura fini par le découvrir malgré tout et me dénoncera, moi, pour ne pas l'avoir dénoncé ? Ou bien, autre cas de figure possible, Lukas, avec ses pleins pouvoirs, se vengera en mettant en camp de concentration toute la population allemande ?

J'ai la tête qui tourne. Je demande la permission exceptionnelle de sortir pendant le cours d'éducation politique. Si le professeur me l'accorde parce que je suis un bon, un très bon élément, en m'avertissant toutefois que cela ne doit pas se reproduire, mes camarades se moquent de moi tandis que je quitte la salle en courant comme si j'allais faire dans mon pantalon.

Comment il s'en sort, Lukas, quand...

Ici, le calendrier tourne autour des fêtes célébrant le national-socialisme. À l'exception de Noël, nous ne tenons pas compte des fêtes chrétiennes.

Nous sommes le 29 janvier. Demain, 30 janvier, est pour nous un jour férié, célébrant la prise du pouvoir par notre Führer en 1933. Comme nous n'avons pas classe demain, le temps de veille avant le coucher est prolongé et, pour animer la soirée, lui donner un caractère particulier, les instructeurs projettent un autodafé de livres. Autrement dit, c'est la fête !

Pendant la journée, mes camarades ne parlent que de ça. Ils ont hâte d'être à ce soir. Pour certains, ce n'est pas une première ; dans la ville dont ils sont originaires, ils ont déjà assisté à un autodafé. D'autres, comme moi, sont novices en la matière. Les activités physiques de l'après-midi sont remplacées par le déchargement des camions apportant les livres qui seront brûlés. Ils viennent d'un peu partout, bibliothèques, particuliers, d'Allemagne ou des pays occupés. Nous formons une chaîne pour acheminer les cartons depuis les camions jusqu'au milieu de la cour. Ça pèse ! Nos muscles travaillent ! Nous sommes torse nu malgré la température négative, mais l'effort nous fait vite oublier le froid glacial. L'atmosphère est détendue, nous avons le droit de parler entre nous, de plaisanter.

– Saletés de bouquins pondus par la vermine juive !

– Bertolt Brecht, Sigmund Freud, Heinrich Mann, Karl Marx, Stefan Zweig ! Que des noms bien allemands, bien de chez nous ! Et pourtant !

– Le Führer a raison, le parasite juif sait se dissimuler sous un voile !

Pour agrémenter cet après-midi festif, une fois le déchargement terminé, on nous distribue du thé et une tranche de pain, alors qu'en temps normal l'effort des activités physiques n'est jamais récompensé par un goûter. Après la pause, nous prenons les cartons à bras-le-corps et nous les vidons, déversant sans ménagement leur contenu au milieu de la cour, comme s'il s'agissait de détritus. *Ce sont* des détritus, des déchets. Bien pour ça qu'il faut les brûler! C'est marrant de voir les livres s'abîmer en tombant. C'est marrant de sauter dans le gros tas qu'ils forment pour les piétiner, casser les tranches, arracher les couvertures, déchirer les pages, les rouler en boules dont nous nous bombardons en criant, comme on ferait une bataille de boules de neige. Il y en a même qui, accroupis, font le geste de se torcher le cul avec les feuillets. «C'que c'est doux! Une vraie caresse!» Leur pantomime déclenche l'hilarité générale. C'est un après-midi très agréable, la joie et la bonne humeur règnent.

Quand vient l'heure H, nous sommes tous rassemblés, professeurs et élèves. Lavés, douchés, récurés, propres comme des sous neufs, nous avons revêtu nos uniformes d'apparat. Les chefs de section, deux pas en avant des autres, portent les drapeaux du Reich. Bras droit levé et tendu, nous entourons la pyramide que forment les livres entassés les uns sur les autres. Quatre *Jungmannen* sont désignés pour l'arroser d'essence à l'aide de gros bidons. Puis, chacun à tour de rôle, ils craquent une allumette et la jettent. Le feu commence à prendre à la base de la pyramide. Nous l'encourageons par les chants que nous entonnons. Des chants à la gloire de notre Führer, du Reich et de ses mille ans de règne, délivrés du judaïsme et du bolchevisme. Le feu est lent tout d'abord, quelques petites flammes timides et inoffensives courent à la base de la pyramide de papier, loin du sommet qui semble leur dire d'un ton méprisant : « Je suis bien trop haut ! Bien trop élevé ! Vous ne m'atteindrez jamais ! Je représente des siècles de savoir et d'érudition ! Cela ne se réduit pas à néant en quelques instants ! »

Mais nous chantons de plus en plus fort, marquant le rythme en martelant le sol de nos bottes. Nous entamons une manière de danse en tournant autour du brasier. Comme si nous l'avions invoqué par nos incantations, le vent se lève, souffle en violentes bourrasques qui attisent le feu. Et le feu grandit, grandit. Et les couvertures des livres noircissent, se racornissent, se tordent, le papier flambe, les flammes crépitent, elles sont bientôt si hautes qu'elles atteignent le premier étage du bâtiment au pied duquel nous nous tenons. Elles se reflètent dans chacune des fenêtres, créant autant de sources de lumière. Il fait nuit, mais on y voit aussi clair qu'en plein jour. Il fait froid, mais le feu nous réchauffe.

Moi aussi, je chante. Moi aussi, je tourne autour du brasier. Et une fois de plus, je cherche à apercevoir Lukas, derrière les flammes. Pour voir comment il chante, comment il danse... J'aimerais savoir s'il se souvient de ses paroles, quand, à l'infirmerie de Kalisch, il me racontait l'histoire de ses parents. Quand il me parlait de sa mère qui tenait une librairie. Il m'avait dit : « Hé ! Tête de Mort ! Tu sais à quoi ça sert, les livres ? Ça sert à être lus, pas à être brûlés comme le font tes potes en hurlant comme des sauvages. »

Je chante. Je hurle comme mes potes, les sauvages. Mais ça ne m'empêche pas de réfléchir, de laisser aller mon imagination. Après les fayots juifs dans la soupe, après la vision de Lukas en Führer, mon imagination me fait voir non pas une simple pyramide de livres en feu, mais une librairie entière, celle de la mère de Lukas. Et la mère de Lukas est à l'intérieur. En train de brûler vive. L'air est saturé de fumée, empli d'une odeur de papier cramé, de cuir cramé, de chair cramée.

J'ai envie de vomir.

Il est où, Lukas ? Je ne l'aperçois que par intermittence. Derrière les flammes, emporté par le mouvement du groupe des *Jungmannen*. Il est, bien évidemment, encadré de Gunter et Herman, ces deux imbéciles qui hurlent plus fort que les autres, qui tournent plus vite que les autres. J'ai l'impression qu'ils sont soûls, ils ont dû boire du schnaps – certains *Jungmannen* s'en procurent en cachette. La chaleur et le malaise aidant, je les imagine se jetant au feu pour rendre le spectacle plus grandiose, pour prouver leur *Draufgängertum*. Et ils entraînent Lukas avec eux.

Comment il s'en sort, Lukas, quand...

Cours de biologie.
Une de nos matières préférées. Pourquoi ? Parce que la salle où se déroulent les cours est décorée d'une façon rigolote. C'est nous qui la décorons. Avec nos dessins, ajoutés à ceux du professeur de dessin, qui travaille souvent en collaboration avec le professeur de biologie. Nos œuvres sont des travaux pratiques consistant à illustrer l'intitulé du cours : « *Signes caractéristiques et distinctifs du Juif* ».

Au début de l'année, nos productions n'ornaient pas encore les murs. Il n'y avait que des photos de Juifs (des vrais) prises de face et de profil. Nous devions les étudier. D'abord en y allant de nos commentaires, librement, sans réfléchir, sans prendre la peine de tourner des phrases correctes ou d'adopter un langage châtié. Comme, par exemple :

— C'est pas permis d'être aussi répugnant !

— C'est la photo d'un épouvantail !

— Oui ! Dans un champ pour éloigner les corbeaux, ça serait utile !

— Heureusement que les photos dégagent pas d'odeurs !

— Sinon, ça puerait la merde !

C'était marrant de dire tout ce qui nous passait par la tête. Mais ça n'a duré qu'un temps, le professeur a mis le holà, car l'ambiance menaçait de dégénérer en chahut. Abandonnant la phase ludique, il est passé à la phase scientifique. Il s'agissait pour nous d'étudier précisément les photos, en mesurant la longueur du nez, des oreilles, la hauteur du front, l'épaisseur des lèvres, l'écartement des yeux. De trouver aussi les termes justes pouvant qualifier la couleur des yeux et des cheveux. Nous devions inscrire nos résultats dans une grille et la comparer à une grille de référence où figuraient les mesures aryennes. Facile. Élémentaire. Les chiffres étaient à l'opposé. Quant à la couleur des yeux et des cheveux, pas besoin de se creuser la cervelle : noir. Et noir. Toute la classe a réussi haut la main ce premier test.

Ensuite, le professeur a ajouté un croquis sur les murs de la salle. Avec un titre : *Le Juif errant*.

On y voyait un vieux bonhomme voûté, recroquevillé, ratatiné, au visage maigre et aussi flétri qu'une pomme pourrie, grimaçant, appuyé sur un bâton, vêtu de haillons et portant un balluchon crasseux sur le dos. En bas du dessin, il y avait une légende : « *Ils sont arrivés ainsi d'Orient...* » Le professeur a bien insisté sur les points de suspension. Que signifiaient-ils ? À nous de le trouver. Notre travail pour le cours suivant était d'imaginer la transformation du Juif, une fois qu'il s'était installé en Allemagne ou dans un autre pays d'Europe. Deux options pour cet exercice : soit on dessinait, soit on écrivait une rédaction.

Je n'aime pas les rédactions.

Je n'aime pas le dessin non plus.

Mordiller mon stylo en réfléchissant devant une page blanche, c'est pas mon truc. Rêvasser à un paysage ou, en l'occurrence, à un visage, une silhouette pour la croquer sur le papier, encore moins. Les écrivains et les dessinateurs, ce sont des intellos et des mauviettes. Mais il me fallait pondre quelque chose, sinon c'était la punition pour travail non fait. Pas bête, je me suis dit que l'autre partie du croquis devait se trouver dans la salle de lecture – on y met à notre disposition un tas de journaux donnant des nouvelles du front. Dans tous les journaux ou presque, il y a des caricatures de Juifs. Il me suffisait de dénicher celui dans lequel la première partie du croquis avait été découpée. Mais j'ai fait chou blanc. Évidemment. Le professeur avait prévu que des petits malins comme moi essaieraient de ruser et il avait pris soin de retirer le journal des rayonnages.

Si encore ce travail nous avait été demandé après la lecture du *Heimführer* dans le réfectoire, j'aurais pu dessiner un parasite en forme de fayot. C'est facile à dessiner un fayot, on trace une espèce de demi-cercle incurvé, on lui ajoute des cheveux, des yeux et le tour est joué. Mais le cours dont je vous parle se déroulait avant la lecture... Alors, quoi ? Copier sur un camarade ? Tentant, mais dangereux. Copier est un déshonneur (à l'inverse de la délation et de l'espionnage, considérés comme des valeurs fondamentales). La punition, très sévère, peut aller jusqu'au retrait du poignard d'honneur, en public, devant tous les élèves réunis. Hors de question. Mon poignard, je compte bien le garder.

J'ai finalement passé un marché avec Manfred. Il est nul en sport, il a un *Draufgängertum* aussi développé que celui d'un curé, mais c'est un artiste, il adore dessiner, il a une imagination débordante, si bien que croquer un dessin supplémentaire pour moi n'était pas une corvée, au contraire. En échange, lors d'un combat de boxe où nous devions nous affronter, je l'ai laissé prendre l'avantage. L'instructeur a été surpris, mais il ne m'a pas passé de savon, il m'a juste dit :

– Il y a des jours où on n'est pas en forme, mais attention quand même, Konrad, reprends-toi ! La prochaine fois, je n'admettrai aucune faiblesse !

Il m'a fait un gentil clin d'œil pour m'encourager. Je crois qu'il a compris que j'ai été contraint de me «coucher», comme on dit dans le langage de la boxe. Notre professeur de boxe n'est pas un illustre inconnu, loin de là, c'est Herr Rohloff, champion d'Europe de boxe. Je suppose que s'il n'a pas été champion du monde, c'est précisément parce qu'il a dû «se coucher», lui aussi. (Nous avons beaucoup de chance à la *Napola*. Comme le sport est la matière principale, nous avons pour enseignants des personnalités célèbres, par exemple, le prof de javelot des *Jungmannen*, Herr Stöck est, lui, champion olympique.)

Pour en revenir à nos moutons, Manfred m'a fait un dessin magnifique. Un gros Juif ventru, assis jambes écartées sur un énorme sac qui a la forme du globe terrestre, barré du mot «GELD[1]», écrit en capitales. Il est tout transpirant, il a des joues cramoisies comme s'il avait bu, piquées de points noirs parce qu'il est mal rasé. Il paraît bien habillé, mais son costume est moche et froissé. Manfred l'a colorié avec des teintes qui ne vont pas du tout ensemble, des chaussures violettes, des chaussettes vertes et une cravate rouge. Le chapeau noir du gros Juif transpirant a glissé de son crâne dégarni et gît par terre.

J'ai eu les félicitations du professeur et un 10 sur 10. Mon dessin a été encadré avant d'être accroché au mur. Manfred, lui, a eu 9,5. Son dessin – le deuxième, donc – était aussi très inventif. Il s'intitulait : *Le champignon vénéneux*. Le haut du champignon, c'était un chapeau de Juif ; la tige, un visage de Juif, avec un gros nez, des oreilles décollées et une barbe en forme de corolle rouge. À la racine du champignon, émergeant de la terre, une étoile à cinq branches. Fallait y penser, tout de même ! Le professeur a expliqué qu'il ne lui accordait pas la

---

1. ARGENT.

note maximale, parce que son dessin, bien que représentant la stricte réalité, était hors sujet par rapport aux consignes. Il fallait évoquer la transformation du Juif, une fois installé en Europe. De même, étaient hors sujet les camarades qui, sans trop se fouler, avaient dessiné des Juifs avec des nez de cochon ou des oreilles poilues.

Le professeur a enfin révélé la seconde partie du croquis. Celui du journal. Il représentait le même Juif que le premier, mais au lieu d'être maigre et en haillons, il était devenu gras, il portait un costume de très mauvais goût, recouvert d'or, de diamants étincelants et il fumait le cigare. Du pied, il écrasait un paysan allemand. Le visage de celui-ci était torturé, on aurait cru entendre le cri de souffrance qu'il poussait, et il était si maigre qu'on devinait qu'il crevait de faim. La légende précisait : « ... *et sont devenus comme cela chez nous.* »

Mes camarades ont applaudi. Il y avait une bonne ambiance, détendue, gaie, ce qui est rare pendant les cours.

Moi, je me suis mis à rêvasser en observant photos, dessins et croquis sur le mur.

Ce vieux Juif, là, qui arrivait d'Orient, je l'ai comparé à un jeune Juif, qui venait sinon d'Orient, au moins de l'Est. De Pologne. Lukas. Oui, lui, bien évidemment ! Est-ce qu'il pourrait être son petit-fils ? Quand il est arrivé à Kalisch, Lukas était déjà blond – la *Napola* ne lui a pas changé sa couleur de cheveux – idem pour les yeux bleus. Mais il était maigre, sale, vêtu de hardes, la tignasse pleine de poux et le regard farouche. Et maintenant... Si on le dessinait maintenant, on le représenterait habillé d'un bel uniforme de *Jungmann*, la peau rose, le regard clair et pur. On pourrait dessiner sous sa botte le visage de Walter, le type qu'il a tabassé dans la salle d'étude avec Gunter et Herman. En marge du croquis, on pourrait écrire les mêmes légendes que celles du journal : « *Il est arrivé ainsi de Poznan et est devenu comme cela chez nous, à la* Napola. »

D'un autre côté, quelque chose clochait. Si on inscrivait, dans la grille que nous avait donnée le professeur au début des séances, les mesures de Lukas, on constaterait qu'elles correspondaient aux mesures aryennes. D'ailleurs, Lukas avait un certificat vert d'aptitude raciale.

J'ai eu envie de tout révéler au professeur. De lui dire que Lukas était *juif* et *aryen*. Pour qu'il m'explique enfin cette contradiction !

Mais j'ai rien dit.

Et maintenant j'en ai marre du cours de biologie. Je m'y ennuie à mourir. On ne dessine plus. On écrit. On apprend par cœur. L'intitulé du cours s'est modulé, il est maintenant formulé ainsi : « Comment reconnaître un Juif ? » Sous la dictée du professeur, nous devons écrire :

Le nez juif est courbé à son extrémité. Il ressemble au chiffre 6. Si certains non-Juifs ont aussi le nez courbé, il faut savoir que cette courbe est dirigée vers le haut. Les lèvres du Juif sont lippues, ses sourcils, épais. Sa taille est petite, ses jambes courtes et arquées, ses bras rétrécis. Il a le front

bas, en retrait, les cheveux noirs et frisés comme les
nègres, les oreilles en forme d'anses de tasse à café.
Il a une odeur répugnante, une barbe infestée de
poux et des vêtements gras.

Je déteste les dictées. J'ai du mal à accorder
correctement les participes passés. Je m'embrouille avec les doubles consonnes. Je n'aime pas
apprendre par cœur, encore moins réciter devant
toute la classe.

En plus, pour la prochaine fois, nous devons
trouver d'autres qualificatifs que nous ajouterons
à ce texte, encadré lui aussi et affiché au mur.

Je n'en trouve pas, de ces fichus adjectifs qualificatifs. À l'inverse de mes camarades.

Je ne participe plus à l'oral.

Mes notes chutent.

Je suis soulagé lorsque, quelques semaines plus
tard, le cours de biologie semble prendre une
autre tournure.

Le professeur nous parle maintenant des animaux. Que manque-t-il à l'animal, par rapport à
l'homme ? Facile, il lui manque un cerveau ! Il lui
manque la faculté de réflexion ! Je suis le premier
à lever le doigt et à donner la bonne réponse.
Ensuite, le professeur nous explique le fonctionnement des petits animaux, telles les tiques et les
puces, qui se nourrissent de sang et transmettent
à l'homme des maladies. Il nous révèle comment,
pour préserver la santé de l'homme, il est nécessaire de les combattre. Il évoque les progrès de la
médecine, de la recherche.

Je trouve le cours passionnant et, pour la

première fois, je suis surpris par la cloche, alors que d'habitude j'ai l'impression qu'elle a des heures et des heures de retard.

Avant de nous libérer, le professeur nous donne un devoir pour la prochaine séance. Bonne nouvelle. Je me dis que je trouverai là l'occasion de remonter mes notes.

Il écrit le sujet au tableau : « *Expliquer la nécessité d'exterminer le peuple juif.* »

Comment il s'en sort, Lukas, quand...

La douche.

Elle est quotidienne à la *Napola*, je l'ai déjà précisé. Ce qui est bien agréable, nécessaire, quand on fait quatorze heures de sport par semaine. Les locaux sont propres, nets, étincelants, irréprochables. Ils sont attenants aux dortoirs et dotés de lavabos séparés, autre élément de confort destiné à développer chez les élèves un sens aigu de l'hygiène, indispensable aux Aryens que nous sommes.

Le seul hic, c'est ce fichu savon avec lequel nous sommes censés nous laver. Il est de fort mauvaise qualité, mais on n'en trouve pas d'autres en Allemagne depuis quelques mois. Il ne mousse pas ! On a beau le passer sous l'eau, le frotter entre les mains, s'en frictionner avec vigueur, on ne parvient qu'à s'écorcher la peau, sans jamais voir apparaître la moindre petite bulle de mousse. Non content de ne pas mousser, il pue ! Il dégage une odeur nauséabonde, un peu comme... comme un morceau de viande avariée qui aurait séché. Si l'on tient compte en plus des restrictions d'eau chaude auxquelles nous sommes contraints ces derniers temps, la douche n'est vraiment plus un plaisir. Mes camarades et moi ne faisons que nous en plaindre, même si c'est devenu un sujet de plaisanterie.

— Maudit savon juif!

— Il pue la merde!

—Allez! Passe-m'en un peu que je m'en tartine, même si ça sert à rien!

J'ai toujours entendu, depuis mon arrivée à la *Napola*, qu'on baptisait ce savon le «RIF». Je ne sais pas ce que signifient ces trois initiales. De peur d'avouer mon ignorance et de passer pour un idiot, je n'ai pas osé poser la question. J'ai essayé de deviner. R comme... *Reich*? I comme... *Immer*? F comme *Falsch*? Ça donne: «Reich, toujours, faux». Aucun sens. R comme... *Reisen*? I comme... *Im*? F comme *Führer*?... «Monter dans le Führer». Totalement incohérent! J'ai encore essayé: *Richtig Ideal Farbe* («couleur exacte et idéale»). Quel rapport avec un savon? Dont la couleur, d'ailleurs, est tout aussi abjecte que l'odeur. Je me suis trituré les méninges en combinant d'innombrables lettres. En vain.

J'ai fini par craquer et poser la question à Manfred. Manfred la mauviette, qui est nul en sport et passe son temps libre à dessiner, n'avait pas intérêt à se moquer de moi. Et en effet, il m'a gentiment répondu, de sa petite voix fluette:

— RIF? Ce sont les initiales d'une firme industrielle, Reichsstelle Industrielle... quelque chose, j'ai oublié le dernier mot... Mais ici, on les a transformées en *Rein Juden Fett*! Avec un I phonétique. *Rein Juden Fett*! a-t-il répété tandis que, bouche bée, immobile sous l'eau qui, de tiède, était devenue glacée, je me suis métamorphosé en statue.

– Pour ça qu'il pue et ne mousse pas, ce savon ! a complété Manfred. Mais c'est mieux que pas de savon du tout !

Rein Juden Fett.
Rein Juden Fett.
Ah ! oui ! Vous avez besoin de la traduction, n'est-ce pas, pour comprendre pourquoi je suis resté immobile sous l'eau glacée ? La voici :
« Pure graisse de Juif. »
Du savon fabriqué avec de la graisse de Juif. Les Juifs qui sont dans les camps... Comme, par exemple... la mère de Lukas, à Treblinka.

Je n'arrive plus à me laver.
Je suis sale et je pue.

Alors que lui, LUI, il y va tous les jours à la douche ! Il est propre, il est impeccable. Il commence même à se raser.

Il devient aryen, et moi... moi... c'est comme si je devenais juif.

24

J'ai fini par comprendre comment il s'en sortait, Lukas. Malgré mon intelligence supérieure, je ne l'ai pas deviné seul. Il a fallu qu'il me l'explique.

De fait, je n'aurais jamais pu imaginer une chose pareille.

Salle d'étude. Je planche sur une rédaction que je dois rendre demain. Le sujet : « Imaginez la transformation d'un animal par une potion magique. » Les enfants de mon âge adorent ce genre d'exercices, pensez-vous ? Les enfants ordinaires, peut-être. Pas les élèves d'une *Napola*. Il ne s'agit pas de déblatérer des niaiseries en décrivant la transformation d'un gentil toutou poilu qui joue à la baballe, en un énorme et redoutable dragon crachant le feu et menaçant une belle princesse. Cette rédaction, comme tous les devoirs qui nous sont demandés, doit être écrite dans une perspective nazie.

J'ai bien quelques idées en tête... L'animal, ce pourrait être Lukas, et la potion magique, la *Napola*, qui a fait de lui un Aryen pur et dur. Ou alors, l'animal, ce serait moi, et la potion magique aux vertus maléfiques, Lukas. Parce que, j'en suis bien conscient, il a fichu la pagaille dans ma tête depuis le jour où je l'ai connu. Et cela ne va pas en s'arrangeant. Le contact de Lukas me transforme. Il me «désaryanise», me «judaïse». (J'invente de nouveaux mots pour la circonstance.) Ah çà ! que l'animal soit Lukas ou moi, je saurais construire mon devoir, je serais en mesure de décrire une transformation très précise. Mais comment développer l'une ou l'autre de ces idées sans me mettre dans une merde noire ?

Impossible.

Je suis bloqué. Hormis ces deux pistes, je n'en trouve pas d'autres. Et je suis là, devant ma page blanche, à mordiller le manche de ma plume, à me ronger les ongles tout en jetant un œil morne par la fenêtre. La nuit tombe dehors alors qu'il est à peine 17 heures. L'inspiration ne vient pas. J'ai envie de tout envoyer valser ! J'en ai assez !

Pour mettre un comble à mon agacement, Manfred est assis à côté de moi et, courbé sur son cahier, il n'arrête pas d'écrire, d'écrire. Au train où il va, il risque d'épuiser à lui seul la ration de papier qui nous a été fournie pour la soirée. Le grattement de sa plume résonne dans le silence de la pièce. Horripilant. Qu'est-ce qu'il peut bien raconter, ce débile ? En lisant par-dessus son épaule, je découvre qu'il a choisi comme animal l'Allemagne au lendemain de la Première Guerre mondiale et comme potion magique, le Führer. Il est allé au plus simple, au plus évident, et il va décrocher la meilleure note. Crétin !

Je décide d'abandonner cette fichue rédaction pour l'instant et de m'occuper à autre chose. Une fois par mois, chacun d'entre nous doit envoyer une lettre de soutien à un soldat sur le front. Mon correspondant est un dénommé Harald Schwarz, *Rottenführer* de son état. Bon, ça au moins c'est facile, je vais lui servir les mêmes formules que la dernière fois, tournées différemment. Il doit tenir bon, même si les combats sont rudes, sa mère patrie l'aime, elle croit en lui, elle est fière de lui et ne doute pas un seul instant de la victoire finale qui approche à grands pas et à laquelle il aura contribué par ses sacrifices. Son dévouement pour le Führer ne manquera pas d'être récompensé, il reviendra du front couvert de gloire, et patati et patata... Cette fois, je suis lancé, ma plume court aussi vite que celle de Manfred. Je rédige au moins dix lignes d'une traite, et je ne m'arrête un bref instant qu'à cause d'une légère crampe à la main. (Je peux courir ou nager deux heures d'affilée sans avoir la moindre courbature, mais tenir une plume, ça me fait mal!) Je lève donc le nez, constate que dehors la nuit est bel et bien tombée. Bientôt le solstice d'hiver. Les jours sont de plus en plus courts. Désagréable sensation que la nuit risque d'être éternelle...

Qu'est-ce que c'est que ce vague à l'âme, tout à coup? Encore un effet pervers de la «potion magique» qui me ronge de l'intérieur! Décidé à me remettre au travail, je me ressaisis rapidement, lorsque, malgré la pénombre, je reconnais la silhouette qui traverse la cour. Qui se dirige vers le bâtiment de la *Volksschule*. *Mon* bâtiment... Qu'est-ce qu'*il* fabrique dans les parages? Est-ce qu'*il* consentirait enfin, au bout de dix mois, à se rappeler que j'existe?

J'attends, immobile, aux aguets. J'entends bientôt un pas résonner dans l'escalier, puis derrière la porte de la salle d'étude, qui ne tarde pas à s'ouvrir.

– Salut, Tête de Mort!

Surtout ne pas bouger. Ne pas me tourner vers lui. Ne pas manifester quoi que ce soit, excitation, énervement. Joie, encore moins.

De toute façon, je n'ai aucune raison de me réjouir. Si Lukas daigne se manifester, ce n'est pas par amitié pour moi. Mais parce qu'il a eu un coup dur ces temps-ci. Il vient chercher du réconfort auprès de moi? Il peut toujours courir. Je la tiens peut-être, ma vengeance...

Le coup dur, c'est la mort de Gunter, la semaine dernière. Je n'en connais pas les circonstances exactes, je sais simplement que ça s'est passé au cours d'un exercice paramilitaire. Ç'aurait pu être Herman. ç'aurait pu être Lukas, puisqu'ils sont inséparables. D'ailleurs, Lukas a été blessé. Ses reins sont entourés d'un gros pansement qui ne diminue en rien l'élégance de son maintien, au contraire. On dirait la ceinture d'un torero. Il se tient encore plus droit. Il paraît encore plus fier.

En tout cas, *exit* Gunter, il ne reste plus que deux mousquetaires sur trois.

Il nous aura pourri l'existence jusqu'au bout, celui-là. À cause de sa mort, la célébration de Noël et la fête du solstice d'hiver sont supprimées. L'école est en deuil. Nous avons tout de même pris part à une cérémonie. Une veillée funèbre. *Heimführer*, directeur pédagogique, intendant, personnel de service (bureaux, cuisine, lingerie, infirmerie) et élèves, bien sûr, tout le monde était réuni autour du cercueil de Gunter, recouvert du drapeau du Reich. Nous étions tous en uniforme d'apparat, orné d'un brassard noir. Rituels et discours se sont enchaînés. Et c'était long. Et il faisait froid sous la neige. Et nous avions sommeil. Les parents de Gunter étaient les invités d'honneur – ils sont repartis avec le corps aussitôt après. Je ne sais pas si la présence de madame et de l'*Obergruppenführer* Lübeln a été déterminante, ou s'il est de mise de faire systématiquement l'éloge d'un mort. Le fait est que Gunter le débile, Gunter la brute épaisse, Gunter qui avait un fayot – Ah! je me trouve très drôle! – en guise de cerveau, est devenu tout à coup Gunter le courageux, Gunter la fine fleur de l'intelligence, Gunter le *Jungmann* modèle, l'exemple à suivre. Il est mort en prouvant son courage, en faisant la démonstration magistrale d'un *Draufgängertum* incomparable. Il a pris au pied de la lettre et a magnifiquement illustré la devise maîtresse des Jeunesses hitlériennes : «*Nous sommes là pour servir le Führer et mourir pour lui.*» Ma parole, il aurait, à lui seul, détruit vingt blindés russes à Stalingrad qu'il ne s'en serait pas sorti avec plus d'honneurs!

Ouais... Moi, je demande à voir.

Les accidents graves – jamais mortels – sont courants à la *Napola*. Il y a un mois, un type a tenté de s'évader. Une chasse à l'homme a été organisée pour le retrouver. Tous les élèves de sa classe y ont participé, et ils y ont mis du cœur. Quand ils l'ont attrapé, ils l'ont jeté nu dans la rivière qui passe derrière l'école, puis ils l'ont rossé à coups de ceinturon. Quelques semaines auparavant, un gars avait été dénoncé pour un vol d'argent. En guise de punition, il a dû sauter dans la cour du quatrième étage, sans filet. Il a eu le bassin fracturé. Il est encore à l'hôpital.

Gunter, lui, s'est distingué. Il ne s'est pas contenté d'être grièvement blessé, il y est passé. Au moins, en cela, il a fait fort.

– T'as grandi, Tête de Mort.

Évidemment que j'ai grandi, je vais sur mes huit ans. Et j'en ai autant à ton service. Toi, tu parais bien plus que quatorze ans, t'as carrément l'air d'un homme.

Lukas s'assoit à côté de moi, après avoir ordonné à Manfred, d'un simple mouvement du menton, de dégager le terrain et d'aller s'installer plus loin. Manfred s'est empressé d'obéir, Lukas étant un de ces *Jungmannen* que les *Jungvolk* respectent et craignent. Malgré les circonstances, je ne peux m'empêcher d'en tirer une certaine fierté.

Lukas pose sa main, forte, large, aux ongles impeccables, sur ma lettre. Une odeur se dégage de lui, un parfum, comme une eau de Cologne. Où a-t-il bien pu s'en procurer ? Est-ce ainsi qu'il arrive à masquer la puanteur du RIF avec lequel il se savonne tous les jours ?

Je lance un bref « Salut ! » en guise de réponse. Froid, détaché, comme si je l'avais quitté la veille au soir, alors que dix mois se sont écoulés depuis notre arrivée à la *Napola*. Je repousse sa main pour récupérer ma lettre que j'entends bien poursuivre. Mais il me la retire et la lis.

Un sourire, ce sempiternel sourire narquois qui a le don de me mettre hors de moi, étire rapidement ses lèvres.

– Conneries! s'exclame-t-il en balançant la lettre sur la table.

Je lui lance un regard outré. Il s'empare alors de ma plume et retourne la feuille.

– Je vais t'aider à écrire cette lettre, me dit-il.

– Pas question! C'est pas un sale Juif comme toi qui va me dicter ce qu'il faut dire à nos soldats!

Manfred ainsi qu'un autre élève de ma classe, présent dans la salle d'étude, se retournent aussitôt et s'esclaffent. Ils rigolent parce que traiter quelqu'un de «sale Juif» est soit une plaisanterie courante, soit une insulte aussi insignifiante que «bâtard» ou «pauvre con». Ils ne savent pas, ils *ne peuvent pas* savoir que, dans ma bouche, ça n'a rien d'une plaisanterie.

Lukas rigole lui aussi – un peu jaune tout de même, je reconnais cette crispation caractéristique de ses lèvres – puis, après avoir vérifié que Manfred et Kaspar se sont remis au travail, il pose son index sur ma bouche pour me forcer à ne pas répliquer et le fait ensuite rouler afin que je me rapproche de lui. Il écrit alors un mot sur la feuille:

Gunter.

Nous y voilà. Bien ce que je pensais. Attristé par la mort de son alter ego, il vient en parler avec moi. Je m'apprête à lui dire qu'il n'a qu'à aller pleurer sur l'épaule de Herman, mais je m'en abstiens. Son sourire, cette lueur de jubilation qui brille dans ses yeux... Étrange. Lukas n'a pas du tout l'air triste. Alors que pendant la veillée, les yeux embués de larmes, il avait reçu les condoléances de ses camarades avec autant d'émotion que s'il avait été le frère de Gunter. Il y a quelque chose qui cloche.

Sais-tu comment il est mort ? écrit Lukas.

– Oui, évidemment, tout le monde le sait, il est...

À nouveau il me fait signe de me taire. Jette un regard méfiant sur Manfred et Kaspar.

Comment il est mort réellement ?

Je fais non de la tête. Lukas me regarde longuement. Il ne sourit plus. Il est tendu. Il reprend la plume et se met à écrire. Très vite, sans s'arrêter.

La veille de l'exercice, Gunter s'était procuré du schnaps. Il m'a proposé de boire avec lui, comme nous l'avions souvent fait. Mauvais plan, vu ce qui nous attendait le lendemain. Mais ce qui nous attendait, il n'en avait pas la moindre idée. Il ne savait pas qu'un exercice très dangereux était prévu le lendemain à l'aube. Alors que moi, si... Y a toujours moyen de se débrouiller pour soudoyer un instructeur... J'ai fait semblant de boire, de me soûler avec lui. On n'était que tous les deux, Herman, plus prudent, était allé se coucher. Gunter s'est endormi comme une masse sur le coup de 2 heures du matin et quand, à 5 h 30 la sonnerie nous a tirés du lit, il était dans un état lamentable. Il avait une gueule de bois carabinée. Il a fallu que je l'aide à s'habiller, que je lui enfile son caleçon, son pantalon, que je boutonne sa chemise, comme un bébé. Il a fallu ensuite que je le soutienne pendant l'appel au garde-à-vous pour l'empêcher de tomber. Dans le camion, pendant le trajet jusqu'au champ de manœuvres, il a dégueulé ses tripes. S'il n'avait pas été le fils du distingué Obergruppenführer Lübeln, je crois que les gars de la section l'auraient lynché. À la descente du camion, le Scharführer de service nous a jeté des pelles et nous a alignés face à trois chars qui émergeaient du brouillard, moteur ronflant. Trois panzers. Des mastodontes de fer : 7 mètres de long, 55 tonnes chacun.

— Vous avez intérêt à creuser vite fait, bande de merdeux ! Et profond ! C'est le moment de faire le tri entre les péteux, les dégénérés et les vrais soldats, ceux qui ont des couilles !

On s'est mis au boulot. Dans ces cas-là, c'est chacun pour soi. Pas le temps de s'occuper du voisin. On savait que ce sadique de Scharführer, qui nous insultait et nous gueulait dessus pendant qu'on creusait, pouvait décider à tout moment de donner aux panzers le signal de départ. J'ai fait comme les autres, j'ai creusé, sans me soucier de Gunter qui, je l'apercevais du coin de l'œil, les mains collées par le froid au manche de sa pelle, ne parvenait même pas à entamer la couche de glace sur la terre. Les chars ont démarré. J'ai sauté dans mon trou. Gunter était toujours debout, immobile, ahuri. Je lui ai crié de venir me rejoindre. Je lui ai assuré qu'il y avait la place pour deux, que j'avais creusé très profond. Il m'a cru. Il a sauté. Il a bien failli me briser les reins en tombant sur moi. Quand il s'est rendu compte que la profondeur n'était pas suffisante, que le haut de son crâne dépassait du trou, le char n'était plus qu'à 1 mètre de nous, il n'avait plus le temps de remonter. Il s'est mis à me marteler le dos de coups de pied, à me piétiner, pour m'obliger à m'écraser face contre terre. Il hurlait, sanglotait. À un moment, j'ai senti un liquide poisseux et gluant ruisseler sur moi. Il s'était pissé dessus. Mais il faisait tellement froid dans ce putain de trou glacé, que sa pisse m'a presque fait du bien.

Elle m'a en tout cas fourni la force nécessaire non seulement pour résister à ses coups, mais pour donner l'impulsion nécessaire à le faire émerger du trou, pile au moment où le char nous roulait dessus, de manière qu'il ait la tête emportée.

Lukas s'arrête un bref instant. Je lis au fur et à mesure ce qu'il écrit. Il écrit vite, sa main tremble, j'ai du mal à déchiffrer ses pattes de mouche. J'ai du mal aussi à croire ce que je lis, alors je reviens sur telle ou telle phrase, je pose ma main sur la sienne pour le contraindre à ralentir, et il me communique ses tremblements.

Le Scharführer a fait un rapport sur l'«accident», spécifiant que Gunter n'avait pas creusé de trou et avait sauté dans le mien, mettant ainsi nos deux vies en péril. (Il ne savait pas que j'avais soûlé Gunter la veille. Avec le bruit des chars, il ne m'a pas entendu lui crier de me rejoindre.) Schmidt m'a convoqué et m'a prié, pour la réputation de l'école, pour les parents de Gunter, de bien vouloir corroborer une autre version que celle du Scharführer, une version «officielle». Un malheureux concours de circonstances, les chenilles du char s'étaient enrayées... tout un tas de conneries. J'ai accepté et Schmidt m'en a vivement remercié.

Je lève le nez. J'ouvre la bouche comme si j'allais crier, pourtant je reste muet. Il y a bien un cri qui est là, mais il est coincé dans mon gosier, il ne sort pas et il m'étouffe. Je me tourne vers Manfred, vers Kaspar. Toujours absorbés par leurs devoirs, ils ne me regardent pas. *Au secours!*

– Quoi ? Qu'est-ce qu'il y a ? me demande Lukas à voix haute. Tu trouves que ma lettre est trop dure ?... Tu te trompes, Konrad ! Il faut regarder la vérité en face : ton correspondant, notre valeureux soldat Harald, peut mourir à tout moment sur le front, il le sait. Ton devoir est de lui expliquer que sa mort est nécessaire, parfaitement justifiée. Ça lui donnera du courage. Tiens, je vais ajouter ceci :

Quand Gunter a crevé, en couinant comme un porc, j'ai pensé à la mort de mon père. À celle de mon petit frère. J'ai pensé à ma mère qui, elle aussi, est peut-être morte à Treblinka... Ça fait un contre trois. Pas cher payé. Mais ce n'est que le début. «Œil pour œil, dent pour dent», tu connais ce proverbe juif ?... Je veux venger la mort des miens. Je frappe là où je me trouve. De l'intérieur. Ça fait encore plus mal... Quand la mère de Gunter m'a serré dans ses bras en sanglotant, je me suis dit : «Espèce de sale truie, tu imagines maintenant ce qu'ont éprouvé des milliers de mères ?» Quand son salopard de mari m'a serré la main, je me suis dit : «C'est pour tous ceux qui ont été fusillés sous tes ordres.»

Je suis toujours sans réaction. Muet comme une carpe.

Tu ne m'as pas dénoncé en tant que Juif... Merci. Je te revaudrai ça un jour. Mais tu peux encore me dénoncer en tant que meurtrier. À toi de décider.

Lukas me regarde en souriant. Il ne tremble plus. Il s'est recomposé un visage en deux temps trois mouvements. Il prend la feuille sur laquelle il vient d'écrire, l'agite un instant sous mon nez, puis se lève et la jette dans les braises du poêle à bois. Une fois que le papier est réduit en cendres, il revient vers moi.

– Qu'est-ce que tu croyais, Tête de Mort ? Que j'allais faire le boulot à ta place ?... Trop facile ! Je t'ai donné des idées pour écrire cette lettre, tu peux t'en inspirer, mais hors de question que tu te bornes à la recopier, tu dois trouver tes propres mots... On se revoit bientôt ! ajoute-t-il en quittant la salle.

Après son départ, Manfred revient prendre sa place à côté de moi.

– T'as de la chance d'avoir un grand frère comme Lukas, me dit-il. C'est un sacré modèle pour toi !

Je lui envoie mon poing sur la figure.

25

Le second sur la liste noire de Lukas : Herman.
Évident.

Dois-je le prévenir ? Comment ? En glissant un
mot anonyme sous son oreiller ? En me confiant
à son frère, Ludwig, qui est dans ma classe ?...
Prévenir Herman reviendrait à révéler que Lukas
est le meurtrier de Gunter. Prévenir Herman, ce
serait m'accuser moi-même comme complice.
Car à présent, les événements s'enchaînent et
font boule de neige : je n'ai pas dénoncé Lukas le
Juif, le Juif qui s'est travesti et qui, sous le voile
du parfait *Jungmann*, entend bien parasiter la
Napola en tuant certains de ses pensionnaires.
(Combien, au juste ?)

Moi qui détestais Herman avant, j'ai pitié de
lui. Chaque fois que je l'aperçois, en train de
rire, manger, boire, courir ou s'en prendre à un
camarade plus faible que lui, j'ai envie de lui
dire : « Profite ! Dans pas longtemps, tu seras
kaputt ! » Si seulement j'avais une idée de la façon
dont Lukas compte s'y prendre pour ce second
meurtre. Je ne sais même pas quand il a l'intention de frapper.

Pas tout de suite en tout cas.

Plusieurs semaines s'écoulent sans que l'école soit troublée par le moindre incident. Et si la menace de perdre son frère aîné plane sur Ludwig, on dirait bien que moi, en revanche, j'ai retrouvé le mien.

Nouveauté. Lukas vient me voir régulièrement. Dès qu'il en a la possibilité. Souvent l'après-midi, pendant l'heure qui est réservée à l'entretien de nos affaires personnelles. La première fois, c'était deux jours après son aveu. Alors que je m'attendais à ce qu'il me batte froid comme d'habitude, il a débarqué dans mon dortoir. J'étais aux lavabos, en train de laver mes maillots de corps.

– Salut, Tête de Mort ! Alors, on fait sa petite lessive ? Comme c'est mignon ! Tiens, tant que tu y es, lave-moi ça !

Il a jeté à mes pieds son sac de linge sale, s'est allongé sur mon lit et, parfaitement décontracté, s'est mis à feuilleter une revue.

Mon sang n'a fait qu'un tour. Je lui ai balancé en pleine figure le maillot tout mouillé que j'avais entre les mains. Il a aussitôt riposté en se déchaussant pour me jeter au visage une de ses bottes pleines de boue. J'ai répliqué à nouveau, m'armant de l'ensemble du linge qui trempait dans le lavabo. Il m'a alors lancé sa deuxième botte, puis son ceinturon, son pantalon. De mon côté, j'ai sorti l'artillerie lourde. Je suis allé chercher au fond de mon armoire mes caleçons les plus sales, ceux qui dataient de l'époque où je n'arrivais pas à m'habituer au RIF et qu'il m'était impossible de laver avec l'ersatz de lessive qu'on nous donne à l'école. J'ai bombardé Lukas avec ces armes redoutables. Ç'a été comme un signal de départ. Les autres, qui jusque-là s'étaient contentés de nous regarder, se sont mis de la partie pour alimenter une gigantesque bataille de linge sale. Ça valsait dans toute la pièce! (J'ai ainsi remarqué que je n'étais pas le seul à camoufler une partie de mon linge sale. J'ai vu des caleçons tellement imprégnés d'urine sèche qu'ils étaient aussi raides que du carton. D'autres exhibaient des traces bien significatives. Quand ils faisaient mouche sur une cible, ceux-là, c'était particulièrement savoureux. La victime se précipitait en hurlant vers les lavabos pour s'asperger d'eau.) Lorsque le linge sale a été épuisé, on s'est rabattus sur les draps et les oreillers. Quelle partie de rigolade! Ça faisait du bien de se défouler, de bafouer aux pieds les règles élémentaires de discipline en saccageant ce putain de dortoir, en le salissant, en y fichant une pagaille du diable!

Alerté par le chahut, le chef de section a rappliqué sans tarder. Il a failli avoir une crise d'apoplexie en découvrant le capharnaüm. Le sol trempé d'eau, maculé de boue, les lits défaits, les oreillers éventrés et vidés de leurs plumes, les culottes pleines de merde sèche qui jonchaient le sol. Il a aussitôt brandi la menace d'une punition collective pour dégradation des locaux. Mais Lukas – qui, entre-temps, s'était complètement déshabillé – s'est planté devant lui et l'a toisé du haut de son mètre soixante-quinze. L'autre mauviette, qui lui arrivait à peine au niveau de la poitrine, a tout de suite compris qu'il avait intérêt à garder l'incident secret et à oublier sa menace de punition. Il a baissé les yeux en guise de soumission. Ses yeux qui se sont alors posés sur le zizi de Lukas – non circoncis, est-il besoin de le rappeler ? – et les deux grosses couilles qui l'encadraient. Rouge comme une pivoine, il a tourné les talons et s'est éclipsé sans demander son reste.

Lukas vient aussi me voir au réfectoire, à la fin du déjeuner. On fait quelques pas ensemble dehors avant la reprise des activités de l'après-midi. On s'éloigne suffisamment pour qu'il puisse fumer une cigarette. (Les *Jungmannen* fument en cachette, le tabac fait partie des produits qui s'échangent le plus au marché noir.) Il me propose de temps en temps de tirer une taffe. La première fois, j'ai cru qu'une grenade avait explosé dans ma poitrine. Et puis, petit à petit, je m'y habitue. J'aime bien, je trouve que fumer, ça me donne l'air d'un *Jungmann*. Mais je préfère quand même la confiture que Lukas me donne de temps en temps. De la vraie, pas l'immonde purée de betteraves qu'on nous distribue ces temps-ci. Parfois, Lukas trouve même du chocolat. Il arrive à se procurer tout un tas de denrées qui manquent. J'apprécie, parce que les repas ne sont plus ce qu'ils étaient à la *Napola* et j'ai souvent le ventre qui gargouille en quittant le réfectoire.

On se voit aussi à la ferme, dans le cadre de la « pratique des travaux agricoles ». Les élèves doivent de plus en plus mettre la main à la pâte pour préserver les provisions que la ferme nous fournit. Nous devons soigner les derniers animaux qui nous restent. Lukas n'a pas son pareil pour attraper un poulet. Il a beau me montrer sa technique, je ne suis pas aussi habile que lui. Ces sales bestioles sont si rapides quand elles sentent le danger! Elles me filent entre les doigts et je me retrouve à plat ventre, le nez dans leurs fientes.

— T'as qu'à t'imaginer que ce sont des Juifs, m'a dit un jour Lukas, un sourire crispé sur les lèvres. Sauf que, a-t-il ajouté peu après à voix basse pour ne pas être entendu des autres, les poulets, eux au moins, ils se débattent, ils ne se laissent pas mener à l'abattoir sans se défendre.

Le dernier poulet survivant à la ferme, Lukas l'a laissé échapper. Je ne l'en ai pas empêché, parce que je savais qu'il ne finirait pas dans nos assiettes, mais dans celles du *Heimführer* et de quelques professeurs.

— Je te nomme chef de la résistance juive, a proclamé Lukas sur un ton cérémonieux en lâchant le poulet derrière le mur d'enceinte de l'école.

Avant, il lui avait fabriqué une petite poche contenant des graines qu'il avait fixée à son cou avec une ficelle, pour lui laisser de quoi subsister.

Nous devons aussi traire les vaches. Ce qui est de plus en plus difficile. Trop maigres, pas assez nourries, elles ne pissent qu'un filet de lait.

— Tu sais quoi? J'en ai marre! Je tâterais bien autre chose que le pis de ces putains de vaches!

Ni une ni deux, Lukas est allé au fond de l'étable et s'est déculotté. Il me tournait le dos, mais je voyais le mouvement de sa main droite qui n'arrêtait pas de faire des mouvements de va-et-vient à toute vitesse tandis qu'il poussait des «Oh!» «Ah!» «Ouh!». J'ai compris qu'il se caressait le zizi. Il se *masturbait*.

— Mais c'est interdit ! je lui ai dit, outré. Ça te suffit pas d'être juif et meurtrier ? Tu veux que, en plus de l'étoile jaune et du triangle vert, on te colle un triangle rose ? T'as l'intention de collectionner toutes les figures géométriques ?

— Ferme-la, Tête de Mort ! Regarde plutôt et prends-en de la graine !

Il m'a montré comment il fallait faire. Pas évident... Mon zizi est trop petit. Des fois, ça marche un peu, j'arrive à le frotter contre le tissu de mon pantalon et ça me fait tout drôle, comme une chaleur qui se répand dans mon bas-ventre. C'est assez chouette, mais trop rare. Je trouve que c'est plus facile de fumer.

Lukas m'emmène aussi parfois à l'atelier de menuiserie. On ne se parle pas beaucoup, pas librement en tout cas, parce qu'on y est rarement seuls, la menuiserie étant plus prisée que les travaux agricoles. Lukas fabrique avec beaucoup de soin un objet en bois, une sorte de statuette. Il m'a dit que c'était un jouet. Pour moi. Il me le donnera quand il sera fini. J'ai hâte de l'avoir.

Tout ça n'empêche pas qu'on se foute régulièrement sur la gueule tous les deux. Lukas – c'est dans son tempérament – ne peut s'empêcher de souffler le chaud et le froid en même temps.

— Fils de pute de Boche !

Ça le prend tout à coup, comme une envie de pisser par la bouche.

— Sale Juif !

— Nazi !

— Chien de Polack !

– Rejeton du Reich !

– Sous-race !

– Bâtard !

– Parasite !

– Tes parents ont baisé dans les usines nazies de fornication !

– Les tiens baiseront plus jamais !

Ça ne me dérange pas qu'on s'engueule, qu'on s'insulte. Je crois que c'est normal entre frères, on s'aime et en même temps on se déteste au point qu'on a parfois envie de se tuer. En revanche, ce que j'ai beaucoup de mal à supporter, c'est quand, au moment où je m'y attends le moins, de manière perverse, Lukas vient distiller en moi, une à une, des gouttes supplémentaires de sa «potion maléfique».

Le cinéma est un outil pédagogique très important à la *Napola*. On nous projette beaucoup de films, au moins un par semaine. Au début, il s'agissait surtout de films montrant les grandes manifestations organisées par le Reich. Les chants, les mouvements de foule, les discours publics de notre Führer. Magnifique ! Maintenant, la guerre occupe de plus en plus les écrans. C'est tout aussi magnifique. Nous sommes ainsi tenus au courant des nouvelles armes développées par la technologie du Reich. On nous fait la démonstration, par exemple, d'un Panzer V ou d'un Tiger. Le commentateur – il a une belle voix, grave, chaude, une diction parfaite – précise que le panzer est le char le plus redouté par les Alliés, qui ne lui opposent que leur pauvre Sherman, bien faible en comparaison. Les Alliés reconnaissent eux-mêmes que trois de leurs blindés sont détruits avant qu'un panzer puisse être doublé.

Le commentateur évoque également les performances des Goliath. De vrais bijoux! Il s'agit de minuscules automitrailleuses bourrées de dynamite, téléguidées pour pénétrer dans des bunkers et y exploser.

Nous applaudissons à tout rompre dans la salle. Et c'est à ce moment-là que Lukas en profite pour chasser l'élève assis à côté de moi et prendre sa place. Il applaudit, comme les autres. Il sourit, comme les autres. Mais en même temps, en imitant la voix du commentateur à laquelle il ajoute un accent polonais très prononcé, il me souffle à l'oreille des insanités. Le Panzer V n'a été conçu qu'en réplique au redoutable char russe, le T-434, qui fait des ravages. Il me décrit les avions bimoteurs blindés russes qui, la nuit, volent silencieusement à basse altitude dans le ciel de Leningrad et détruisent les convois allemands. Ils ont été surnommés les «Ivan d'acier».

– Ferme ta gueule! Tu dis que des conneries!

Je le repousse d'un coup de coude et j'essaie de me concentrer sur l'écran qui nous relate quelques épisodes du siège de Moscou et de Leningrad. Certes, nos soldats souffrent du froid, ils sont maigres, épuisés, mais ils sourient à la caméra, ils ont l'air confiants. Le commentateur nous parle ensuite de la situation en Afrique du Nord, où l'Afrikakorps de Rommel est bien implanté. L'Afrique du Nord, ça nous paraît si loin! Et pourtant, cette région est désormais acquise comme faisant partie du Reich. L'Europe occupée n'est que de l'histoire ancienne... Quant à l'attaque de Pearl Harbor par les Japonais, si, hélas, nous n'en avons pas d'images, le professeur en charge de la séance nous la décrit avec force détails, plusieurs fois par semaine. Il faut dire qu'ils ont eu un sacré courage, ces Japonais, avec leurs avions kamikazes ! Ça suscite un tel enthousiasme dans la salle – les *Jungmannen* les plus âgés se lèvent, comme prêts à monter sur l'heure dans un de ces avions suicides – que le professeur est obligé de s'interrompre et a du mal à ramener le calme.

Une fois le silence revenu dans la salle, Lukas reprend lui aussi l'offensive.

– Ce sont des montages, me murmure-t-il à l'oreille. Rien que de la propagande bidon ! Ces films sont trafiqués, plus du tout d'actualité. L'Afrikakorps est pris en tenaille entre les Britanniques à l'ouest et les Franco-Américains à l'est. Depuis l'entrée en guerre des Américains, de nouveaux moyens techniques se sont développés, décryptage des communications ennemies, radars, sonars, les sous-marins allemands sont détruits en masse. Les Boches ont capitulé à Stalingrad. Il y a eu quatre-vingt onze mille prisonniers. Toi et tes potes, vous pouvez trembler, parce que l'Armée rouge progresse à grands pas. Elle est entrée à Kiev, elle a libéré Leningrad, elle arrive aux portes de Varsovie. Les Ivan[1] approchent, Tête de Mort ! Les Ivan se mettront bientôt en marche sur Berlin. Ça va chauffer, crois-moi !

Faux. Mensonges. Conneries. D'où peut-il bien

_____

1. Surnom donné par les Allemands aux soldats russes.

tenir ces informations ? Des poulets qu'il a plumés à la ferme ? Il a écouté radio-pis-de-vache ?

Rien ne vérifie ce que Lukas affirme. Rien. Ou si peu... D'accord, la nourriture est de plus en plus rationnée. D'accord, de nombreux professeurs partent au front sans être remplacés. D'accord, les *Jungmannen* de seize ans suivent un entraînement intensif en vue d'une mobilisation exceptionnelle. Mais à part ces quelques accrocs, la vie poursuit son cours à la *Napola*. Et à l'extérieur, ça doit sûrement être pareil... Sûrement.

Le Reich est invincible. INVINCIBLE !

N'en pouvant plus d'entendre les insanités dont Lukas m'abreuve, je bondis de mon siège comme un ressort, et je dérange tout le monde en essayant de trouver une autre place. Le professeur me repère. Furibond, il me rejoint, me saisit par l'oreille et me force à quitter la salle, tout en énonçant à haute voix les faits qui me sont reprochés. Manque de concentration. Insubordination (parce que j'essaie vainement de protester). Trouble pendant une importante séance de formation.

Je suis mis en consigne pendant dix jours.

Plus de papotages à la ferme ou à la menuiserie. Fini les cigarettes, la confiture, le chocolat et les frottements du zizi. Je suis exclu de toutes les cérémonies officielles. (M'en fiche ! Il n'y en a presque plus depuis un certain temps.) Je mange seul, je fais mes exercices seul, je dors seul, mon lit est déplacé à l'autre bout du dortoir.

Malgré cela, un soir, je trouve quelque chose sous mon oreiller. La statuette. Le jouet que Lukas

341

fabriquait pour moi. Il l'a fini et s'est débrouillé pour me le faire passer. Ça me met un peu de baume au cœur, d'autant que la statuette est très bien faite. Il s'agit d'un Führer miniature. Le bois est incroyablement bien ciselé, faisant apparaître des détails minuscules, tels que la moustache, la mèche sur le côté, l'ornement du ceinturon. Je remarque qu'un bout de fil, orné d'une petite bille de métal, dépasse de l'articulation de la main droite. Je tire dessus et la statuette s'actionne comme une marionnette. Le bras droit se lève, le buste du Führer se penche à quatre-vingts degrés, ce qui fait ressortir ses fesses et...

Le bruit résonne dans le silence du dortoir. Déclenchant l'hilarité générale. Je tire le drap sur ma tête, tant j'ai honte.

Le bruit, c'est un pet.

Je m'empresse de cacher la statuette sous mon matelas, avant que le chef de section ne débarque.

Salopard de Lukas.

Quand ma mise en consigne se termine, je file dans le bâtiment de l'*Oberschule* pour lui rendre son prétendu cadeau. Mais on me refoule à l'entrée. Interdiction formelle de pénétrer dans les lieux.

Il y a eu un drame, un terrible drame, me dit-on.

Herman est mort.

26

Et de deux.

La troisième victime – ce sera qui? – peut commencer à trembler.

Herman est mort pendant un «entraînement
à la grenade».

L'exercice, assez courant, est le suivant: les
Jungmannen doivent poser une grenade sur leur
casque, la régler sur trois secondes et la faire
exploser. Quand l'exercice est réussi, le *Jungmann* parvient à rester parfaitement immobile,
sans bouger d'un pouce, sans trembler, peut-être
même sans penser – une idée pourrait le faire
tressaillir. La grenade reste bien en équilibre
sur son casque, où elle explose. Pas de dégâts.
L'apprenti soldat s'en sort indemne. Il est groggy,
certes, sonné à cause du bruit de la déflagration
et de l'énorme trouille qu'il a éprouvée pendant
ces trois secondes, aussi longues qu'une éternité.
Mais il est entier.

Quand l'exercice est raté, la grenade tombe
– elle n'a pas été posée au bon endroit sur le
casque, le *Jungmann* a bougé, même légèrement,
une brusque envie d'éternuer, de tousser, un coup
de vent – et elle explose à ses pieds. L'élève a une

moitié de jambe arrachée, ou la jambe entière, ou les deux, mais il est vivant et aussitôt transporté à l'hôpital. La *Napola* paie ses soins et lui versera une pension à vie en guise de dédommagement.

Pour Herman, ç'a été plus qu'un ratage, ç'a été un carnage. Une boucherie. La grenade est tombée sur son épaule, si bien que l'explosion lui a réduit la tête en bouillie.

Exactement comme Gunter.

La signature de ce deuxième meurtre est éloquente.

Du moins pour moi, qui sais que premier meurtre il y a eu. Et que l'auteur en est Lukas. Cette fois, je n'ai pas besoin de ses explications pour deviner ce qui s'est passé. Herman n'a pas tremblé, Herman n'a pas éternué, sinon il n'aurait eu que les jambes emportées. *Lukas voulait qu'il y passe. Lukas voulait le décapiter.* Pour cela, il a fait en sorte que la grenade tombe à un endroit bien précis : l'épaule. Il a suffi d'une imperceptible bosse sur le casque de sa victime. Lukas a certainement trafiqué le casque de Herman pendant que celui-ci dormait. Ou bien, avançant un prétexte quelconque, il a fait un échange avec le sien au dernier moment.

Je pense avoir deviné juste, cependant, je n'aurai jamais confirmation de ce que je viens d'avancer.

Au réfectoire ce jour-là, Lukas est absent. Aucune trace de lui non plus à la ferme ou à l'atelier de menuiserie pendant l'après-midi. Aurait-il été démasqué sans que la nouvelle de son arrestation ne soit encore divulguée ?...

Je l'imagine déjà interrogé par le *Heimführer*, puis jugé, déclaré coupable, pendu à un croc de boucher et exposé, sanguinolent, au regard de tous dans la cour, à titre d'exemple. Au dîner, il n'apparaît pas davantage. N'y tenant plus, je finis par demander de ses nouvelles à un élève de sa classe. J'apprends alors que, avec quelques autres de ses camarades, Lukas est parti en stage pour plusieurs mois.

Ouf!

Durant leur formation à la *Napola*, les *Jung-mannen* effectuent régulièrement des stages à l'extérieur de l'école. Divers programmes sont établis : voyages d'études à l'étranger, par exemple au sein d'une *Napola* créée dans un pays occupé d'Europe. Séjours dans des familles allemandes, en ville ou en milieu rural, pour donner un coup de main en l'absence des hommes et empêcher que les propos et attitudes défaitistes ne se propagent. Service à la campagne pour effectuer la récolte de pommes de terre. Lukas, lui, a été envoyé en stage «Actions spéciales». Il s'agit de surveiller les prisonniers de guerre dans les usines (avant, c'était dans les usines de montage des Volkswagen ; maintenant, c'est dans les usines de fabrication d'armes et de munitions). Des travailleurs venus de France, Belgique, Pays-Bas, ou encore des Russes, ces derniers ayant la plus mauvaise réputation. Il faut contrôler leur rythme de travail et les empêcher de voler.

Je suis doublement soulagé. Lukas n'a pas été démasqué et pendant les mois qui viennent, aucun élève ne perdra la tête – au sens propre.

Mais en attendant, moi, je perds la boule.

Il y a quelque chose qui cloche. Je sens que quelque chose se trame.

L'ambiance de la *Napola* a changé. Nous sommes moins nombreux chaque jour, professeurs et élèves confondus. Les professeurs absents ne sont pas remplacés, les élèves des classes terminales sont directement intégrés dans l'armée, sans examen de passage. Beaucoup d'autres, dans l'*Oberschule*, passent, par vagues successives, au niveau supérieur, comme si, soudain, ils étaient tous décrétés surdoués. Les matières enseignées le matin sont réduites au strict minimum. Plus de cours d'allemand, d'histoire, de maths, juste un cours de biologie de temps en temps. En revanche, l'entraînement physique s'intensifie. Il a lieu dès le milieu de la matinée, reprend l'après-midi et se prolonge en remplacement des devoirs surveillés. Il est harassant, nous n'avons plus le moindre droit à l'erreur, les marques de faiblesse sont sévèrement réprimandées, les instructeurs frisent l'hystérie.

Même chose avec le *Heimführer*, qui nous abreuve, à l'heure des repas, d'une double ration de discours au lieu des traditionnelles lectures. Sa voix, d'ordinaire bien posée, monte très souvent dans l'aigu. Visage congestionné, il transpire, fait de grands gestes théâtraux, balaie les rangs d'un regard inquiet, cherchant chez tel ou tel d'entre nous une attitude qui dénoncerait l'incrédulité. La *Volkssturm*[1] ! Il n'a que ce mot

_____

1. Nom donné à la milice populaire allemande levée en 1944, composée essentiellement de soldats très jeunes ou, au contraire, trop âgés.

à la bouche. La *Volkssturm* se lève. Une nouvelle armée est en marche. Rien ne l'arrêtera, elle assurera la victoire du Reich, tel le bouquet final d'un feu d'artifice. Nous, *Jungvolk*, en serons les principaux membres. Nous allons prendre les armes. Nous devons être prêts au grand sacrifice final pour le Führer.

Double ration de discours. Moitié moins de ration dans les assiettes. Alors que l'entraînement physique nous ouvre un appétit d'ogre. Les suppléments que me donnait Lukas me manquent cruellement.

Toujours absent, Lukas.

Pourtant, je crois entendre sa voix commenter celle du *Heimführer* et démentir ses propos. La «potion maléfique» s'élimine bien moins vite que la nourriture dans mon organisme. Une voix intérieure – celle de Lukas ? La mienne ?... Je ne sais plus – me dit que si l'on manque de professeurs, c'est qu'ils sont tous au front. Si l'on mobilise des soldats de plus en plus jeunes, c'est que les adultes ont déclaré forfait. Ils sont morts ou prisonniers.

Des bruits courent. On dit que les instructeurs décident par moments de former des commandos avec des élèves non mobilisés. L'un d'eux serait récemment parti en mission, composé de cinq jeunes, dont un âgé de treize ans. Deux seulement sont revenus sur les cinq. Grièvement blessés. Le jeune de treize ans a eu la moitié du visage arrachée. D'autres rumeurs disent que, dans l'ensemble du pays, chaque école se replie dans une autre école au fur et à mesure que l'adversaire avance – les Russes principalement.

Mais nous, nous n'avons pas d'endroit de repli. Potsdam est trop proche de Berlin.

Difficile de démêler le vrai du faux dans tout ça. Difficile de savoir s'il faut avoir peur de mourir ou se réjouir de combattre. Ou avoir peur de combattre en se réjouissant de mourir.

L'avantage de ces changements, c'est que la surveillance se relâche, surtout le soir dans les dortoirs. Nous n'avons plus notre chef de section sur le dos. Et quand bien même il serait là, il n'aurait plus grand-chose à surveiller. La plupart de mes camarades sont si épuisés qu'ils s'endorment avant même de se mettre au lit. Ils se couchent avant l'heure, rognant sur le moment de détente accordé avant l'extinction des feux. Il y a un silence de mort dans le dortoir. On se demande parfois si, à l'aube, la sonnerie ne retentira pas dans le vide, impuissante à réveiller des cadavres.

Quant à moi, la fatigue me met les nerfs à vif et j'ai du mal à trouver le sommeil. N'ayant plus à me méfier du voisinage, je peux «jouer» autant que je veux.

J'ai toujours le cadeau de Lukas sous mon oreiller. Le Führer-péteur. (Je ne l'ai pas jeté, je ne le ferai qu'après avoir soutiré à Lukas le secret de sa fabrication, notamment le bruit du pet. Quel en est le mécanisme?) Finalement, je l'aime bien. Je joue avec tous les soirs. Je lui parle. Je lui demande:

— Est-ce que par hasard tu te serais trompé? Est-ce que tu nous aurais menti? Est-ce que tous tes beaux discours, ce n'était que du vent? Comme tes pets?... Allez, répond! Mais répond donc, connard!

Il reste muet et ça m'énerve, alors je lui flanque des claques. Je tire sur son bras pour me venger de son silence. Et il pète, il pète. Et ça me fait rigoler. Je ris tellement que je finis par pleurer. Après, j'ai honte. Je suis pris de remords. J'ai insulté notre Führer! Sacrilège! J'ai mis sa parole en doute! *Verboten!* Pour me racheter de mon attitude odieuse, je fais mon autocritique. J'ai subi une influence négative. Mais je m'en suis détaché et je crois toujours en la victoire. Je crois en l'invincibilité du Reich. Mon attitude mérite une punition. Comme il n'y a personne pour me punir, je le fais moi-même. Je prends mon poignard d'honneur et, de la pointe, je me fais des entailles sur les mains, sur les bras. Ça fait mal. Ça fait du bien. Et je finis par m'endormir, le nez sur le cul du Führer.

Je fais ça tous les soirs. Je résiste mieux que le jouet. Même si j'ai de plus en plus de plaies, elles ne sont pas profondes et cicatrisent bien, alors que le Führer, à force d'être manipulé, non seulement ne pète plus, mais finit en pièces détachées.

Je le flanque à la poubelle.

27

Je croyais qu'il rentrerait en pleine forme. Qu'il s'empresserait, dès son retour, de me confirmer les mauvaises nouvelles venant de l'extérieur – mauvaises pour moi, bonnes pour lui – l'avance des Alliés, le spectre d'une défaite du Reich. J'avais d'ailleurs préparé mes ripostes, alléguant la puissance de la nouvelle armée constituée par la *Volkssturm*.

J'étais sûr qu'en rentrant, il ferait exploser les têtes de tous les élèves de sa classe. Qu'il ne chercherait même plus à préméditer des crimes parfaits comme les deux précédents, qu'il profiterait du climat de laisser-aller de la *Napola* pour frapper dans le tas.

Pas du tout.

Il revient métamorphosé de ces six mois de stage. C'est un autre Lukas que j'ai peine à reconnaître. Amaigri, pâle, les épaules voûtées, l'air perdu et hagard, il ressemble au Lucjan de Kalisch. Non, même pas! Le Lucjan de Kalisch était plein d'arrogance. Le Lucjan de Kalisch avait un regard de guerrier.

Je le rejoins aussi souvent que possible, sans parvenir à nouer le moindre contact avec lui.

– Lukas, ça va?

Silence radio.

– Ils étaient comment, les travailleurs russes? Qu'est-ce que t'as fait à l'usine?

– ...

– T'as rapporté du chocolat? De la confiture? Des saucisses? Qu'est-ce que je donnerais pour une saucisse!

– ...

– Dis, c'est vrai que ça barde dehors? Ici, c'est plutôt la merde.

– ...

– Mais qu'est-ce que t'as à la fin???

Excédé par son mutisme, je me plante devant lui. Contre lui. Nez à nez. Son regard passe au-dessus de mon crâne, comme celui d'un aveugle. Je le tire par la manche, je le secoue, je lui mets une claque; il réagit autant qu'un pantin. Je l'insulte, je le traite de tous les noms; ça ne provoque pas un battement de cils. Il reste là, immobile, amorphe, à fixer un point au loin, un fantôme qu'il serait seul à voir et avec lequel il tenterait d'entrer en contact.

Au réfectoire, pendant le discours du *Heimführer* sur la *Volkssturm*, je vérifie qu'il a du mal à tenir debout, c'est un camarade qui le soutient, qui l'aide à observer le garde-à-vous, sans quoi il s'affalerait sur sa chaise. Ensuite, il ne mange rien, un voisin de table s'empresse de siffler le contenu de son assiette, sans qu'il proteste.

Je fonce le rejoindre en sortant du réfectoire, quand il fume. Ça au moins, ça n'a pas changé. Enfin si, il fume beaucoup plus qu'avant. Il allume une cigarette après l'autre. Avec un étrange

cérémonial. Il tire longuement sur chaque bouffée pour extraire un maximum de fumée, puis il
suit du regard les volutes qui s'échappent en l'air.
Il esquisse alors quelques pas, d'une démarche
peu assurée, comme s'il voulait suivre le chemin
tracé par la colonne de fumée. Il fait des gestes
insensés, tend le bras, referme le poing pour
attraper la fumée, ouvre la main et regarde sa
paume, vide... Ce n'est pas tout. Au lieu de jeter
ses cendres par terre, il les récolte méticuleuse-
ment dans une petite boîte en bois. (Il a dû la
fabriquer lui-même. De forme oblongue, elle a un
couvercle coulissant qui lui assure une fermeture
hermétique. Elle ressemble à un cercueil miniature.) Une fois qu'il a fumé une bonne dizaine
de cigarettes et que la boîte en bois est pleine de
cendres, Lukas la referme, se met à genoux et
gratte la terre pour y creuser un trou. Il enterre
alors la boîte. Enfin, après s'être mis un mouchoir
sur la tête, il récite une étrange litanie dans une
langue incompréhensible, barbare. Je crois bien
que c'est de l'hébreu. Je crois bien que c'est une
prière.

Ma parole, il est devenu complètement fou !

Si jamais j'essaie de l'arrêter, il retrouve
momentanément sa force et m'envoie valdinguer
par terre, sans pour autant prononcer une parole.
Alors je me borne à faire le guet pour que personne ne le surprenne.

Le lendemain, ça recommence. Un autre
paquet de clopes. Une autre boîte en bois qu'il
a fabriquée entre-temps. Une autre prière en
hébreu.

Il s'est sûrement passé quelque chose pendant

ce fichu stage. Peut-être n'était-ce pas un stage, mais une mission de commando? Lukas s'est retrouvé au cœur d'un violent combat? Une grenade, pire, une bombe a explosé près de lui? S'il a eu la chance de ne pas sauter, le choc l'aura traumatisé et rendu fou.

Il n'a plus de cerveau. Il est débile.

Je me renseigne auprès de ses camarades qui, eux, ne montrent pas le moindre signe de traumatisme. Ils démentent mes hypothèses. Ils ont réellement effectué un stage en usine. Certes, celui-ci a été écourté à cause des bombardements, mais l'usine n'a pas été touchée. Tout allait d'ailleurs très bien au début pour Lukas, qui s'était lié d'amitié avec le SS supervisant la surveillance des prisonniers. Ils étaient souvent ensemble, riant, plaisantant, puis tout à coup, c'est vrai, Lukas a changé. Ce doit être la mort de Herman, concluent ses camarades. Parfois, on ne réalise pleinement le décès d'un ami qu'avec un temps de retard. La mort de Herman est survenue juste avant le départ pour le stage, Lukas était étourdi. Ensuite, il en a pris pleinement conscience. Le pauvre! Ses deux meilleurs amis morts à quelques mois d'intervalle, c'est tout de même très dur!

Leurs explications ne tiennent pas la route une seconde. Ils se fourrent le doigt dans l'œil. À un point qu'ils ne peuvent imaginer.

Il s'est passé quelque chose.

Ce quelque chose, je l'apprends enfin, une nuit.

Une odeur de fumée me réveille. Je suis fatigué, j'ai sommeil, mes paupières ont du mal à

se décoller. Une fois que je parviens à entrou-
vrir les yeux, je constate qu'un dense nuage de
fumée m'entoure. Que se passe-t-il ? Un incendie
s'est déclaré ? Sans que j'entende l'alerte sonner ?
Est-ce que je suis réellement réveillé ou toujours
en train de dormir, de rêver d'incendie ?

Je ne rêve pas. L'odeur est réelle, elle s'insinue
à l'intérieur de mes narines et me fait tousser.
Au prix d'un effort douloureux, j'ouvre complètement les yeux et décolle ma tête de l'oreiller.
Je vois alors Lukas, assis sur mon lit. Penché au-
dessus de moi. Armé de sa boîte à cendres, il est
en train de fumer. Depuis un bon bout de temps
sans doute, car, en me redressant, j'aperçois trois
mégots par terre. Un rayon de lune filtre à travers
la fenêtre du dortoir et vient éclairer son visage,
accentuant sa pâleur à un point tel que sa tête
a l'air de flotter, seule, sans être attachée à son
corps. Je le distingue un peu mieux une fois que
mes yeux sont habitués à la pénombre. Non, sa
tête ne flotte pas en l'air, elle est bien attachée à
son corps. Un corps vêtu d'une espèce de pyjama
rayé qui n'a rien à voir avec le maillot et le caleçon
de rigueur, la nuit, dans les dortoirs de la *Napola*.
C'est... C'est un uniforme de prisonnier de camp
de concentration.

Je vérifie d'un rapide coup d'œil que personne
n'est réveillé.

– Ça va pas la tête de fumer ici ? Et puis qu'est-
ce que c'est que ce déguisement ? T'es malade ou
quoi ?

Je m'empresse de retirer la cigarette que Lukas
serre entre ses lèvres et de l'éteindre. Il ne proteste
pas, mais alors que je m'apprête à lui demander

des explications, il met un doigt sur ma bouche pour me forcer à me taire, tout en vérifiant, à son tour, que personne ne nous espionne.

Il va enfin parler. Ou écrire sur un bout de papier le secret qu'il a l'intention de me livrer, comme il l'a fait dans la salle d'étude après le meurtre de Gunter. (Il est venu me trouver ici, en pleine nuit, ça signifie que ce qu'il a à me dire est de la plus haute importance.) Pourtant, il ne bouge pas. J'attends sans le relancer, car, malgré son immobilité, il n'a plus le regard vide de ces derniers jours. Je devine qu'il a simplement du mal à parler, comme si les mots, trop durs, trop lourds, ne pouvaient franchir le seuil de ses lèvres. Va-t-il m'annoncer qu'il vient de tuer le *Heimführer* en personne ?

Au bout de quelques instants qui me paraissent durer une éternité, il rompt enfin son immobilité et brandit sous mon nez la boîte en bois contenant les cendres de ses cigarettes.

– C'est comme ça qu'ils finissent.

– Comme ça, quoi ? Qui finit ? De quoi tu parles ? Je comprends rien !

Je m'efforce de chuchoter mais j'ai l'impression de hurler, d'ameuter tout le dortoir.

– Les Juifs. C'est comme ça qu'ils finissent. Ils partent en fumée. Ils sont ensuite réduits en cendres.

– ...

À mon tour de demeurer privé de l'usage de ma langue. La réponse de Lukas paraît dépourvue de sens, pourtant, il l'a formulée avec son assurance et son élocution habituelles.

– C'est un programme qui s'appelle la « Solution finale », poursuit-il. Il a démarré en 1942, quand on était à Kalisch. Il a porté ses fruits, il est de plus en plus performant. Dans tous les camps de concentration, les Juifs venus de l'Europe entière sont entassés dans des chambres à gaz, puis leurs corps sont brûlés dans des fours crématoires. Ils meurent par dizaines de milliers.

– Non! Non! Impossible. On l'aurait su. Les profs de biologie nous en auraient parlé, ils...

Je ne vais pas au bout de ma phrase. En biologie, il a bien été question de «la nécessité d'exterminer le peuple juif», sans que les moyens de cette extermination soient précisés. On ne nous dit pas tout à la *Napola*, les événements des derniers mois me l'ont prouvé. Les informations qu'on nous transmet sont filtrées, déformées. Les démentis de Lukas avant son départ en stage, auxquels je ne voulais pas croire, se sont vérifiés... Si j'ai flanqué à la poubelle le Führer-péteur, c'est bien parce que j'ai senti que cette marionnette était le triste reflet de son modèle.

Tandis que je m'efforce de réfléchir, j'éprouve une sensation étrange. Une réaction physique. Comme des flashs dans mon cerveau. Comme des souvenirs sonores dans mes oreilles. Des voix, des conversations surprises à Kalisch, et bien avant, à Poznan, quand, dans la maison à moitié bombardée, j'entendais des bribes de conversation, la nuit, derrière la porte du docteur Ebner. Ces voix reviennent peu à peu. Faibles tout d'abord, elles gagnent en puissance et confirment les dires de Lukas. Le docteur Ebner et ses collègues énonçaient des chiffres, tant pour tel camp, tant pour tel autre, ils parlaient de «rendement à améliorer».

Lukas m'explique qu'il tient cette information sur la Solution finale du SS avec lequel il a fait semblant de se lier à l'usine. Ce SS avait auparavant travaillé à Treblinka. Il a tout vu. Il a lui-même conduit des centaines de Juifs vers les chambres à gaz. Le dernier jour de stage, il a donné à Lukas l'horrible pyjama. Cadeau. Souvenir...

Souvenir. Mon cerveau réagit à nouveau. Ce pyjama est atroce, rebutant, et pourtant il m'attire... Je cherche, je fouille dans mes souvenirs les plus lointains... Et finis par trouver. La putain-dissidente-qui-m'avait-enlevé-quand-j'étais-bébé. Cette histoire que Josefa m'a répétée et répétée est demeurée présente, quelque part dans une des cases de mon cerveau. La dissidente portait ce pyjama, j'étais dans ses bras, le nez contre le tissu rêche et sale qui me procurait chaleur et réconfort.

Je lève les yeux vers Lukas.

Il vient d'allumer une autre cigarette. Je ne trouve rien à dire pour protester. C'est d'ailleurs inutile. Il se lève et quitte le dortoir, laissant dans son sillage un nuage de fumée et un goût de cendres dans ma bouche.

28

C'est la merde.

Une merde noire pendant les semaines qui suivent.

Le ciel est de plus en plus menaçant. Je ne parle pas de menaces de pluie ou d'orage, mais de bombes. Des avions ennemis sillonnent le ciel de la *Napola*.

C'est nouveau. C'est perturbant. C'est traumatisant.

Ces avions tournent au-dessus de nos têtes comme des rapaces. Personne ne nous a laissé supposer que ce serait possible un jour.

La première fois que l'alerte a retenti, c'était en pleine nuit. Nous n'y avons pas pris garde. Nous avons cru à un exercice nocturne habituel, du type «alerte gaz». Les éducateurs lâchent du gaz lacrymogène sur les bâtiments. Dans l'obscurité totale et les vapeurs toxiques, nous devons revêtir nos uniformes et nous rassembler dans la cour de l'école. Là, inspection : si la tenue d'un élève est incomplète, il doit retourner à toute vitesse au dortoir et revenir se présenter. Ces exercices sont parmi les plus redoutés. J'ai vu nombre de mes tout jeunes camarades, à moitié asphyxiés, faire plusieurs fois le voyage parce qu'ils avaient oublié, qui son calot, qui son ceinturon, ou encore parce que leurs bottes n'étaient pas assez bien cirées. L'exercice, déjà éprouvant en lui-même, se terminait souvent par une marche nocturne ou une traversée de la rivière.

Cette nuit-là, lorsque l'alerte a sonné, peu d'entre nous se sont levés. Quant à ceux qui ont réussi à s'extraire de leur sommeil, ils se sont habillés à la va-vite sans revêtir leur uniforme complet. Quelle importance ? La plupart des instructeurs étant absents, on ne vérifierait pas nos tenues. Mais une fois dehors, nous avons vite compris que les ordres étaient hurlés sur un ton inhabituel. Un réel vent de panique soufflait sur l'école. Il ne s'agissait pas d'un exercice, mais d'un « danger aérien 15 », nous a-t-on annoncé, ce qui signifiait : « avion ennemi à quinze minutes ». Nous sommes remontés à toute vitesse chercher les paresseux qui, suite au bombardement, pourraient bien rester définitivement au fond de leur lit. Puis nous sommes descendus en catastrophe aux abris.

Lukas, lui, n'est pas descendu cette nuit-là.

Il ne descend pas davantage les nuits qui suivent. De fait, il ne quitte pas son lit. Allongé, mutique, il clope, clope à longueur de journée. Il ne réagit pas aux alertes, refuse de participer à l'entraînement. Il a été un si bon élément que la direction se montre indulgente envers lui. On attribue son « état dépressif » à la douleur causée par les décès de Gunter et Herman. Mais cette indulgence n'ira pas au-delà d'un certain seuil : la dépression est une maladie honteuse, intolérable pour un *Jungmann*. Surtout lorsque ce *Jungmann* est censé se perfectionner afin de rejoindre sans tarder les rangs de la *Volkssturm*.

Je suis désigné – on nous croit toujours frères – pour remettre Lukas sur le droit chemin. Je dispose d'un mois. L'ultimatum ressemble furieusement à celui qu'Ebner m'avait autrefois posé à Kalisch. Or je n'ai pas du tout envie de revivre l'épisode Kalisch. Et j'en ai assez que les rôles soient inversés. C'est Lukas le grand frère, et moi, le petit ! Il faudrait qu'il finisse par en prendre conscience !

Je me plie néanmoins aux ordres. Pas le choix, les autorités l'ignorent, mais je suis lié à Lukas bien plus que par ce prétendu lien fraternel.

Mon unique succès : Lukas consent à me donner sa tenue de prisonnier pour que je la fasse disparaître. En dehors de cela, mes efforts sont peu récompensés. Je veille à préserver sa ration de nourriture midi et soir de la voracité d'un voisin de table et je la lui monte dans le dortoir. Je le nourris à la petite cuiller, comme un bébé. Il n'en avale, au mieux, que le tiers. En revanche, il continue de fumer comme un pompier, comme s'il voulait se consumer, partir lui aussi en fumée. C'est d'ailleurs moi qui le fournis en cigarettes. Le *Heimführer* m'a avisé que mon compte d'épargne, approvisionné ces dernières années par le docteur Ebner, était clos, vu les circonstances. Si je le voulais, je pouvais disposer de la somme en liquide. J'ai dit oui. Je me retrouve avec plein de sous, mais je ne peux acheter ni chocolat, ni beurre, ni confiture au marché noir, on n'en trouve plus. L'intendant de la *Napola* – plaque tournante du marché noir – ne vend que des cigarettes. J'en donne la plus grosse partie à Lukas et je fume le reste, ça me coupe un peu l'appétit.

Seulement, à force de cloper, Lukas tousse, crache, pue. C'est répugnant. Qu'est-ce qu'il cherche ? Mourir à petit feu pour partager le sort des Juifs massacrés ?

J'essaie de le stimuler comme je peux. Je lui demande, alors qu'il est là, affalé sur son lit :

– Si on se caressait le zizi ? Comme avant que tu partes en stage ?

Pas de succès.

À court d'idées, je vais même jusqu'à le pousser au meurtre :

– Pourquoi tu continues pas à tuer des élèves ? C'est facile avec les alertes maintenant. Quand l'alerte danger aérien 15 retentit, tu en assommes un ou deux vite fait avant de descendre aux abris, et tu es sûr de ne pas manquer ton coup.

– *Nie dosc !*

« Pas assez ! »

Cette question-là, au moins, obtient une réponse, preuve qu'il n'est pas devenu totalement débile, qu'il a encore l'usage de l'ouïe et de la parole. Ah ! Oui ! Nouvelle lubie, il s'est remis à parler polonais. Il ne prononce plus un seul mot d'allemand.

Je réfléchis un moment, puis je lui demande :

– Pourquoi tu t'attaquerais pas à des profs ? Ce sont des cibles plus importantes ! Ça ferait autant de soldats en moins au front !

– *Nie dosc !*

Quoi que je lui propose, il ressasse cette rengaine. Entre deux prières en hébreu. Qu'est-ce
qu'il a l'air ridicule, quand il marmonne dans
cette langue de barbare, avec son mouchoir sur
la tête et sa clope au bec !

– Pourquoi tu pries ? Je croyais que t'étais pas
religieux !

– *Musze uczcic pamiec mojego ojca.*

« Je dois honorer la mémoire de mon père. »

– Et ta mère, elle était pas religieuse, ta mère !
Qu'est-ce qu'elle dirait si elle te voyait mettre ta
vie en danger à cause d'une prière ?

– *Moja matkaznikla.*

« Ma mère est partie en fumée. »

– T'en sais rien ! Peut-être qu'elle vit encore ?

Une infime lueur d'espoir allume ses yeux. Il
arrête momentanément de tirer sur son mégot,
puis secoue la tête.

– *Nie. Nie ma zadnej szansy.*

« Non. Aucune chance. »

Après ça, le dialogue est terminé.

Heureusement que ses camarades ne lui
adressent plus la parole. Pour eux qui attendent
de pied ferme le combat avec les soldats russes,
il est devenu infréquentable. Ni plus ni moins
qu'une loque, un déchet.

L'un d'eux me dit un jour :

– Tu veux l'aider ? Suggère-lui de se suicider.
C'est le seul moyen pour lui de s'en tirer encore
avec un peu d'honneur.

Merci du conseil.

De toute façon, le suicide, c'est bien ce que
cherche Lukas en restant dans son lit pendant

les attaques aériennes. Un beau matin, je vais le retrouver en cendres, brûlé dans l'incendie causé par une de ses maudites cigarettes. Ou bien réduit en bouillie sur son matelas, après un bombardement.

Ça sent mauvais. Ça sent rudement mauvais.

29

Les choses ne se passent jamais comme prévu dans la vie, et c'est horripilant, car l'effet de surprise vous fait perdre tous vos moyens. Je déteste ça. Je déteste que les événements ne suivent pas un ordre logique, préétabli! Je déteste qu'ils soient soumis à une suite d'accidents imprévisibles.

Les trois accidents les plus importants qui ont bouleversé ma vie jusqu'à présent:

Lukas, juif.

L'affection que je lui porte MALGRÉ CELA.

La défaite du Reich qui se profile.

Ce dernier étant de loin le plus aberrant, le plus inimaginable, le plus imprévisible des événements! Je n'arrive toujours pas à m'y résoudre.

Et pourtant...

Des bruits courent comme quoi les Anglo-Saxons auraient débarqué le mois dernier en Normandie, que dans peu de temps la France et la Belgique seront libérées. D'autres disent que les Soviétiques seraient déjà en Allemagne. La direction n'a pas confirmé ces rumeurs. Du moins pas en paroles, cependant, les décisions prises récemment parlent d'elles-mêmes.

La *Napola* subit encore de nombreux changements, perdant peu à peu tout ce qui faisait son
essence. Il souffle sur l'école un vent de désertion.

Pour les *Jungvolk*, cette désertion est autorisée.
La plupart d'entre eux sont renvoyés dans leur
foyer. Définitivement. Un départ en masse a déjà
été organisé il y a plusieurs semaines, au moment
où l'on n'avait pas encore la certitude qu'à l'extérieur, ça bardait aussi sérieusement. Les parents
– ceux qui étaient encore en vie, qui avaient un
toit quelque part à la campagne, en dehors des
villes assiégées par l'ennemi, et qui avaient les
moyens de se déplacer – sont venus chercher
leurs fils. À présent, les enfants qui n'ont pas eu
de nouvelles de leur famille sont rassemblés par
groupes de la même région et doivent rentrer chez
eux par leurs propres moyens, sous la direction
d'un chef de section muni d'un ordre de mission
réglementaire.

Pour les plus débrouillards, ce retour à l'expé-
diteur *via* le système D a eu l'air de fonctionner.
(Bien que rien ne nous affirme qu'ils soient arrivés
à bon port. Ils ont peut-être sauté, en route, sur
un champ de mines, péri dans un bombardement
ou sous les balles des fusils ennemis.) En tout cas,
ils ne sont pas revenus, à l'inverse de certains, les
plus cruches. Tels des chiens abandonnés par leur
maître sur un sentier perdu qui retrouvent malgré
tout le chemin de la maison, on les a vus, deux ou
trois jours après leur départ, franchir les portes
de l'école. Ils étaient en piteux état, affamés et
loqueteux. Ils ont raconté en pleurnichant que,
lorsqu'ils ont montré leur ordre de mission en
guise de laissez-passer pour prendre le train, le

chef de gare les a renvoyés en leur conseillant de « se torcher le cul avec ». La direction leur a laissé quelques jours de repos, puis les a de nouveau expédiés en dehors des murs.

Manfred fait partie d'un groupe qui doit partir aujourd'hui. Valisette en main, il se dirige vers moi pour me dire au revoir. Je m'empresse de lui tendre la main, coupant court à son intention de m'embrasser. (Non, mais ! quel pédé, celui-là !)

— Pourquoi tu veux pas partir avec nous ? me demande-t-il d'un ton larmoyant.

Je suis pupille de la nation. Je n'ai pas de parents, pas de foyer. Je n'ai nulle part où aller. C'est pourquoi je suis le seul, parmi les *Jungvolk*, à avoir l'autorisation de rester à l'école. Toutefois, libre à moi de partir, si je le décide. Manfred le sait et tente de me convaincre en touchant, croit-il, une corde sensible. (Il se fourre le doigt dans l'œil.)

— Qu'est-ce que tu vas faire ? Rester tout seul avec les grands ? Quel intérêt ?

— Je ne suis pas seul, j'ai mon frère !

— Ton frère est malade, il ne pourra pas te protéger quand les Russes arriveront.

— Qui te dit que j'ai besoin d'être protégé, espèce de merdeux ? Qui te dit que mon frère est malade ? Qui te dit que les Russes vont arriver ? D'où tu tiens toutes ces conneries, hein ?

Comme je lui ai hurlé dessus, Manfred baisse la tête et ne réplique rien.

— Moi, j'ai... J'ai besoin d'être protégé, me dit-il au bout d'un moment.

Il lève sur moi des yeux mouillés de larmes. Il bat des cils comme une fille.

366

– Avec toi, je me sentirais plus à l'abri qu'avec Erwin. Je suis sûr qu'arrivé à la gare il va nous abandonner.

Là, il n'a pas tort. Erwin est le chef de section attribué au groupe de Manfred. C'est un crétin fini. Il n'est pas du tout fiable.

– Mais non, mais non, t'en fais pas, tout ira bien.

Il faut bien que je l'encourage, ce pauvre Manfred. Il me fait pitié. On dirait qu'il va faire dans son pantalon, tellement il a la trouille. Il ne s'est jamais senti dans son élément à la *Napola*. Je l'ai souvent entendu appeler «maman» la nuit, dans le dortoir, et maintenant... Maintenant, comment lui dire qu'il y a de fortes chances pour que «maman» – et «papa» aussi – soient morts. Évident! Sinon, ils seraient venus le chercher quand il était encore temps. Mais je ne me résous pas à lui casser le moral. Alors je m'approche et lui donne une petite tape amicale dans le dos.

– Ça va aller, t'inquiète!

Je m'efforce de lui sourire, je fais tout ce qui est en mon pouvoir pour le rassurer, pour que nous nous quittions en bons termes. Je suis vraiment de bonne foi. Seulement, ne voilà-t-il pas que cette andouille met les pieds dans le plat et dit exactement ce qu'il ne fallait pas dire!

– Tu sais, mes parents sont très gentils. Je suis fils unique et, de ton côté, tu es orphelin. Je suis sûr que papa et maman voudront bien t'adopter, comme ça, on sera frères et on vivra ensemble une fois que la guerre sera finie.

Orphelin. Adoption.

Ces mots me donnent la chair de poule. Surtout le deuxième. Il me glace le sang. Il me hérisse le poil. Il me rend fou. Je ne veux pas être adopté. *Je ne l'ai jamais voulu, même quand j'étais bébé!* Alors je fiche mon poing dans la gueule de Manfred. Et je l'assortis d'un coup de pied au cul au cas où le message ne serait pas passé.

– Tes parents ont crevé! Casse-toi!

Maintenant que les vagues successives de départ des *Jungvolk* sont terminées, je me retrouve seul dans mon dortoir. On m'a proposé d'en intégrer un autre – celui d'une section supérieure – mais je ne veux pas. J'aurais l'impression de déserter. Au moins, là, je peux faire jouer mon imagination, le soir avant de m'endormir. Je suis un héros! Je suis l'unique combattant resté sur le champ de bataille. Je suis aussi déterminé que les *Jungmannen* qui peuplent désormais la *Napola*. Ce sont les plus fanatiques, les plus ardents, les plus dévoués au Reich. Ceux qui ont renié leurs parents depuis longtemps. Le *Heimführer* et les instructeurs comptent sur eux pour défendre l'école, lorsque les Soviétiques arriveront à nos portes. Eh bien, malgré mon jeune âge, ils peuvent compter sur moi aussi!

Mais j'ai beau essayer de me motiver, ça ne marche pas vraiment. Il y a comme un ressort cassé en moi. Le dortoir est sinistre. Le silence est sinistre. J'en arrive presque à souhaiter une alerte aérienne, chaque nuit, pour briser l'insupportable chape de plomb qui m'étouffe. En plus, ce mois de juillet est particulièrement torride.

Je baigne dans ma sueur et ma torpeur.

20 juillet 1944.

Je sais la date parce que je me force à la dire à haute voix, chaque matin au réveil, pour garder au moins un repère. (Fini le temps où un élève inscrivait la date au tableau en classe. Plus d'élèves, plus de classe, plus rien.)

Il est 18 h 30 et la chaleur n'a pas décliné. Je me traîne dans le dortoir. Autrefois, la fin de l'après-midi était réservée aux devoirs surveillés. Je m'en plaignais à l'époque, maintenant je trouve insupportable de ne plus en avoir. J'erre entre les lits vides en parlant tout seul comme un vieux, histoire de rompre le silence, quand une voix vient soudain couvrir la mienne. Il me faut quelques secondes avant de comprendre qu'il s'agit d'une annonce diffusée par les haut-parleurs de l'école. Une annonce à la radio.

Joseph Gœbbels, le ministre de la Propagande, s'adresse aux citoyens allemands. Ce qu'il s'apprête à dire revêt un caractère exceptionnel.

Je me fige. Toute l'école se fige. Bien que je sois seul, je le perçois, comme si nous étions tous unis dans un seul corps. Le mien. Mon sang se glace dans mes veines. Le rythme de mon cœur ralentit, ses battements, espacés, sont autant de coups de gong qui frappent ma poitrine. J'entends la voix du ministre. J'entends les mots du ministre, mais ces mots n'ont pas de sens. Ou s'ils en ont un, je me refuse à l'admettre.

Une chose pareille est tout simplement impossible, inconcevable.

Cette chose – ce que dit le ministre – c'est qu'il y a eu, aujourd'hui, 20 juillet 1944, à 12 h 30, un attentat contre le Führer. On a posé une bombe dans la salle où il se réunissait avec ses généraux.

Un blanc. Crépitements du microphone, amplifiés par le haut-parleur.

L'attentat a raté. De peu. Un miracle, conclut le ministre.

La voix du *Heimführer* prend le relais pour nous préciser qu'on ne sait rien de plus pour l'instant sur ce tragique événement. Nous ne manquerons pas d'être convoqués dès qu'il y aura du nouveau.

J'ai l'impression que le sol se dérobe sous mes pieds. Je me laisse tomber sur mon lit. Je regarde fixement mon oreiller, comme s'il pouvait me donner des informations supplémentaires. Or il ne me dit rien, ce fichu oreiller, si ce n'est que, quelques semaines auparavant, il abritait le jouet que m'avait donné Lukas. Le Führer-péteur. Je l'ai détruit et flanqué à la poubelle. Je le revois, complètement démantibulé, désarticulé, en pièces, fils et ressorts reliant les membres les uns aux autres rompus, cassés. Comme un corps après l'explosion d'une bombe. Est-ce que, avec ce jouet de malheur, j'aurais anticipé ce qui est arrivé au Führer ? Celui-ci a réchappé à l'attentat, a annoncé le ministre, mais il n'a pas dit pour autant dans quel état il se trouvait. En morceaux ? Des morceaux que, quelque part dans un hôpital, des médecins essaient de recoller ? Et quand bien même il serait entier, est-ce qu'il n'aurait pas perdu ses facultés ? Va-t-on, dans les prochaines heures, nous annoncer que l'Allemagne n'a plus de Führer ? Ce qui signifierait que, cette fois, je n'ai vraiment plus de père. Que je suis définitivement orphelin et que j'aurais mieux fait de partir avec Manfred.

Rassemblement à 1 heure du matin. Dans le réfectoire.

Tout le monde est là. La grande salle semble pourtant vide. Nous ne sommes plus qu'une petite centaine. Cette pièce que je trouvais si impressionnante autrefois ne l'est plus. Le plafond a souffert des bombardements, la peinture se lézarde, se fissure. Certaines croix gammées ont perdu une de leurs branches, elles ressemblent à des éclopés, leurs couleurs ont pâli. Autant que les visages des *Jungmannen*, creusés, amaigris, épuisés.

Lukas est là, lui aussi. Je remarque machinalement sa présence. Je note qu'il est propre, habillé, qu'il n'a plus cet air crétin affiché sur le visage. Mais je m'en fiche royalement. Ce n'est plus pour lui que je m'inquiète.

Perché sur sa chaire, le *Heimführer* prend la parole. Il commence par nous rassurer en affirmant que le Führer est sain et sauf. Il n'a que quelques égratignures, rien de plus. Son état n'a même pas nécessité une hospitalisation et il a honoré son rendez-vous avec Mussolini. Il a été en mesure d'aller le chercher à la gare, comme prévu.

Un murmure de soulagement parcourt les rangs. Les visages se décrispent. Le *Heimführer* poursuit en expliquant les circonstances de l'attentat. Celui-ci a eu lieu au quartier général de Rastenburg, en Prusse-Orientale. C'était davantage qu'un attentat, c'était une tentative de coup d'état, fomentée par une coalition d'opposants au régime, qui entendaient prendre le pouvoir pour hâter la fin de la guerre et vendre l'Allemagne aux Anglo-Saxons. Le Führer examinait des cartes en compagnie de ses généraux. Le principal conjuré, l'immonde traître, le comte Claus von Stauffenberg, chef d'état-major de l'armée de réserve, a posé une valise piégée près de lui, sous la table, et a quitté la pièce en prétextant un coup de fil important. Fort heureusement, un des généraux, gêné par la mallette, l'a légèrement poussée, si bien que le Führer, pendant l'explosion, a été protégé par le pied de la table.

Les murmures reprennent dans les rangs. Cette fois le soulagement est total. L'enthousiasme de rigueur renaît peu à peu. Chacun y va de son commentaire. Non, le Führer n'a pas été protégé par un vulgaire pied de table, il a été protégé par les dieux germaniques!... Le Führer n'a d'ailleurs besoin d'aucune protection! Rien ne peut l'atteindre, la preuve est bien là! Il est immortel!

Les murmures grossissent et se ponctuent par une clameur généralisée. *Heil Hitler!* Le cri est repris plusieurs fois en chœur et le *Heimführer* se joint à ses élèves. Il ne réclame pas le silence. Il sait que ses jeunes pensionnaires ont eu terriblement peur, que leur tension doit se relâcher.

Les *Jungmannen* se serrent la main, se donnent des accolades, ils rompent le garde-à-vous sans en avoir reçu l'ordre et certains se laissent même aller à s'asseoir, la tête entre les mains, en pleurant de joie.

Puis le *Heimführer* lève soudain la main.

Silence! On vient de le prévenir que le Führer en personne est en train de s'exprimer à la radio.

Garde à vous. Une voix fébrile résonne dans la salle.

Je ne retiens qu'une phrase, une seule, du long discours qui commence.

La répression sera terrible.

Nouveau rassemblement, quelques jours plus tard.

Nous nous tenons cette fois dans la salle de projection.

Nous visionnons les images du procès des traîtres conjurés. L'une d'elles me frappe particulièrement. Un général – j'ai oublié son nom –, debout devant les juges, est obligé de retenir son pantalon des deux mains, car il n'a plus de ceinture. Quand le juge lui ordonne de se mettre au garde-à-vous pour entendre la sentence prononcée à son égard, son pantalon tombe et découvre sa culotte.

Éclats de rire dans la salle du procès. Repris en écho par les *Jungmannen* dans notre salle.

Les traîtres, nous dit le *Heimführer*, ont été exécutés immédiatement après le procès, dans la cour du Bendlerblock. Les conjurés ont été fusillés l'un après l'autre, puis leurs corps suspendus à des crocs de boucher.

Et c'est à ce moment-là que survient ce à quoi je ne pensais plus.

Alors que les images du procès et celles des exécutions, que j'imagine sans peine, tournent en boucle sous mes yeux, alors que j'ai encore en tête la voix du Führer annonçant une *répression terrible* dans tout le pays, alors que je suis en train de me demander si l'un des *Jungmannen* qui m'entourent ne va pas tout à coup sortir de sa poche mon Führer-péteur en morceaux et le brandir en pointant vers moi un doigt accusateur pour hurler «Lui aussi, il fait partie des conjurés! Regardez ce qu'il a fait!», rien de ce que je suis en train d'imaginer ne se produit.

Certes, il y a bien un *Jungmann* qui se lève, mais pas n'importe lequel. C'est Lukas. Il se plante au beau milieu de la salle et, devant nous tous, élèves, *Heimführer* et professeurs, il retire la ceinture de son pantalon qui glisse sur ses chevilles, comme celui du général dans le film du procès. Non content d'avoir baissé son pantalon, Lukas retire ensuite son slip et se penche en avant pour montrer son cul à toute l'assemblée. Après quoi, il se met à hurler:

– Vive les conjurés! Votre Führer n'en a plus pour longtemps! Il va crever! C'est la fin! Écoutez-moi bien! Je ne suis pas allemand, je suis polonais. Polonais et juif!... Juif! Juif!

Un instant de panique dans la salle. Une panique muette. Personne n'est en mesure de réagir ou de dire quoi que ce soit, alors que Lukas, déchaîné, répète sans trêve sa dernière phrase, en polonais, qui plus est:

– *Jestem Polakiem! Polakiem i Zydem!... Zydem! Zydem!*

Les regards se posent sur lui, incrédules. Les bouches restent ouvertes sans proférer un seul son.

Puis, enfin, sur ordre du *Heimführer* – le premier à réagir – deux *Jungmannen* empoignent Lukas et le conduisent au cachot.

Cette fois, ça y est.

Il est bon pour une exécution sommaire lui aussi. Il est bon pour le croc de boucher dans la cour.

Le scandale a fini par éclater, mais pas comme je l'imaginais. Je vous le disais bien tout à l'heure, les choses ne se passent jamais comme prévu. Ça devient insupportable.

Et je ne suis pas au bout de mes surprises.

Je dors.

Sommeil bourré de cauchemars.

Toutes les images enregistrées pendant la journée se mêlent, se brouillent dans une sarabande infernale. Je vois le Führer qui perd son pantalon et montre ses fesses à la nation allemande. Je vois Lukas, fusillé, qui s'écroule, en sang, le corps criblé de balles. Quant à moi, je me vois suspendu à un croc de boucher, tel un gros jambon. Je suis encerclé par les *Jungmannen* armés de couteaux. Affamés, ils taillent dans ma chair, la déchirent en lambeaux qu'ils dévorent. Au moment où je m'apprête à hurler, une violente secousse me réveille.

Qu'est-ce que c'est ? Un tremblement de terre ? Une alerte aérienne ?

Non. C'est Lukas. Un Lukas en forme. Alerte, pressé, il porte une valise. Il la pose par terre, l'ouvre et, fouillant dans mes tiroirs, y fourre en vrac tout ce qui lui tombe sous la main.

– T'as du fric quelque part ?

Je lui indique ma planque, sous le matelas. Il me tire du lit et s'empare des billets.

– Grouille! Grouille! crie-t-il en me lançant mes vêtements. Habille-toi! On se casse!

– Comment ça, on se casse? Où? Comment t'as fait pour sortir du cachot?

– J'y suis pas allé, dit-il en exhibant son poignard d'honneur taché de sang. J'ai buté les deux cons qui me conduisaient au cachot. Et y a de ça cinq minutes à peu près, j'ai foutu le feu à l'école. Si t'as pas envie de griller, Tête de Mort, suis-moi!

QUATRIÈME PARTIE

30

« Faites un cadeau utile, offrez un cercueil ! »
Le mot d'ordre de ce Noël 1944. Il est affiché un peu partout sur les murs de Berlin. Y compris ici, dans les couloirs de l'U-Bahn (le métro) où nous nous terrons comme des rats.

Depuis cinq mois, nous ne voyons, Lukas et moi, que les souterrains de Berlin. On ne se risque que rarement dehors. Là-haut, les incendies, les montagnes de gravats, les immeubles effondrés ou en ruine. L'air saturé de poussière de plâtre. Une poussière qui colle à la peau, s'infiltre dans la bouche, se dépose sur les dents. Impossible de s'en débarrasser, elle vous fait tousser et cracher. D'innombrables colonnes de fumée montent vers le ciel embrasé, y formant des nuages noirs et denses qui s'agglutinent les uns aux autres, sans jamais se dissiper. On a l'impression que la lumière est sale. Qu'il n'y a plus de lumière du tout.

Le Troisième Reich devait nous sortir des ténèbres. On dirait bien qu'au contraire il nous y a plongés.

Quand Lukas m'a tiré du lit pour fuir de la *Napola* et m'a annoncé qu'on allait à Berlin, je me suis réjoui. Berlin. La capitale de mon pays. Enfin ! Je me demandais bien pourquoi, sur la route, nous marchions en sens inverse du mouvement général. Pourquoi les Allemands désertaient la ville. Pourquoi, valises en main, ils marchaient, marchaient, de jour comme de nuit, tels des somnambules, harassés, hagards, affichant un faciès sans expression. Pourquoi tout à coup, dans un fossé, on découvrait indifféremment des armes, des ustensiles de cuisine ou des carcasses de chevaux. J'ai fini par comprendre que c'étaient autant de signes d'une immense déroute, une gigantesque débâcle. Le sauve-qui-peut général.

Cela n'avait rien du voyage d'agrément que je m'étais imaginé.

Tout au long de notre périple, il nous a fallu éviter les membres de la *Volkssturm*. Nous sommes tombés un jour sur un groupe isolé, composé de *Jungmannen*. Ils organisaient une résistance en bordure d'un village. Ils entassaient des troncs d'arbres pour construire une barricade susceptible, croyaient-ils, de résister à l'assaut d'un char. Leur chef, âgé de quinze ans, comme Lukas, voyant que nous portions l'uniforme de la *Napola*, a voulu nous enrôler. J'aurais volontiers rejoint son unité. Pourquoi pas ? J'avais encore envie, à ce moment-là, de me battre pour défendre mon pays, tenter de le sauver. Mais Lukas m'en a empêché.

– Hé ! Tête de Mort, oublie toutes les conneries dont on t'a bourré le crâne ! Y a plus rien à sauver que ta peau ! Et ras le bol de ces merdeux hystériques !

Sur ces paroles, il a assommé le chef du groupe

et quand les autres, à peine plus âgés que moi, ont tenté de protester – alors qu'ils n'avaient même pas d'armes – je me suis approché et leur ai dit :

– Vous l'avez échappé belle ! Il aurait pu décapiter ou poignarder votre chef ! Il a déjà tué quatre *Jungmannen*. C'est un tueur en série !

Et je les ai plantés là, tandis qu'ils ouvraient des yeux ronds comme des soucoupes, à moitié mangés par leurs casques trop grands. J'ai vite rejoint Lukas, qui avait repris la route.

Depuis notre départ, il prend très au sérieux son rôle de grand frère. Il se charge de toutes les décisions importantes. C'est bien d'un côté, j'aime mieux ça que de le voir abruti comme ces dernières semaines à la *Napola*, mais de l'autre, j'en ai assez qu'il me donne des ordres.

D'ailleurs, je n'aurais jamais dû le suivre jusqu'à Berlin. Lukas compte y attendre l'arrivée des Russes. Les Russes sont ses amis, dit-il. Ce qui signifie que ce sont mes ennemis, non ?

En plus, il recommence à m'appeler « Tête de Mort ». Je me venge en lui donnant du Lukas, alors qu'il revendique son prénom polonais, Lucjan.

Le métro.

Nous sommes environnés par une foule de femmes, d'enfants et de vieillards. Entassés, serrés les uns contre les autres. Des sardines dans une boîte. Des matelas et des oreillers sont posés entre les rails, des cintres portant des vêtements pendent aux câbles des panneaux de signalisation. Costumes, robes, manteaux. Ça a le don d'horripiler Lukas.

– À quoi ça rime, tu peux m'expliquer ? Les Fritz et leur obsession de l'apparence, de l'hygiène ! Qu'est-ce qu'ils croient ? Que c'est soirée dansante à partir de 20 heures ?

C'est vrai qu'ils ne servent à rien, ces cintres, sinon à prendre de la place alors qu'on en manque. Quel intérêt, des vêtements repassés, s'ils sont couverts de poussière ? Quel intérêt, des vêtements de rechange, quand on ne peut même pas se laver ? Pendant les coupures d'électricité, tous ces cintres accrochés aux câbles ressemblent à des spectres. Ou à des pendus qui se balancent au-dessus de nos têtes. En y réfléchissant, je crois que les vêtements, bien repassés sur leurs cintres, aident à préserver un peu de dignité. Mais Lukas n'est pas fichu de le comprendre. Et je déteste qu'il critique mes compatriotes.

– Les *Fritz* sont propres, eux au moins ! je lui rétorque. Pas comme les porcs de Polacks !

La preuve, Lukas ne souffre pas autant que moi de la crasse et du manque d'hygiène. Il s'en fiche éperdument d'avoir des vêtements déchirés, sales, puants. Il peut faire ses besoins n'importe où, même dans les toilettes qui sont dans un état lamentable. Bouchées, saturées de merde et de toutes sortes de substances liquides ou solides, dont je préfère ne pas savoir d'où elles viennent, ni de quoi elles se composent. Pisser encore, ça va, j'y arrive, mais pour la grosse commission, c'est difficile. Je suis bloqué la plupart du temps. Et quand j'arrive à faire une crotte, après, je me dandine comme un ver, parce qu'il n'y a pas de papier pour m'essuyer et que mon cul sale me démange. Finalement, c'est plutôt un avantage d'avoir si peu à manger, ça évite d'aller aux toilettes trop souvent. Pas grand-chose à faire sortir.

En tout cas, comme ambiance pour Noël, on repassera. Moi, je m'en fiche de Noël. À la *Napola*, on fêtait à cette époque le solstice d'hiver, et les longues veillées aux flambeaux sous la neige ne me manquent pas.

Jamais eu de cadeaux à Noël. Jamais cru à ces histoires de vieux barbu habillé en rouge qui descend de la cheminée et va mettre son nez dans les souliers pour y déposer des cadeaux.

– Ils fêtent Noël, les Juifs ? je demande à Lukas.

– Ils fêtent Hanoukka. On allume une bougie sur un chandelier pendant huit jours et, à la fin de la semaine, les enfants reçoivent des cadeaux.

Ah ! c'est à peu près la même chanson, alors. Des bougies sur un chandelier ou des guirlandes sur un sapin, les cadeaux en prime. Du pareil au même.

Une petite fille, assise près de nous – elle a dû nous entendre – demande à sa mère :

– On aura de l'oie rôtie au dîner ? Le Père Noël descendra dans le métro cette nuit ?

La mère lui caresse les cheveux en s'efforçant de sourire.

– Nous n'aurons pas d'oie rôtie, ma chérie.

Elle jette un coup d'œil furtif sur la miche de *Dauerbrot* et le bidon de thé qu'elle a réussi à emporter avant de quitter son appartement en catastrophe et qu'elle camoufle sous une pile de linge dans sa valise.

– Mais le Père Noël viendra, j'en suis sûre.

Tiens, regarde tous les messages inscrits sur les murs, c'est pour qu'il trouve son chemin.

Mensonge. Les phrases griffonnées sur les murs, ici, dans le métro, comme à la surface, sur les murs des immeubles, ce sont des mots laissés par des familles à un frère, un fils ou un mari de retour du front, pour lui indiquer où les trouver.

Pourquoi elle ne dit pas la vérité? Que le Père Noël, cette année, va être encore plus rouge que d'habitude, rouge bolchevique, rouge sang. Qu'il va débarquer non pas sur un traîneau, mais sur un char, qu'il aura des armes plein sa hotte et qu'il va tirer sur tout ce qui bouge?

La petite m'a mis l'eau à la bouche avec son oie rôtie. Pour me venger de la torture qu'elle me fait subir — je salive, j'ai des crampes à l'estomac, je la vois danser sous mes yeux, cette oie rôtie, toute fumante, son odeur chatouille mes narines — je lui balancerais bien la vérité. Je pourrais.

On peut parler librement maintenant. Plus personne n'a peur d'être dénoncé, que ce soit pour ses opinions, sa nationalité, sa religion ou quoi que ce soit d'autre. Lukas pourrait se mettre debout sur les rails et crier avec un porte-voix qu'il est juif, je crois bien que personne ne réagirait. Je n'en suis pas sûr à cent pour cent, mais je n'ai plus le sentiment d'une menace aussi pesante qu'avant.

En revanche, j'ai du mal à prendre certaines nouvelles habitudes. Par exemple, on ne lève plus le bras pour saluer. Fini. Terminé. Plus personne ne dit «*Heil Hitler!*». C'est même très mal vu. À la place, on dit: «*Bleib übrig!*», ce qui signifie:

«Reste en vie!» J'ai encore par moments le réflexe de tendre le bras. C'est un automatisme chez moi. Lukas, qui devine mon mouvement avant même que je ne l'amorce, m'attrape aussitôt le poignet et me force à rester immobile.

– Arrête de faire ton putain de robot! me dit-il en me lançant un regard furibond.

Je trouve que les Berlinois n'ont plus aucun respect. Ils se moquent de tout avec leur manie de couvrir les murs de graffitis. Par exemple, les initiales, LSR qui veulent dire *Luftschutzraum* («abri antiaérien»), ils les ont transformées en *Lernt schnell russisch*, «Apprenez vite le russe».

Ça flanque la pétoche.

Avant d'atterrir dans le métro, nous sommes restés plusieurs semaines dans le bunker du zoo. C'est un des plus grands abris antiaériens, une forteresse en béton armé, dotée d'une batterie de DCA sur le toit. Il constitue un immense refuge où les Berlinois s'entassent.

Un jour, j'ai voulu sortir. On était au zoo! Je n'ai jamais visité un zoo! Lukas a d'abord refusé, puis, comme j'insistais, il a paru tenté lui aussi, si bien qu'on a fini par monter. Rapide, la visite. Pas à cause des bombardements – il y avait une accalmie à ce moment-là – mais parce que en fait d'animaux, il n'y avait plus que des cadavres. Les cages étaient brisées, défoncées. Les singes, les ours, les gorilles, tous crevés, comme s'ils avaient participé aux violents combats qui avaient fait rage. Les cadavres des singes étaient fraîchement dépecés. Lukas et moi, nous avons compris que la visite du zoo, nous l'avions déjà faite sans le savoir. Dans notre estomac. La veille au soir, une femme avait partagé un gros morceau de viande avec nous. Nous nous en étions régalés sans nous poser de questions sur sa provenance.

On a dû quitter le bunker du zoo à cause des toilettes. Non seulement l'hygiène y était déplorable, mais en plus les gens venaient s'y suicider. C'est d'ailleurs là qu'a commencé ma constipation. Pas évident de faire ses besoins quand les pieds d'un pendu se balancent sous vos yeux.

Avant encore, on était dans le bunker de la gare d'Anhalter. Construit en ferrociment, il comporte trois étages à la surface et deux autres en souterrain. Les murs ont quatre mètres cinquante d'épaisseur. C'était relativement confortable au début. Il y avait de grands bancs pour que les gens puissent s'asseoir, un peu comme dans un immense réfectoire, et une bonne réserve de boîtes de sardines. Mais les sardines n'ont pas fait long feu. Quant aux bancs, ils ont été brûlés pour qu'on puisse se chauffer. Ensuite, les conduites d'eau ont été coupées, si bien que la soif est rapidement devenue intolérable.

Le bunker du zoo et celui de la gare sont reliés à l'U-Bahn par cinq kilomètres souterrains qu'on peut parcourir à pied sans être exposé.

Vous savez ce qu'on a trouvé, posé sur une des marches du bunker de la gare ? Posé, tel un cadeau de Noël, ou plutôt un fardeau de Noël ?... Manfred. Un Manfred encore plus petit et plus frêle qu'il ne l'était à la *Napola*. Ratatiné, racrapoté. Des bras et des jambes aussi épais que des pattes d'araignée. Cheveux, sourcils et cils, couverts de poussière, blancs comme ceux d'un vieillard. Les particules de plâtre, incrustées dans sa peau, y avaient creusé des rides.

Il avait vu juste avant son départ, leur chef de section les avait bel et bien abandonnés. Si chacun s'était débrouillé comme il avait pu, Manfred, lui, s'était assis sur une marche et n'en avait pas bougé. Pendant cinq mois! Il n'a pas essayé de retrouver sa maison, ses parents, rien. Il s'est immobilisé, figé, et il a attendu. Il ne doit sa survie qu'aux femmes de passage qui, en le voyant, lui donnaient des vivres.

Il ne m'a pas reconnu. Quand je me suis approché et lui ai tapé sur l'épaule, il a levé les bras pour se protéger, comme si j'allais le frapper. Ma parole, il me prenait pour un soldat russe! Quand enfin il m'a remis, il m'a sauté dessus et s'est mis à m'embrasser en criant:

— Konrad! Mon Konrad! C'est bien toi?... Je suis sauvé! Je suis sauvé!

— Je savais pas que t'avais une fiancée, Tête de Mort! m'a dit Lukas en voyant l'autre couillon pendu à mon cou.

Résultat, Manfred nous colle aux fesses. Un vrai boulet. Dès que l'un de nous s'éloigne, il tremble, panique. D'un autre côté, je trouve que sa présence équilibre un peu les choses. Lukas me commande, et moi, je commande Manfred.

Ce qui me frappe le plus dans ce Berlin sinistré, ce ne sont ni les bombardements, ni les ruines, ni la saleté. Pas même cette résignation à la défaite que je juge pourtant très décevante.

Ce sont les femmes.

Elles sont si nombreuses ! Il y en a partout ! Elles ont pris la ville en main. Elles la dirigent. Je ne suis pas habitué à être ainsi environné de femmes. À la *Napola*, à part les cuisinières, qu'on voyait rarement, il n'y avait que des hommes. Je me souviens vaguement des infirmières de Stein-höring, beaucoup plus précisément des *Braune Schwester* – ces saletés de *Schwester* ! – ou des putes de Poznan. Les dernières femmes que j'ai fréquentées et dont je me souviens le mieux, ce sont les salopes d'*Aufseherinnen*, à Kalisch.

Mais les Berlinoises ne sont ni des putes ni des salopes.

Fini les trois K. Elles remplacent les hommes. Avec arrogance, détermination, énergie, effica-cité. Elles ne sont pas blondes et grandes, comme on nous l'a enseigné en cours de biologie, à la *Napola*. La plupart, à quelques exceptions près, sont brunes, petites, râblées. Musclées à force de transporter des sacs de charbon et de grosses valises dans lesquelles elles ont entassé tous leurs biens, avant de descendre aux abris. Et elles sont courageuses. Quand il n'y a plus d'eau, ce sont elles qui se risquent dehors devant les pompes à eau. Elles n'ont pas peur des bombes. Elles font la queue pendant des heures devant les magasins pour quelques grammes de margarine.

Il leur reste tout de même quelque chose des trois K. Certaines ne peuvent s'empêcher de faire le ménage. On les a surnommées les *Trüm-merfrauen*, les « femmes des gravats ». Entre deux bombardements, elles forment une chaîne pour déblayer les cailloux, les pierres, les pavés, qu'elles mettent dans des seaux. Et elles balaient,

balaient. Les ruines, la poussière, la merde. Elles mettent de l'ordre dans une ville qui n'existe déjà plus.

L'autre jour, l'une d'elles nous a attrapés, Manfred et moi. Elle s'était mis en tête de nous laver. Une idée fixe, tout à coup.

– C'est pas Dieu permis d'être aussi crasseux ! s'est-elle écriée en nous chopant par le col, comme une lionne attrape ses petits par la peau du cou.

Avec un bout de tissu qu'elle trempait dans de l'eau bouillante mise en bocal, elle nous a frotté le visage, les mains, les aisselles. Elle a même tenté de nous déculotter pour nous laver les fesses. Manfred s'est laissé faire, mais moi, je lui ai flanqué un coup de pied et je me suis enfui.

Une autre, un soir, s'en est prise à Lukas, dans un abri. Pas pour le laver, non, impossible de s'attaquer à un grand gaillard comme lui. Mais elle l'avait entendu dire des gros mots. Ni une ni deux, elle lui a retourné une baffe.

– Il y a des enfants, ici, lui a-t-elle dit d'un ton sévère. Surveille un peu ton langage, mon garçon !

Lukas n'a pas moufté.

– Pardon, madame, il a répondu en baissant les yeux.

L'autre jour, j'en ai vu une qui découpait en morceaux un cheval tué par un obus et qui le mettait dans des bocaux emplis de vinaigre. Elle m'en a donné un. On a fait cuire la viande et on a eu ainsi trois repas consécutifs. Le cheval, c'est moins dur à mâcher et à digérer que le singe. Moins goûteux aussi.

Marre du métro. Des abris. Des souterrains. Marre de tous ces gens qu'on ne connaît
pas. Marre de respecter les règles qu'ils nous
imposent. Pour une fois, je suis d'accord avec
Lukas : après Kalisch et la *Napola*, ras le bol de la
communauté ! Nous avons envie d'être seuls, de
nous retrouver entre nous et de fixer nos propres
règles, c'est-à-dire aucune.

Alors nous décidons de sortir et de nous installer dans une maison vide. Il y en a plein. à la
surface, Berlin est déserté. Tant pis si, dehors, il
nous faudra braver un double danger. Les bombardements et les obus ennemis d'un côté, de
l'autre les équipes de répression des SS ou de la
Feldgendarmerie. Ils arrêtent les personnes iso-
lées et les enrôlent de force dans des compagnies
improvisées. Rien à voir avec les Jeunesses hitlériennes qu'on a croisées en fuyant la *Napola*. Ce
sont des durs de durs. Ils pendent les récalcitrants
aux branches des arbres, le long des routes, ou
aux réverbères, et ils leur accrochent un écriteau
au cou avec l'inscription « J'étais un lâche ».

31

– À l'arrivée des Russes et des Américains !
crie Lukas.

Après avoir bu une rasade de schnaps, il me
passe la bouteille pour que j'avale une gorgée à
mon tour.

– À la victoire du Reich ! je crie en tendant le
bras pour faire d'une pierre deux coups, agacer
Lukas et passer la bouteille à Manfred.

– À l'arrivée des Russes et à la victoire du
Reich ! crie Manfred.

Quel crétin ! Sa bêtise me fait avaler de
travers.

– C'est pas possible ! je dis en lui crachant à
la figure la gorgée d'alcool qui a fait fausse route
et a bien failli m'étrangler.

– Qu'est-ce qui est pas possible ?

– De trinquer à la fois à l'arrivée des Russes
et à la victoire du Reich. C'est l'un ou l'autre,
tu choisis ton camp !

– Mais... Mais pourquoi il faudrait que je
choisisse ? Vous êtes frères tous les deux ! Alors
si Lukas est pour les Russes et toi pour le Reich,
ça veut bien dire que les deux sont possibles
en même temps ?... Non ? Vous... Vous n'êtes

pas dans le même camp ? demande Manfred en prenant sa mine de chien battu, typique des moments où il dit ou fait une connerie.

Il ne pige décidément rien à rien ! Ma parole, il n'a pas écouté un seul mot en cours d'histoire ou d'éducation politique, à la *Napola*. Il n'a rien compris non plus à la situation actuelle. (Il nous croit toujours frères, Lukas et moi. Nous ne lui avons pas encore dit la vérité. Par paresse. L'histoire serait trop longue à raconter et il ne la comprendrait pas non plus.)

– Fermez-la ! intervient Lukas. Vous êtes aussi débiles l'un que l'autre, toi le premier ! précise-t-il en me regardant. Tu dis n'importe quoi ! Quand est-ce que tu vas enfin te mettre dans la tête, ta petite Tête de Mort, que la victoire du Reich est impossible ?

Je m'apprête à lui répondre, mais il ne m'en laisse pas le temps. Son visage se fend soudain d'un large sourire et il déclare :

– Allez, on dit qu'on se dispute pas aujourd'hui ! C'est la fête ! Bonne année 1945 !

Il a raison. On peut faire une trêve exceptionnelle pour le 31 décembre.

– Bonne année 1945 !

Je reprends la bouteille des mains de Manfred et bois une autre gorgée de schnaps, qui ne fait pas fausse route, celle-ci.

– Bonne année 1945 ! répète Manfred.

Oui, c'est le Nouvel An. Et on est rudement bien. Même si, dehors, le bruit des bombardiers et des obus redouble d'intensité. Nous sommes obligés de hurler pour couvrir leur vacarme. Le ciel est rouge feu. On pourrait presque croire que cette explosion de couleurs est destinée à créer une atmosphère de fête.

Il n'est pas minuit, mais midi. Nous trinquons maintenant, car rien ne nous assure que nous serons toujours vivants à minuit et que nous verrons la nouvelle année. Nous avons du schnaps, des cigarettes ainsi qu'un morceau de lard, une saucisse et des patates cuites à l'eau. C'est un bon repas, on a de la chance. Même si les patates ont un goût de savon. Le schnaps réchauffe, les cigarettes coupent la sensation de faim, et c'est tellement confortable, un appartement !

Car nous en avons trouvé un.

En quittant l'U-Bahn, Lukas a demandé à Manfred :

– Tu saurais retrouver le chemin de chez toi ? Tu te souviens de ton adresse ?

– Oui ! Oui ! Bien sûr ! Reichsstrasse, 1 ! C'est par là !

Les yeux de Manfred se sont illuminés, comme s'ils étaient éclairés de ces petites bougies dont on décore les sapins à Noël en temps normal. Comme si, tout à coup, «maman» s'inscrivait en clignotant dans son œil gauche et «papa» dans son œil droit. Pour lui, retrouver sa maison, c'était synonyme de retrouver ses parents. Il n'avait pas osé le faire seul, mais avec nous deux, il se sentait prêt à affronter le danger. Il s'imaginait que, une fois que nous serions arrivés, il verrait maman à la cuisine, prête à lui servir un bon goûter, et papa, assis au salon, qui l'accueillerait en lui disant :

– Alors, fiston, comment s'est passé ce dernier trimestre à l'école ?

Lukas et moi, nous nous sommes bien gardés

de lui avouer qu'il n'y avait aucune chance pour qu'il revoie ses parents. Peut-être même pas son appartement, étant donné que peu de maisons tiennent encore debout. Il fallait dans un premier temps qu'il nous conduise chez lui. Et c'est ce qu'il a fait.

Bombardé, sinistré, l'appartement, bien sûr. Les vitres des fenêtres étaient brisées et la poussière de plâtre avait tout recouvert d'une épaisse couche grisâtre, commè si un volcan était entré en éruption à proximité. Mais ni les plafonds ni les sols n'étaient effondrés ; un peu défoncés, c'est tout, quelques trous par-ci par-là qu'il était facile de repérer et d'éviter. Plus de chauffage central, plus d'électricité, mais pour nous, l'appartement était vivable. Du moins pour Lukas et moi. Manfred, lui, était catastrophé.

— C'est pas vrai ! C'est pas vrai ! répétait-il en constatant l'ampleur des dégâts.

Ses petites affaires avaient disparu. Ses jouets, ses dessins, la plupart de ses vêtements, le mobilier de sa chambre. Ainsi que la vaisselle, les bibelots, les draps. Il n'y avait quasiment plus rien. Il n'a pris conscience de l'absence de ses parents qu'avec un temps de retard. Ce qui nous a évité la crise de larmes que nous redoutions. Il s'est mis ensuite à chercher une lettre, au moins un mot, laissé quelque part par maman et papa pour lui dire où ils se trouvaient. Or rien. *Nix*. Que dalle. Pour le réconforter, Lukas lui a affirmé que la lettre avait dû s'envoler à cause des vitres brisées.

Lukas et moi avons fait le tour de l'appartement. Une cuisine. Les placards étaient vides bien entendu, les plaques de cuisson ne fonctionnaient plus, mais cette pièce nous semblait tout de même pleine de promesses. La cuisine, c'est l'endroit où on prépare à MANGER. (Il suffirait de trouver de quoi manger.) Un salon. Deux gros fauteuils, que les pillards avaient jugés trop lourds à transporter, y trônaient encore. Le tissu avait été éventré – sans doute avait-on cru que de l'argent ou des bijoux y étaient cachés – mais on pouvait s'y asseoir. Nos fesses endolories par les rails du métro ou les marches en béton des abris ont apprécié leur contact moelleux. Deux chambres. Celle des parents et celle de Manfred. Enfin, miracle, merveille des merveilles!... DES TOILETTES! Poussiéreuses mais propres! Avec en prime une chasse d'eau qui fonctionnait! Nous étions dans un palais!

Nous nous sommes battus pour savoir qui aurait le privilège d'étrenner ces toilettes de rêve.

J'ai gagné.

Mon ventre a soudain exprimé toute sa souffrance. Je me suis mis à péter si fort que mes adversaires ont cédé devant cette attaque de gaz mortel.

Je me suis enfermé dans ce cocon de douceur et j'y suis resté une heure entière, malgré les hurlements de Lukas et Manfred qui tambourinaient contre la porte. Ensuite, nouvelle bataille quand j'ai voulu m'essuyer avec les pages des quelques livres que j'avais repérés, au salon, sur des étagères effondrées.

– Ça va pas la tête! s'est écrié Lukas en me barrant le chemin. On n'est plus à la *Napola*, au cas où tu l'aurais oublié!

— Ce sont les livres de mon père! a protesté Manfred, offusqué.

— Les livres de ton père? a répété Lukas, soudain méfiant.

— Oui!

— Il faisait quoi, ton père?

— Il travaillait au ministère de...

— Attends une minute! l'a coupé Lukas.

Il est allé chercher les livres et les a feuilletés un par un.

— De la merde! De la merde! Et encore de la merde! pestait-il au fur et à mesure de son inspection.

Il en a fait deux piles. Il a flanqué la première par terre dans les toilettes et posé la seconde devant le poêle à charbon du salon.

— C'est bon, tu peux te torcher le cul avec! Ce sont des livres nazis! Celui-là en particulier! a-t-il précisé en désignant le premier volume de la première pile. Le reste, on s'en servira pour faire du feu et se chauffer... Un petit autodafé, ça vous rappellera les bons souvenirs, non? a-t-il ajouté avec un méchant sourire en nous regardant, Manfred et moi.

Le premier livre de la première pile: *Mein Kampf*.

J'ai hésité. Longuement. Je n'ai pas pu me torcher avec. C'était au-dessus de mes forces. J'entendais encore la voix du *Heimführer* qui nous en lisait des extraits, dans le réfectoire de la *Napola*. J'avais peur que les mots se détachent du papier et aillent me piquer le cul en guise de représailles. Je l'ai discrètement mis en dessous de la pile en espérant que, peut-être, on n'arriverait pas au bout de tout ce stock de papier.

Après la bataille des toilettes et du papier, une dernière pour s'attribuer une chambre. Lukas, avançant qu'il était le plus âgé, s'est octroyé celle des parents. Quant à Manfred, il a tenu à récupérer la sienne en précisant que je pouvais la partager avec lui. Non, merci. Je me suis dit qu'en collant les deux fauteuils du salon ça pouvait faire un bon lit. Vivre ensemble dans un appartement, d'accord, mais dormir dans la même chambre que Manfred me rappellerait trop le dortoir de la *Napola*.

Seulement... Quand la nuit est tombée, quand la sirène s'est mise à hurler, quand les bombardements se sont succédé à un rythme effréné, quand le sol s'est mis à trembler, le plafond à se fissurer, ni une ni deux! Manfred et moi avons débarqué dans la chambre de Lukas. Qui ne nous a pas renvoyés. On s'est serrés tous les trois dans le grand lit. En se tenant la main. Fort. Mais on n'a pas pu fermer l'œil et on a vite compris qu'il valait mieux descendre à la cave.

L'appartement, c'est pour le jour. La nuit, on n'échappe pas à la cave. Ce n'est malheureusement pas une cave privée, rien que pour nous, comme nous nous l'étions figuré en ne voyant aucun voisin dans les étages.

Les voisins sont bel et bien là, ils habitent la cave en permanence, et le manque de place se fait cruellement sentir.

Rebelote. Des sardines dans une boîte. Un dortoir où tout le monde s'agite et personne ne dort.

Manfred est ravi, parce qu'il a retrouvé une amie de ses parents.

– Mon petit Manfred! Mon chou! Alors comme ça tu es vivant! Un miracle! Comme tu as grandi!

Grandi? Eh ben! il était carrément nain alors, Manfred, avant d'intégrer la Napola.

– Tiens! Tes parents m'ont confié une lettre pour toi! Oui, oui, rassure-toi, ils vont bien! Ils sont partis à la campagne quand il était encore temps. Ils devaient aller te chercher. S'ils ne l'ont pas fait, c'est qu'ils ont dû avoir un empêchement... Bon, ne te fais pas de souci, je vais veiller sur toi maintenant.

Manfred a donc fini par la récupérer, cette fameuse lettre qu'il s'était échiné à chercher. Il passe son temps à la lire et à la relire, blotti dans les bras de Frau Betstein, qui, au fil des jours – des nuits, je devrais dire – remplace sa mère. Elle le rassure, s'occupe de lui, arrange ses vêtements, partage avec lui ses rations de nourriture. (La première nuit, ce crétin de Manfred a mangé à notre barbe, mais le lendemain, à l'appart, Lukas et moi avons mis les choses au point. Il a maintenant compris qu'il devait garder ce que lui donnait la vieille et le partager avec nous.)

Une vraie vie s'est organisée dans cette cave. Chacun y a aménagé son coin, son espace vital. Les plus prévoyants ont apporté avec eux un édredon, un oreiller, une chaise. Comme Manfred, les gens passent leur temps à lire des lettres ou bien à regarder des photos. Parfois, quand ils ont du papier, ils écrivent. Des lettres? À quoi ça sert? Le courrier ne part plus. Ils parlent aussi, beaucoup. Comme, en dehors d'un vieillard, il n'y a que des femmes, ça papote sans trêve.

Une majorité de dingues dans cette population souterraine. Vivre sous terre, ça attaque le cerveau, à force. Il y a, par exemple, une bonne femme qui garde en permanence une serviette de toilette sur la tête. Elle est déjà moche, mais cette espèce de turban monté en choucroute sur son crâne n'arrange rien.

— Frau Diesdorf, si je peux me permettre, lui a demandé un jour sa voisine de valise. (Je dis «voisine de valise», parce que les gens utilisent leurs bagages soit en guise de sièges, soit pour délimiter les frontières de leur espace.) Pourquoi gardez-vous cette serviette sur la tête ? Comprenez bien que si jamais c'est à cause des poux, c'est totalement inefficace, ça n'empêchera pas une contamination et...

— Je n'ai pas de poux ! Je suis propre, moi ! s'est offusquée Frau Diesdorf. Pas comme certaines ! Sachez que cette serviette me protège des explosions !

Elles se sont disputées. Pas parce que ça ne sert à rien, une serviette sur la tête en cas d'explosion, je ne sais même plus à propos de quoi d'ailleurs, le ton est monté si vite.

Une autre se trimballe en permanence la jambe artificielle de son fils. Elle prétend que c'est son talisman. Mieux vaut ne pas chercher à comprendre.

Mon voisin de valise : Herr Hauptman, un vieux qui pue de la gueule.

— Au cas où tu te trouverais sous une bombe, mon petit, pense bien à te pencher en avant.

— Pourquoi ?

— Pour que tes poumons n'éclatent pas.

Je risque plutôt de mourir d'asphyxie à cause de son haleine, avant de sauter sur une bombe.

Je déteste cette cave. Alors que Lukas et Manfred s'en accommodent bien. Manfred, j'ai déjà expliqué pourquoi. Lukas, parce que sa voisine de valise est une fille du même âge que lui. Ute. Ils se sont pris de béguin l'un pour l'autre. Ils n'arrêtent pas d'échanger des regards en douce. Dès qu'ils en ont l'occasion, ils profitent de l'exiguïté pour se frôler, les mains, les genoux, les cuisses ; ils deviennent alors rouges comme des tomates bouillies. Ils ont l'air ridicules. La mère de la fille a fini par découvrir leur manège. C'est une énorme matrone – je me demande comment sa graisse n'a pas fondu en même temps que les rations de nourriture. Une nuit, elle a changé de place avec sa fille. Maintenant, Lukas se trouve coincé entre ses bourrelets et le mur. Bien fait.

Une femme, une seule, est différente des autres. Elle se tient à l'écart autant qu'elle le peut, vu le manque de place. Elle se distingue par son attitude. Elle ne parle pas, ou très peu. Elle est belle. Je ne la vois que rarement debout, mais je devine qu'elle est grande. Blonde. Beaux yeux bleus. (Ça fait longtemps que je n'ai pas vu réunies en une seule personne toutes les caractéristiques de la race nordique.) Malgré ses vêtements élimés, elle est élégante. Elle passe son temps à regarder une photo. Parfois, une larme roule sur sa joue. Ce doit être la photo de son mari. Il est sans doute mort et elle le pleure. Ou bien il s'agit de son frère. Pas de son fils. Elle paraît trop jeune pour avoir un fils sur le front, à l'inverse de la plupart des vieilles qui se trouvent dans la cave.

Elle me regarde souvent, essaie de me sourire, mais elle n'y arrive pas et ses larmes deviennent plus grosses. Je ne sais pas pourquoi elle me regarde comme ça. Ça me rappelle le temps où les femmes fondaient devant ma gueule d'ange. Mais il est fini, ce temps-là! Je n'ai plus une gueule d'ange. J'ai juste une sale tête, pâle et fatiguée. Parfois, j'aime bien sentir le regard de la femme blonde sur moi. Il me réchauffe. Mais souvent, il me met mal à l'aise. Heureusement, elle n'insiste pas. Elle préfère revenir à sa photo.

Quand les vieilles essaient de lier conversation avec elle, elle élude poliment. Elle répond par oui ou par non. Les autres ont fini par comprendre qu'il valait mieux lui ficher la paix et la laisser dans son coin.

De retour en haut, à l'appartement, on s'organise. Manfred s'occupe du ménage. On a beau lui dire que c'est ridicule, puisque la poussière qu'il retire revient immédiatement, rien à faire. Bon, si ça l'amuse de jouer les *Trümmerjungen*! Il lave aussi notre linge quand l'eau n'est pas coupée. Lukas a brûlé son uniforme de la *Napola* dans le poêle à charbon. Il a exulté ce jour-là. Il dansait autour du feu en criant:

– Crame, saloperie! Crame!

Il a mis un pantalon, un pull et une chemise qui n'avaient pas été volés dans les affaires du père de Manfred. Ils sont trop grands. De toute façon, même s'ils avaient été à sa taille, je trouve qu'il est nettement moins beau en civil. Il est moins beau, de façon générale. Je crois que c'est l'adolescence. Ses traits ne sont plus aussi fins, son nez s'est épaté, ses lèvres aussi, sa mâchoire s'est élargie. Comme il ne peut plus se raser, les poils, irréguliers, forment des espèces de taches grises sur ses joues et sa lèvre supérieure. Il a même un ou deux boutons sur le front. À mon avis, s'il passait une sélection maintenant, il serait recalé. D'ailleurs, tous les habitants de la cave seraient recalés. Sauf la grande femme blonde.

Moi, je n'ai pas de vêtements de rechange. Ceux de Manfred sont trop petits. Mais comme il a lavé mon uniforme et rapiécé les trous, je suis à peu près présentable. Il n'y a que les poux qui me mettent à la torture !

Manfred se débrouille pour cuisiner. Il n'y arrive pas mal. Il sait donner du goût aux patates à moitié pourries en les accommodant de différentes manières, selon ce qu'il a sous la main. Il fait de la bouillie de semoule ou de la soupe de betteraves. Quand je le vois avec son petit chiffon noué autour des hanches en guise de tablier, en train de préparer la tambouille en chantonnant, je me dis qu'il a vraiment dû souffrir à la *Napola*.

Lukas et moi, nous avons pour mission de trouver de la nourriture.

C'est toute une organisation, une véritable stratégie. Il faut d'abord écouter ce que disent les voisins, la nuit, dans la cave. Ce qu'ils disent tout bas, pour ne pas être entendus. Certains sont, par exemple, informés que tel ou tel magasin ou entrepôt a été abandonné. À ce moment-là, dès l'aube, Lukas et moi, au lieu de monter à l'appartement, on file. Parce que la règle est la suivante : le premier arrivé sur les lieux sera le mieux servi. Si l'endroit en question n'est pas trop loin, on y va à pied. L'entraînement suivi à la *Napola* nous avantage, nous courons bien plus vite que les Berlinoises. Et nous savons nous battre. Parce que, dans ces cas-là, il n'est plus question de politesse ! Chacun se bat férocement pour s'emparer de la nourriture. Quand le magasin est trop loin, on prend le tram. Normalement il faut une carte spéciale pour y monter ; la plupart des Berlinois, disciplinés, ne prennent pas le tram s'ils n'ont pas leur carte de transport, mais nous, on s'en fiche. Qu'est-ce qu'on en a à faire ? Comme si un contrôleur était plus dangereux qu'un obus, une amende, plus mortelle qu'une bombe.

Si les voisins de cave ne nous ont rien appris, Lukas part dès le matin à la chasse aux informations. Il guette, écoute, surveille. Si quelqu'un court, c'est qu'il a un tuyau. Suffit de le suivre. C'est comme ça qu'un jour il a entendu dire qu'un wagon de la Luftwaffe avait été abandonné avec, à l'intérieur, toutes sortes de victuailles. Lukas a rapporté des boîtes de conserves, du café – du vrai, pas de l'ersatz de café – des bouteilles de vin et même plusieurs pains et du chocolat ! Il est revenu avec le visage aussi tuméfié que s'il sortait d'un match de boxe, mais heureux et fier de lui. Y avait de quoi.

Quel festin, ce jour-là ! Il a fallu se policer pour ne pas tout manger en une seule fois. On a mis une partie des conserves de côté et je suis allé troquer les bouteilles de vin contre de la margarine et des patates. Le troc, c'est mon affaire.

Le soir, dès que la sirène hurle, on enferme nos trésors dans une valise et on descend à la cave. Lukas s'assoit sur la valise pour qu'on ne la vole pas. Mais je me méfie, je le surveille. Des fois que, pour draguer Ute, il donnerait du chocolat à sa grosse matrone de mère...

Je dois reconnaître que, parfois, moi aussi, je suis tenté de donner quelque chose à la grande femme blonde. Elle est si maigre. On voit bien qu'elle ne se bat pas pour la nourriture, qu'elle s'en fiche, qu'elle se laisse crever. De faim ou d'autre chose.

Un jour, Lukas s'est déguisé. Il a mis une robe qui appartenait à la mère de Manfred (une robe d'été à fleurs qui n'avait pas été volée). Il a roulé du papier en boule pour se fabriquer des faux seins et s'est maquillé les yeux avec un morceau de charbon. Il a aussi ramassé ses cheveux sur le haut de son crâne – il a les cheveux longs maintenant, on a tous les cheveux longs. Je l'ai trouvé rigolo. Manfred, en revanche, n'a pas du tout apprécié la plaisanterie. Il a fondu en larmes en voyant ce grand escogriffe dans les vêtements de sa mère. Il a exigé que Lukas se change immédiatement. Seulement, pas le temps, il y a eu une alerte et il a fallu filer à la cave.

Dans le noir, le vieux Hauptman, prenant Lukas pour une fille, une nouvelle, lui a mis la main aux fesses.

Entre la chasse à la nourriture et les longues siestes pour récupérer des nuits sans sommeil passées à la cave, le temps s'écoule d'une façon étrange. On ne parvient pas à le mesurer. Néanmoins, on sait qu'il passe vite, très vite.

On ne se pose pas de questions sur le lendemain. Et pourtant.

Sur la Reichsstrasse comme dans beaucoup d'autres quartiers de Berlin, le chaos s'intensifie. Des centaines de véhicules se dirigent vers l'ouest, ils sont souvent bloqués par des charrettes de réfugiés, couvertes de bâches, ou mitraillés par les chasseurs bombardiers soviétiques.

Dans les caves, une phrase circule. On l'entend de plus en plus souvent.

Der Ivan kommt[1]!

---

1. Ivan arrive!, soit : Les Russes arrivent!

32

La nuit à la cave a été particulièrement agitée. Beaucoup de bombes. Les murs ont tremblé. La faible lueur de la lampe à pétrole vacillait sous l'enchevêtrement des poutres, au-dessus de nos têtes. Tiendra-t-il le coup si tout le bâtiment s'effondre ? Au fond, est-ce que c'est une bonne idée d'aller s'enterrer vivant ? Est-ce que ce n'est pas encore plus dangereux de se trouver bloqué sous les décombres ?

Personne n'a fermé l'œil. Nous n'avons qu'une hâte, Lukas, Manfred et moi, retrouver nos lits, là-haut, et dormir. Dormir toute la journée, en espérant que ce sera une de celles – de plus en plus rares – où la sirène ne hurlera pas toutes les heures. Tant pis si on ne mange pas. Trop fatigués pour aller à la chasse à la nourriture. De toute façon, moins on mange, moins on a faim.

Mais quand nous remontons de la cave ce matin-là, l'appartement est occupé. On le perçoit tout de suite, instinctivement. On le devine. On le sent. Une odeur inhabituelle plane dans l'air. De la sueur. De la poudre. Tandis que nous avançons tout doucement dans l'entrée, nous butons sur de gros paquetages, posés par terre. Un pas de plus et nous découvrons, dans le salon, un soldat, allongé sur les fauteuils qui me servent habituellement de lit. Il dort. Profondément. Les bras ballants de part et d'autre du fauteuil, les jambes repliées sur le côté, le menton enfoncé dans le col de sa veste.

Sans dire un mot, retenant notre souffle, nous tournons la tête. Comme il n'y a pas de porte, de là où nous nous trouvons, nous apercevons le lit de la chambre des parents. Quatre autres soldats y sont couchés, serrés les uns contre les autres. Nos regards se dirigent ensuite vers la chambre de Manfred, en face. Deux soldats de plus, allongés tête-bêche dans le lit à une place.

– Des... Ivan ? chuchote Manfred, terrorisé.

Il tremble tellement que, dans le silence, je crois entendre les os de ses genoux s'entrechoquer.

On ne lui répond pas. Plus de voix. Gorge sèche. Battements de cœur redoublés. Les jambes en coton. Je lance un coup d'œil à Lukas. Il est pâle comme un spectre. Ses lèvres sont exsangues. Il la souhaitait pourtant, l'arrivée des Ivan, non ? Maintenant qu'ils sont là, est-ce que par hasard il aurait la frousse, lui aussi ?

Il lève une main pour nous dire de ne pas faire de bruit, de ne pas bouger. Aucun risque, nous sommes pétrifiés. À pas de loup, sur la pointe des pieds, il entre dans chacune des pièces puis revient vers nous.

– Pas des Ivan ! murmure-t-il. Des Fritz !

Rassuré par la nouvelle, je me risque moi aussi à faire le tour des chambres, Manfred sur mes talons, collé à moi comme mon ombre. Ce sont bien nos soldats. Ils font partie des dernières unités d'infanterie qui se replient. D'ordinaire, elles traversent les rues de Berlin la nuit. De temps en temps, on en aperçoit quelques-unes dans la journée. Les soldats marchent d'un pas lourd, non rythmé, ils boitent, ils se traînent, n'ont aucun regard pour les badauds qu'ils croisent.

Ceux-là dorment comme des souches. Ils ont l'air épuisés. Ils sont sales, leurs uniformes sont crottés, leurs pantalons maculés de boue. Maigres, les joues creuses, pas rasées. Ils se sont endormis dans des positions extravagantes. Les pieds bottés de l'un sur le casque de l'autre. Certains sont à plat ventre, on devine qu'ils se sont laissés tomber sur le lit, tels quels. Je les trouve laids, pitoyables, minables. Ils ont déjà l'air de prisonniers. Ils ont l'air de s'en foutre éperdument d'avoir perdu la guerre.

Après les avoir observés un moment, je me retourne et je vois Lukas, toujours dans l'entrée, armé d'un pistolet-mitrailleur qu'il a dû retirer d'un des paquetages posés par terre. Il le pointe sur le soldat du salon. Je reconnais immédiatement cette lueur guerrière dans son regard. Ça y est! Ça le reprend! Sa manie de dégommer de l'Allemand en uniforme!

Je cours le rejoindre. Je ne me soucie pas du tout du bruit que je fais en courant, en faisant tomber Manfred qui me collait aux fesses.

— Arrête! T'as pas le droit de faire ça!

— Ah ouais? Je vais me gêner peut-être? gueule Lukas. Pousse-toi, sinon c'est sur toi que je vais tirer!

Je me jette sur lui et nous roulons par terre. J'essaie de lui arracher le pistolet. Il tient bon. Là-dessus, Manfred se met à chialer, à gueuler lui aussi.

— Arrêtez ! Mais arrêtez ! Vous êtes fous !

Ça me rappelle notre combat, à Kalisch. Sauf que là, le combat tourne court. Pan, pan, pan ! Le pistolet-mitrailleur s'est déclenché, faisant trois énormes trous dans le mur du salon. Nous nous figeons, Lukas et moi.

— Vous êtes blessés ? hurle Manfred. Vous êtes morts ?

Non, nous ne sommes ni blessés ni morts. Par miracle. Et plus miraculeux encore, le soldat dans le salon ne s'est pas réveillé. Pas plus que les autres. Aucun d'entre eux n'a bougé.

Un long silence.

Ils vont quand même réagir ? Impossible qu'ils n'aient pas entendu nos cris, les coups de feu ! Eh bien, si. Ils continuent de dormir. À croire qu'ils sont déjà morts.

Un fou rire nerveux nous prend, tous les trois. Qui ne réveille pas davantage les soldats. Ensuite on se met à parler normalement, sans prendre la peine de chuchoter. Lukas affirme qu'il faut se débarrasser d'eux. Donc, qu'il faut les tuer. Je lui rétorque qu'après il faudra se débarrasser de leurs cadavres, et que ce ne sera pas facile. Il insiste, moi aussi. Le ton monte. On risque encore de se battre comme des chiffonniers. Le hurlement de la sirène met un point final à la discussion.

Il faut décaniller vite fait, descendre à la cave. Les bombes et les obus se chargeront des intrus.

Avant de partir, je ne peux m'empêcher de faire un dernier test. Je m'approche du soldat endormi au salon. C'est le plus gradé, il a trois étoiles et deux galons. Je me penche à son oreille et je crie :

— Regardez, *Hauptsturmführer* ! Regardez, le

gars, là ! (Je désigne Lukas.), C'est un Juif ! Un Juif ! Un vrai de vrai !

Ça me fait du bien. Ça me libère. Toutes ces années avec cette phrase coincée dans la gorge ! Jamais je n'ai pu la prononcer ! Maintenant qu'elle est sortie, j'ai l'impression que je respire mieux.

Manfred me tire par la manche pour me forcer à partir.

— Arrête de dire n'importe quoi !

— C'est pas n'importe quoi, il est juif, Lukas ! Tu me crois pas ? T'as qu'à lui demander.

— Oui, oui, c'est ça ! D'accord ! Il est juif, et moi, je suis français ! Allez, grouille !

Les soldats sont restés deux jours entiers dans notre appartement. Au matin du troisième, ils avaient disparu.

Maintenant, le vent de panique s'intensifie. « *Der Ivan kommt !* » « *Der Ivan kommt !* » On n'entend plus que ça, partout. De nuit comme de jour. Dans les caves ou dehors. Il n'y a plus de radio, plus de journaux, mais le bouche-à-oreille fonctionne à plein régime. Et il dit vrai.

Frau Oberham, la grosse matrone, s'est approchée l'autre soir de la dame blonde. Elle a jeté un coup d'œil par-dessus son épaule pour regarder la photo que la femme tenait entre ses mains, comme toujours. Elle a secoué la tête de droite à gauche, a poussé un long soupir et lui a dit :

— Je sais que c'est dur, mais vous devriez brûler cette photo. Si les Russes vous voient avec ça, ils vous tueront !

La femme blonde ne lui a pas répondu. Elle a plaqué la photo contre son cœur, comme si l'autre avait tenté de la lui prendre, et elle a changé de place.

À présent, radio-bouche-à-oreille annonce que l'Armée rouge est à la périphérie de la ville. Les appartements retrouvent leurs propriétaires pour un bref moment. Le temps de détruire tout ce qui peut être compromettant : portraits de Hitler, uniformes, insignes du parti, courrier. Ils hissent des drapeaux blancs sur les balcons (s'exposant ainsi aux brigades de répression SS qui tuent les occupants des maisons où apparaissent les drapeaux).

Lukas accroche lui aussi un drapeau blanc au balcon de notre appartement. Il m'ordonne de me changer et de brûler mon uniforme de la *Napola*. Comme je proteste que je n'ai rien d'autre à me mettre, il sort et revient une heure après, avec un pantalon et un pull à ma taille. Ils sont tachés de sang.

Il les a pris sur un cadavre, dans la rue.

Je les mets. Pas le choix.

Maintenant, j'ai vraiment une Tête de Mort.

Mon uniforme n'a pas fini de se consumer que le téléphone sonne.

Nous nous regardons tous les trois, médusés. Encore plus paniqués par cette sonnerie que par le hurlement de la sirène quand elle retentit. Encore plus étonnés par ce bruit si insolite dans l'appartement bombardé que par la présence des soldats, l'autre jour.

Le téléphone ne fonctionne pas. Comment peut-il donc sonner ? Souvent, Manfred et moi, nous avons joué avec. Il n'y avait pas de tonalité.

– Qui ça peut être ? demande Lukas.

– Comment veux-tu que je le sache ?

– Papa ! Maman ! s'écrie tout à coup Manfred.

Avant qu'on ait le temps de faire un mouvement pour l'arrêter, il court et décroche.

– Allô !... Qui... Qui est à l'appareil ?

Il pâlit à vue d'œil. Tremble. L'écouteur collé à l'oreille comme une prothèse, il nous regarde avec des yeux exorbités par la peur.

– Nein ! Nein ! crie-t-il tout à coup. Allô ! Allô !

Son interlocuteur lui a visiblement raccroché au nez. Manfred lâche le combiné, qui pend dans le vide au bout de son fil, comme les «lâches» pendus aux réverbères dans la rue, et vient se coller à moi.

– Alors ? Qui c'était ? lui demande Lukas.

– Je crois bien que... que c'était un Ivan.

– Qu'est-ce qu'il t'a dit ?

– Je sais pas. J'ai rien compris. Il parlait en russe, y a qu'à la fin qu'il a parlé allemand.

– Pour dire QUOI ? s'énerve Lukas.

– Il m'a demandé : «*Du, SS*[1] ?» J'ai répondu non, mais j'ai l'impression qu'il m'a pas cru.

Un temps d'arrêt. Lukas me regarde. Je regarde Lukas. Manfred nous regarde, Lukas et moi.

– On met les voiles ! Définitivement ! finit par crier Lukas.

---

1. «Toi, SS ?»

33

La nuit des Ivan.

Nuit blanche.

Chacun a repris sa place dans la cave, à la différence près que les valises ne délimitent plus aucun territoire. Nous éprouvons le besoin de sentir le contact charnel du voisin, sa chaleur, sa respiration... Ses tremblements. Les valises ont été posées devant la porte en guise de barricade. Une barricade dérisoire. L'effet est purement psychologique, mais nous réconforte tout de même.

Une pensée tourne sans cesse dans ma tête. Nous sommes le 27 avril 1945. J'ai neuf ans depuis une semaine. Le cadeau d'anniversaire arrive avec un peu de retard. Et c'est le débarquement des Ivan.

La nuit est calme. *Trop* calme. Les bombes sont rares. Les murs ne tremblent pas, mais nous, oui. Pas de papotages, pas de ragots. Motus et bouche cousue. Chacun se fait un scénario différent de ce qui l'attend. Frau Diesdorf a l'air de cogiter à plein régime sous sa serviette de toilette. Frau Evingen serre farouchement sa jambe artificielle contre elle. Frau Betstein caresse la tête de Manfred d'un mouvement répétitif. La grosse matrone et Ute sont blotties l'une contre l'autre.

Herr Hauptman, bien qu'assis, semble se tenir au garde-à-vous, raide comme un obus. Lukas n'arrête pas de me regarder, grimaçant à mon intention un sourire qui se veut encourageant. On dirait qu'il s'inquiète plus pour moi que pour Ute. La femme blonde, comme toujours, ne quitte pas des yeux sa photo.

Je crois que les scénarios que nous échafaudons chacun de notre côté ne sont pas si différents les uns des autres : on va crever. Tous. Sauf Lukas, peut-être, puisqu'il n'est pas allemand.

À 5 heures du matin, le plafond se met soudain à vibrer, secouant la torpeur dans laquelle nous avons peu à peu sombré. Ronronnement d'engins motorisés, là-haut, dans la rue. Ils s'arrêtent, se garent probablement le long du trottoir. Une forte odeur d'essence parvient jusqu'à nous. Puis le silence de nouveau.

C'est Frau Diesdorf qui craque la première.

– Je vais voir ce qui se passe !

Elle se lève, non sans se débarrasser de sa serviette, ce qui est une première. Une marque de coquetterie vis-à-vis des occupants ? Ou pense-t-elle se suicider en s'exposant tête nue aux bombes ? Elle sort et un quart d'heure après, on l'entend dévaler l'escalier en catastrophe. Elle ferme la porte derrière elle, ainsi que le cadenas qui la verrouille, replace en hâte la barricade de valises.

– ALORS ? demandent les autres *Frauen* d'une même voix.

– Ils sont là ! Ils sont entrés dans la cave d'à côté. Je crois que... que... ça a bardé.

– Ils sont comment ? demande Frau Betstein.

414

– Sais pas. J'en ai vu deux, de dos seulement. Ils sont… larges, portent des vestes de cuir, des bottes de cuir jusqu'aux genoux… La petite ! dit-elle soudain en désignant Ute, il ne faut surtout pas qu'ils la voient ! Il faut la cacher ! Vite ! Vite !

Branle-bas de combat. Les *Frauen* sortent des valises autant de linge qu'elles en contiennent, en font un gros tas qu'elles amassent contre le mur du fond, et planquent la fille dessous. Frau Oberham s'assoit devant la pile pour faire écran et demande à Lukas de prendre place à côté d'elle pour doubler le camouflage. Il s'exécute aussitôt.

Et nous, alors ? Pas besoin de nous camoufler, nous, les mômes ? Pourquoi seulement Ute ?

Manfred me lance un regard angoissé et suppliant, comme s'il me demandait d'intervenir, de faire quelque chose pour que les *Frauen* consentent à nous cacher, nous aussi.

Le silence, encore. L'attente reprend. Une heure après – ou deux, ou trois, à moins que ce ne soit juste une minute – un pas résonne dans l'escalier. Des coups violents sont frappés contre la porte. Le cadenas ne résiste pas longtemps, l'amoncellement de valises non plus, la porte cède, s'ouvre et le faisceau d'une lampe-torche balaie la cave, s'arrêtant sur chacun de nos visages. Aveuglés, nous clignons des yeux, nous ne voyons rien, puis, chacun à tour de rôle, une fois que la lampe s'éloigne pour éclairer le voisin, nous apercevons deux bottes, deux genoux, un torse – large, comme l'a dit Frau Diesdorf – et enfin un visage. Barbu. Une chevelure longue, ondulée. Rousse. Des joues et un nez rouges, cramoisis. Des yeux noirs. Un regard de faucon.

– Ouri ! Ouri ! crie le Ivan qui vient d'entrer.

Pas de doute, c'en est bien un. Il est si grand qu'il doit se pencher en avant pour ne pas heurter le plafond. Il me fait l'effet d'un ogre. Il va tous nous bouffer !

Nous nous interrogeons du regard les uns les autres. Est-ce que quelqu'un, par hasard, parlerait russe ? Au moins un mot, celui que répète le Ivan, de plus en plus agacé par notre silence et notre immobilité.

Il tend le bras, relève la manche de sa veste et reprend sa rengaine en frappant sur son poignet :

– Ouri ! Ouri !

Rien de plus efficace que le langage des signes. Cette fois c'est compris. Ouri, c'est Uhr, déformé. « Montre ». Il veut nos montres. Les *Frauen* et Herr Hauptman se séparent aussitôt des leurs et les jettent dans la besace du Ivan, qui les récolte en approuvant d'un vigoureux « Ya ! Ya ! ». Il est passé devant Manfred et moi sans s'arrêter, jugeant sans doute que nous étions trop jeunes pour porter une montre. En revanche, il saisit le bras de Lukas, le gauche, le droit, soulève ses manches pour vérifier qu'il ne cache rien. Puis, apercevant la pile de linge contre le mur, il pointe dessus le faisceau de sa lampe.

– *Keine Uhr hier !* s'écrie aussitôt Lukas. *Ouri, niet ! Niet !*

Tiens, c'est drôle. Lukas s'est spontanément exprimé en allemand, alors que le Ivan est son ami, son allié, non ? C'est le moment ou jamais d'abandonner cette langue qu'il a toujours détestée. Pourquoi Lukas ne dit-il pas qu'il est polonais, juif de surcroît ? Pourquoi n'en profite-t-il pas pour quitter cet enfer?... À cause de Ute? Il est à ce point amoureux de cette fille?

Le Ivan n'a pas l'air de saisir ce que Lukas lui a dit. Il insiste, baragouine d'autres mots en russe, gesticule encore, désignant son cou, ses oreilles, ses doigts. Les *Frauen* comprennent alors qu'il réclame des bijoux. L'une se défait aussitôt d'une bague, l'autre d'un bracelet, d'une chaîne. Après quoi, satisfait du contenu de sa besace, le Ivan repart.

C'est tout? Il voulait juste des montres et des bijoux?

Un soupir de soulagement parcourt la cave. On s'en tire à bon compte. On n'a pas été zigouillés!

Les sourires reviennent, la tension baisse. Frau Betstein déclare d'une voix qui se veut joyeuse, mais dont elle maîtrise mal les tremblements, qu'il est l'heure de prendre le petit déjeuner. Elle a une miche de pain dans sa valise, elle va la partager entre nous tous, peut-être même qu'elle pourra faire un peu de thé chaud.

Mais le petit déjeuner nous passe sous le nez. Nous nous sommes réjouis trop vite. Le Ivan revient alors que Frau Betstein n'a même pas eu le temps d'ouvrir sa valise. Accompagné de deux autres soldats, il est cette fois armé d'un revolver.

Il le pointe sur la femme blonde. D'un geste, il lui intime l'ordre de se lever et de monter l'escalier. La femme s'exécute docilement. Elle ne paraît pas surprise. Après avoir gravi quelques marches, en dépit du Ivan qui la pousse en creusant ses reins avec le canon de son revolver, elle s'arrête, se tourne vers moi, et me lance un dernier regard avant de disparaître. Bizarre, ce regard. Il s'est *posé* sur moi. Au sens propre du terme. Alors que la femme blonde n'est plus là, je le sens encore. Comme s'il ne devait plus jamais me quitter. J'ai mal au ventre, tout à coup. Au cœur, aussi.

Les deux autres soldats embarquent ensuite toutes les *Frauen* de la même façon. Ils s'en vont, nous laissant là, Lukas, Manfred, Herr Hauptman, moi, et Ute, toujours planquée sous la pile de linge.

Ensuite, on entend des cris.

La plus grosse frousse, on l'a eue cette nuit-là. Après, fini. On a vite compris le fonctionnement des Ivan. Leurs obsessions. Elles sont au nombre de trois.

La première: «Ouri! Ouri!» On dirait qu'ils se sont mis en tête de rafler toutes les montres de la ville. N'importe lesquelles. Même celles qui n'ont aucune valeur, comme les pacotilles avec des cadrans décorés de petites images. Certains Ivan ont des dizaines de montres à chaque bras, des chronomètres plein les poches. Il paraît qu'ils les envoient chez eux, en cadeau. Il paraît que, chez eux, c'est une marque de richesse.

La deuxième obsession, c'est la question qu'ils posent systématiquement à un homme, dès qu'ils en voient un, quel que soit son âge: «*Du, SS?*» Mieux vaut répondre par la négative, sinon ils tirent. Sans sommation.

Enfin, la troisième et la plus importante de leurs obsessions, ce sont les femmes. Oui, celles qui trinquent vraiment, à l'arrivée des Ivan, ce sont les *Frauen*.

Elles sont violées. Toutes, sans distinction.

Oh! bien sûr, les Ivan préfèrent les jeunes, mais le mot d'ordre a rapidement circulé et la plupart des jeunes filles sont cachées. Certaines, comme Ute, sous une pile de linge, d'autres, dans les soupentes. Ce sont des espèces de niches, creusées souvent dans le plafond des cuisines et où sont rangées d'ordinaire les valises. Au siècle dernier, paraît-il, les bonnes y dormaient. Une femme docteur a aménagé une pièce dans un bunker anti-aérien et elle a placardé une grande affiche sur la porte: «Attention! Danger de contamination. Malades atteints du typhus». C'est la planque la plus prisée de Berlin, les mères se la disputent pour leurs filles.

Faute de débusquer de la chair fraîche, les Ivan se rabattent sur ce qu'ils trouvent. Même les *Frauen* de cinquante ans. Même les moches. Ils s'en fichent. Leur préférence va d'ailleurs aux plus grosses. Comme si les grosses leur faisaient oublier toutes les privations dont ils ont souffert. Comme si, en plus du sexe, elles symbolisaient un garde-manger. Frau Oberham, la matrone de notre cave, passe à la casserole plus souvent que les autres.

Manfred et Lukas ont été choqués, quand, la première fois, ils ont vu les *Frauen* de notre cave revenir en piteux état, les yeux rougis à force d'avoir pleuré, les bas roulés sur les chevilles, les vêtements déchirés.

– Qu'est-ce qu'elles ont? Qu'est-ce qu'on leur a fait? s'est écrié Manfred, paniqué.

– J'espérais qu'ils feraient pas ça, eux aussi! s'est exclamé Lukas en secouant plusieurs fois la tête de droite à gauche, comme un vieux.

– Mais quoi ? Qu'est-ce qu'ils leur ont fait ? a insisté Manfred, qui n'obtenait aucune réponse, de personne, pas même de sa voisine.

Au lieu de s'asseoir à côté de lui comme d'habitude, elle s'était planquée dans un coin et, sans cesser de renifler, elle essayait de remonter sa culotte en se contorsionnant.

Manfred s'est mis à chialer.

– Rien ! On leur a rien fait de mal ! Je t'expliquerai plus tard ! ai-je fini par lui dire pour qu'il arrête son cirque. T'es trop petit pour comprendre !

Herr Hauptman, lui, s'est contenté d'un : «Courage, mesdames ! Courage ! »

Au final, je suis le seul à ne pas être choqué. Malgré mon âge, j'ai une grande expérience des viols. Je me souviens assez précisément de ceux auxquels j'ai assisté, à Poznan. Quand les soldats allemands s'en prenaient aux Polonaises.

Le viol, je crois bien que c'est la guerre des femmes. C'est maintenant qu'elles sont sur le front.

En tout cas, le viol est préférable à la mort.

Au fil du temps, les femmes se résignent à ce constat. Une phrase circule parmi elles : «*Mieux vaut avoir un Russe sur le ventre qu'un Américain au-dessus de la tête.* »

Et puis, ils ne sont pas toujours brutaux, les Ivan. Ils n'embarquent pas systématiquement les femmes avec un revolver. Parfois, ils demandent gentiment :

– Tu as un homme ?

Si la Frau répond non, eh bien... elle doit suivre le Ivan. Si elle répond oui, elle doit dire où se trouve son mari. Comme, la plupart du temps, il n'est pas encore rentré du front, eh bien... elle suit aussi le Ivan.

Tout le monde finit par se résigner.

C'est drôle comme on s'habitue à tout. Avant l'arrivée des Russes, on tremblait. On se les figurait comme des monstres. Or, ce sont juste des hommes. (Peut-être après tout que «homme» et «monstre», c'est la même chose?) Maintenant que les Ivan sont là, on fait avec, ils s'intègrent peu à peu au décor qui nous environne. Parmi les ruines, les immeubles défoncés, calcinés, les décombres, la poussière et les fumées d'incendies, il y a maintenant leurs voitures et leurs chevaux. Les seaux que les *Trümmerfrauen* remplissaient de gravats sont transformés en abreuvoirs. Des caisses remplies de foin et d'avoine s'entassent sur les trottoirs. Il y a du crottin partout. L'odeur des bêtes s'infiltre jusque dans les appartements. Au coin d'une rue, on aperçoit tout à coup les canons antiaériens russes, plantés là, hauts comme des tours. Lorsque les Ivan sont arrivés, le soleil d'avril était aussi chaud que celui d'un mois d'août; maintenant, le vent d'est se met à souffler, comme si les Russes l'avaient emporté dans leurs paquetages. Mais ils nous laissent approcher de leurs bivouacs quand, sur le trottoir, ils font un petit feu avec des débris de chaises. On peut se réchauffer les mains et les pieds. À part ça, la guerre continue toujours à l'ouest, les tirs d'artillerie (les ripostes allemandes) se poursuivent. De même que les alertes, le hurlement des sirènes et, donc, les passages obligés à la cave.

Dans la nôtre, chacun a repris son petit

train-train. Surtout le matin. C'est le moment le plus sûr de la journée, parce que les Ivan, après s'être soûlés toute la nuit, cuvent leur vin et ronflent, disséminés un peu partout dans les appartements désertés. On peut sortir prendre l'air sans danger. Ute quitte sa pile de linge et se dégourdit les jambes.

Manfred n'est plus terrorisé lorsque les *Frauen* reviennent de leurs «soirées» russes. J'ai fini par lui expliquer ce qu'elles faisaient, là-haut, avec les soldats, pour qu'il me fiche la paix une fois pour toutes.

– Bon, voilà comment ça se passe : elles s'allongent, sur un lit, une table, par terre, peu importe, et les Ivan mettent leur sexe dans leur fente. Comme elles ont des fentes allemandes, faites pour recevoir des sexes SS, ça marche mal, c'est pour ça qu'elles crient et qu'elles pleurent.

– C'est dégueulasse ! s'est exclamé Manfred en écarquillant les yeux.

– C'est dégueulasse quand les fentes et les sexes sont mal assortis ! Mais sinon, c'est normal, c'est comme ça qu'on fait les bébés. C'est comme ça que tes parents t'ont fait, toi, qu'est-ce que tu crois ?

Je me suis éloigné pour couper court à la discussion. L'ignorance de Manfred m'agace. Quand je pense qu'il était élève d'une *Napola* ! Bon sang, à quoi il rêvait pendant les cours de biologie ? On nous l'a pourtant serinée, l'importance d'un accouplement entre partenaires d'une même race !

Notre cave a tout de même changé. Il y manque une personne. La femme blonde. Elle n'a pas réapparu depuis la première nuit des Ivan. C'est étrange, personne n'a mentionné son absence. Comme si elle n'avait jamais existé.

J'en fais la remarque un jour à Lukas.

– Eh ben... puisque tu en parles...

Il a l'air gêné. Il n'est jamais gêné lorsqu'il s'adresse à moi. Pas normal.

– Elle est où ? Tu le sais, toi ?

Il hésite à me répondre, baisse les yeux et regarde ses mains qu'il frotte l'une contre l'autre, comme s'il voulait soudain les débarrasser de leur crasse.

– On a trouvé son...

– Son quoi ?

Il m'agace à lâcher un mot à la minute.

– Son cadavre. On a trouvé son cadavre dans la rue. Les Russes l'ont tuée. Je suis désolé, Konrad, vraiment désolé, ajoute-t-il en me prenant la main.

Konrad. Je rêve ou il vient de m'appeler par mon prénom, au lieu de « Tête de Mort » ? Il a dit qu'il était *désolé*. Il m'a pris la main, il a eu un geste affectueux envers moi. Qu'est-ce qui lui prend ?... Comprends pas.

– Ils l'ont tuée parce qu'elle a pas voulu se laisser violer ? je lui demande.

Ça ne m'étonnerait pas d'elle. Elle avait l'air courageuse, elle était fière. Douce mais fière. Une vraie Allemande.

– Non, je crois qu'ils n'ont même pas tenté de la violer. Ils l'ont tuée à cause de sa photo. Tu te souviens, cette photo qu'elle trimballait toujours ? Elle aurait dû la détruire, comme le lui avait suggéré Frau Oberham. C'est ce qui l'a perdue.

Il marque un temps d'arrêt. Paraît encore plus embarrassé que tout à l'heure, alors qu'il a fini par lâcher le morceau. Il voit pourtant bien que je n'ai pas fondu en larmes. Comme si c'était mon genre ! Bon, la femme blonde est morte. C'est triste, je le reconnais. Elle a laissé un vide dans la cave. J'aimais bien quand elle me souriait. Pas tout le temps, par moments. Mais des morts, il y en a eu et il va y en avoir encore beaucoup d'autres.

– Y avait quoi sur cette fameuse photo ?

Là, je sens que j'ai posé la bonne question. Ou plutôt la mauvaise, du point de vue de Lukas. Celle qu'il voulait précisément éviter.

– Viens un peu par là ! me dit-il après avoir réfléchi un moment.

Il m'entraîne à l'écart, sur les premières marches de l'escalier. Il met la main à la poche et en sort la photo. Alors que je vais m'en saisir, il me la soustrait en levant le bras.

– Je te la montre vite fait, mais après, il faudra la brûler, d'accord ? C'est trop dangereux qu'on nous voie avec, on pourrait nous tuer, comme la femme !

Il baisse le bras. Hésite encore.

– Bon, tu me la montres ou pas ? Faudrait te décider à la fin !

Il se décide.

Sur la photo, on voit la femme blonde, qui pose avec le Führer. Le Führer en personne ! Les Russes n'ont vraiment pas dû apprécier. La femme paraît plus jeune. Elle est très bien habillée, souriante. Elle tient un bébé dans ses bras. Je me demande qui était cette femme. Une actrice célèbre ? L'épouse du Führer ?... Et le bébé ? C'est l'enfant du Führer ?... Impossible. On l'aurait su, si le Führer avait eu un fils. Je remarque qu'en bas à droite de la photo il y a une signature. Reconnaissable entre toutes : *Adolf Hitler*. Une photo dédicacée ! Double raison de se faire trucider par les Ivan.

— Eh ben ! Elle était courageuse ! je dis à Lukas en lui rendant la photo. Elle devait vraiment aimer le Führer ! Pas comme les autres qui se fichent royalement de ce qu'il devient.

C'est vrai. On sait que le Führer est dans son bunker, mais à part ça, rien. Et de toute façon, tout le monde s'en fout. Quand les gens veulent parler de lui, ils disent « l'autre ». On ne sait même pas comment il a vécu l'arrivée des Ivan à Berlin, le drapeau russe planté sur le Reichstag... Alors la femme blonde est doublement méritante de lui être restée dévouée malgré tout.

— Tu sais, reprend Lukas, moi, je crois que c'est pas le Führer qu'elle devait aimer, cette femme. Mais plutôt son bébé.

Peut-être. Ouais. Bof. Je ne vois pas l'intérêt de cette discussion qui commence à m'ennuyer.

Lukas prend délicatement la photo que je lui rends et — non sans avoir encore hésité — la retourne. Il me montre alors, en la pointant du doigt, l'inscription qui figure au dos.

Konrad von Kebnersol. Steinhöring. Juin 1936.

Le « Konrad » est barré et remplacé par un autre prénom, tracé d'une écriture différente : *Max*.

Je retourne vite fait la photo, plusieurs fois de suite, jusqu'à ce que mon cerveau parvienne à faire les connexions nécessaires, à établir le lien entre le bébé dans les bras de la femme blonde et l'inscription au dos.

Le premier prénom. *Konrad*. Le mien.

Le nom de famille. Le mien aussi.

La date. Celle de mon *Namensgeburg*. Mon baptême.

Ce qui signifie que le bébé, c'est moi. BPFP. Baptisé par le Führer en personne.

Quant à ce *Max*... Il résonne dans ma tête tandis que je le répète plusieurs fois à voix basse. Il sonne un peu comme... comme une note de musique. Il me rappelle quelque chose, mais je ne sais pas quoi.

– Je crois bien que... que c'était ta mère, murmure Lukas d'une voix brisée. J'ai... J'ai beaucoup de chagrin pour toi.

– ...

Je réfléchis. Est-ce que j'ai du chagrin ?

Non.

Elles crèvent toutes, les mères ! Celles qui ont élevé leurs enfants, comme Lukas et Manfred, et celles à qui on a enlevé leur enfant.

Les mères sont kaputt !

C'est la guerre.

34

La conséquence des viols : ça baise partout dans Berlin. Un déchaînement généralisé. Les filles, avec le consentement et la bénédiction de leurs mères, préfèrent se donner à un jeune Allemand, n'importe lequel, plutôt qu'être violées par les Ivan bourrés. On bute souvent sur des corps enlacés, dans un escalier, derrière un arbre, une barricade improvisée, un tas de gravats. Parfois, dans les cours, on ne fait pas bien la différence entre les cris résultant des viols et ceux des accouplements consentis. Tout ça résonne indifféremment à travers les fenêtres brisées.

C'est ainsi qu'un matin, à l'aube, Frau Oberham, à peine descendue à la cave après une nuit passée avec les Ivan, libère Ute de sa pile de linge, la prend par la main, fait signe à Lukas de la suivre jusqu'à la porte et lui demande :

– Bon ! Quel âge as-tu, mon garçon ?

– Seize ans, madame.

– Parfait ! Ute en a dix-sept ! Elle te plaît, tu lui plais, alors vas-y, prends-la ! Elle est à toi !

Sur ces paroles, elle flanque la main de Ute dans celle de Lukas, fait pivoter celui-ci et le pousse dans l'escalier.

– Mais, euh... C'est-à-dire que..., bafouille Lukas en se retournant.

Ute, elle, ne bronche pas. Elle semble ne rien avoir compris. Encore engourdie et abrutie par la nuit inconfortable qu'elle vient de passer sous sa pile de linge, elle bâille à s'en décrocher la mâchoire.

– Allez! Allez, vas-y! Qu'est-ce que tu attends? Je ne vais pas te faire un dessin tout de même! s'écrie Frau Oberham, agacée, pressée d'aller s'affaler sous son édredon pour dormir.

Un moment de silence pendant lequel Lukas et Ute se regardent en chiens de faïence. Ute finit par réagir. Ça y est. Elle a capté. Elle rougit, esquisse un sourire, lisse ses cheveux ébouriffés du plat de la main, défroisse ses vêtements, puis se dandine d'un pied sur l'autre en se mordillant les lèvres. N'ayant pas lâché la main de Lukas, elle l'agite de droite à gauche, comme le font les enfants dans une ronde. Lukas a les joues en feu. Il tente de répondre au sourire de Ute, n'y arrive pas, se détourne et balaie la cave du regard.

Tout le monde est là, à le fixer. Au moment où ses yeux se posent sur Manfred et moi, nous ne pouvons nous empêcher de ricaner. (À force de voir des couples en ébats, Manfred s'est décoincé. Il a parfaitement compris ce que Lukas et Ute sont censés faire, là, maintenant, tout de suite.) Vexé, Lukas nous lance une œillade assassine et s'efforce de reprendre contenance.

– Bon, d'accord! dit-il, prêt à relever le défi.

Faisant signe à Ute de le précéder, il monte une volée de marches. Qu'il redescend aussitôt.

– On peut pas faire ça ici, devant vous tous!

Ils ne le feront pas dans la cave, mais dans notre appartement. Voilà ce qui est décidé.

Nous réintégrons donc ce matin-là notre appartement pour la première fois depuis l'arrivée des Ivan. Je dis « nous », parce que, malgré les protestations de Lukas, j'insiste pour l'accompagner, saisissant là l'occasion de quitter cette fichue cave. Je rêve de retrouver mes divines toilettes, là-haut, avec leur stock de papier. Quant à Manfred, toujours à la colle, il me suit.

– Il faut bien que quelqu'un fasse le guet, non ? Si jamais un Ivan débarque alors que vous êtes en pleine action, comment vous ferez ?

Lukas est obligé de céder devant mon argument imparable.

Par chance, l'appartement est vide, du moins ce matin-là. Car une multitude de signes nous indiquent qu'il a été occupé. Il y a du crottin de cheval sur le parquet – les Ivan en transportent toujours de gros paquets sous leurs semelles – des couvertures sur les lits, alors que nous n'en avions pas, et de la vaisselle sale dans la cuisine. Tout est crasseux, dégueulasse, y compris mes toilettes. Plus de papier. La pile de bouquins a disparu, il ne reste que les couvertures. *Mein Kampf* a donc servi à torcher un cul soviétique !

Catastrophé, Manfred renoue derechef avec ses habitudes et entreprend un ménage à fond. Lukas, après avoir assemblé et cloué des planches de bois pour fabriquer un semblant de porte à la chambre des parents, s'y enferme avec Ute.

Moi, je m'installe à la cuisine. J'ai repéré des restes. Une boîte de conserve de viande que les

429

Ivan ont entamée à moitié, un morceau de lard, quelques tranches de pain rassis, du lait.

Je mange.

En me voyant, Manfred cède à l'appel du ventre, lâche son balai et me rejoint. Dehors, pas de bombes, pas de martèlement de bottes sur les trottoirs, c'est l'heure où les Ivan dorment. Ce qui me fait prendre conscience que, à part le bruit de notre mastication, on n'entend rien non plus dans l'appartement. Pas normal, ce silence.

– Va voir un peu ce qu'ils fabriquent! Faut qu'ils se grouillent, on n'a pas toute la matinée!

Manfred ne se le fait pas dire deux fois. Il se lève et va coller un œil à l'un des nombreux trous dans les planches qui font office de porte.

– Ils sont même pas à poil! dit-il, déçu, en revenant.

– Pas besoin d'être à poil, idiot! Suffit que Lukas baisse son pantalon et enlève la culotte de Ute.

– Eh ben, il a pas baissé son pantalon et Ute a toujours sa culotte! Ils sont assis sur le lit, ils se tiennent la main et ils se regardent en souriant. C'est tout! conclut Manfred en trempant sa tranche de pain rassis dans du lait.

Je pousse un soupir agacé. À ce train-là, ils n'auront jamais fini avant midi et il faudra jouer serré pour dégager le terrain avant le réveil des Ivan.

Mais ma supposition est démentie quelques minutes après. On dirait bien que Lukas se décide à passer à l'offensive. Des chuchotements se font entendre, inaudibles tout d'abord, un peu plus articulés ensuite. Des bouts de phrase. «Non! Attends, pas comme ça! Plutôt comme ça!

Doucement! Doucement!»... C'est la voix de Ute. Bizarre, cet accouplement; lors de ceux auxquels j'ai assisté, c'était l'homme qui dirigeait les opérations, pas la femme. Décidément, la guerre a tout chamboulé.

«Oui, c'est mieux! C'est ça, c'est ça! Continue!... Oui! Oui! T'arrête pas!»

Ensuite, plus de chuchotements. Juste les ressorts du sommier qui couinent. De plus en plus fort. Faisant craquer les lattes du parquet. Enfin viennent les «Oh! Ouh! Ah!... AH! AH! AH!!!» de rigueur. La conclusion standard.

Bon, si l'opération a eu du mal à démarrer, elle a eu le mérite d'être rapide dans son exécution. À vue de nez – je n'ai pas de montre pour le vérifier, plus aucun Allemand ne possède de montre – je dirais que l'accouplement de Lukas et Ute aura duré cinq minutes, à tout casser.

Une fois leur affaire terminée, ils nous rejoignent à la cuisine. Lukas râle parce que Manfred et moi avons quasiment tout mangé, mais Ute, en fouillant dans les placards, y découvre tout un tas de victuailles: d'autres conserves de viande, de lait, des boîtes de chou-rave, du gruau, des flocons d'avoine. Un vrai festin!

On s'en met plein la panse.

Les jours qui suivent, l'emploi du temps est identique. Nuit à la cave, matinée à l'appartement. Accouplements répétés de Lukas et Ute. De plus en plus longs. De plus en plus bruyants. Ils y prennent vraiment goût! Puis repas tous ensemble. Comme chaque matin nous retrouvons l'appartement tel que nous l'avons laissé, nous en déduisons qu'il ne fait plus partie de ceux que les Ivan occupent. Alors on tente le coup. On s'y installe de nuit comme de jour. Avec succès. Nous ne sommes pas délogés, car notre appartement possède un avantage dont nous n'avions pas conscience : il se situe au cinquième étage. Or, selon radio-bouche-à-oreille, les Ivan n'aiment pas monter les escaliers. La plupart d'entre eux sont des paysans, ils aiment la terre, le contact avec la terre, si bien qu'ils préfèrent rester au rez-de-chaussée. En hauteur, ils se sentent isolés et, en cas de retraite, ils perdent du temps.

Manfred s'adonne avec entrain à ses activités ménagères pour nous confectionner un nid douillet. Ute devrait l'aider, puisque c'est une fille. Mais non, elle refuse catégoriquement. Pimbêche ! Depuis qu'elle n'a plus Frau Oberham sur le dos, et surtout depuis qu'elle couche avec Lukas, madame se donne des allures de princesse. D'ailleurs, elle nous a révélé que Frau Oberham n'était pas sa mère, mais une éducatrice du BDM dont elle faisait partie. La panique a sévi aussi bien dans les BDM que dans les *Napola*, sauve-qui-peut général, système D, Ute s'est enfuie avec Frau Oberham, dont elle est bien contente d'être débarrassée à présent.

Les premières nuits, par mesure de sécurité, elle couche dans la soupente de la cuisine, puis Lukas a l'idée de la déguiser en homme. Un vieux costume qu'il trouve quelque part, dans une valise abandonnée. Manfred se charge de lui couper les cheveux. Résultat : on se la trimballe vingt-quatre heures sur vingt-quatre. Et les accouplements ont lieu indifféremment la nuit ou le jour.

Bon, si ça ne le dérange pas, Lukas, que les Ivan, au cas où ils monteraient quand même jusqu'au cinquième étage, le prennent pour un pédé, c'est son affaire.

On s'organise donc à quatre maintenant.

Lukas fouille les maisons que les Ivan occupent la nuit et il nous rapporte leurs restes, souvent très conséquents.

Il a encore changé, Lukas. Comme il mange mieux et qu'il baise comme un lapin, il a l'air d'un homme maintenant. Il est redevenu beau. Manfred lui a coupé les cheveux. Les cheveux courts, presque rasés, lui vont très bien. Ça met en valeur la couleur de ses yeux, qui paraissent plus grands. Sa voix a baissé d'un ton. Quand il parle, on voit cette grosse boule palpiter à la base de son cou – la pomme d'Adam, ça s'appelle. À force de marcher dans Berlin, de monter les escaliers des immeubles qu'il visite en quête de nourriture, les muscles qu'il s'était forgés à la *Napola* sont de nouveau visibles sous ses vêtements, qu'ils ont tendance à étirer. Épaules larges, bassin étroit, jambes solides, un vrai *Jungmann*, comme avant. Son caractère s'est adouci. Il est plus décontracté, moins agressif. Surtout avec moi.

De temps en temps, quand un maigre rayon de soleil perce et que ça pétarade un peu moins dans la rue, on sort. Rien que tous les deux. On s'assoit dehors dans la cour de l'immeuble pour fumer une cigarette. Un matin, alors qu'on s'apprête à allumer la clope qu'on va se partager, on voit une femme qui, jupe relevée, fait ses besoins en plein milieu de la cour. Après un bref moment pendant lequel on reste là, ébahis, à regarder cette bonne femme chier au vu et au su de tout le monde, on éclate de rire.

– Elle est loin, la fierté nazie, hein, Max? me demande Lukas.

Depuis la mort de la femme blonde, il m'appelle Max. Ça ne me dérange pas. C'est mieux que «Tête de Mort». Il sonne bien, ce prénom, en tout cas dans sa bouche.

Je jette un coup d'œil à la bonne femme accroupie. Elle est ébouriffée, sale, pieds nus. Il y en a plein, comme ça, des *Frauen* qui traversent Berlin les pieds nus et l'air hagard. Je pense aux infirmières de Steinhöring, aux *Braune Schwester* de Poznan, aux *Aufseherinnen* de Kalisch, toutes si impeccables dans leurs uniformes respectifs, et je suis bien obligé d'admettre que oui, elle est bel et bien anéantie, la fierté nazie.

Je saisis la cigarette que Lukas me passe et je profite de ce moment privilégié, rien qu'à nous, pour lui poser une question qui me démange depuis longtemps.

– Pourquoi tu dis pas aux Ivan que t'es polonais?

Lukas reprend la cigarette, tire une longue bouffée et hausse les épaules.

– J'ai failli le faire, à plusieurs reprises, mais... je sais pas... je le sens pas bien. Tu sais, quand ils ont envahi la Pologne avec les Fritz, les Russes n'ont pas été tendres avec nous non plus.

Les Ivan étaient nos alliés au début de la guerre, c'est vrai. Je l'avais complètement oublié.

– Je me méfie. Chez les Russes aussi, y a une longue tradition antisémite, poursuit Lukas.

Et puis, de toute façon, j'ai pas envie qu'après la guerre ils me renvoient en Pologne. J'ai plus personne là-bas. Je préfère attendre les Américains. Avec eux, on peut espérer du changement. Écoute, Max, ajoute-t-il, excité tout à coup, dès que les combats seront finis, dès qu'on pourra sortir de Berlin, il faudra qu'on se débrouille pour aller à l'Ouest et s'en remettre aux Américains.

Songeur, il continue de tirer taffe sur taffe, oubliant de me passer la cigarette.

– Ils ont libéré les camps, tu sais ? Il paraît qu'il y a des rescapés. Très peu. Je ne sais pas si ma mère fait partie du lot. Il vaut mieux que je me prépare au pire...

Il s'interrompt pour regarder les volutes de fumée qui s'envolent. L'espace de quelques minutes, parce qu'il a évoqué sa mère, j'ai peur qu'il ne se remette à dérailler, comme lors des dernières semaines à la *Napola*. Mais non, il reprend d'un ton serein :

– Si on m'annonce que ma mère est morte, alors je serai orphelin, comme toi, Max. Et on sera pas les seuls. Le pays va grouiller d'orphelins, de toutes nationalités. Pas assez de place ici pour tout ce monde. Les Américains, je suis sûr qu'ils vont nous tirer de ce merdier, ils nous enverront ailleurs, loin, chez eux ou... Qu'est-ce que tu dirais de partir au Canada par exemple, ou en Australie ?

Je réfléchis. Je ne vois pas bien où se trouve le Canada. L'Australie, encore moins.

– Je sais pas. C'est l'Allemagne, mon pays.

– Plus maintenant, Max. Regarde-la, l'Allemagne ! De quoi elle a l'air, hein ?

D'un mouvement du menton, il me désigne la grosse crotte que la femme a laissée sur les pavés, dans la cour. L'odeur vient jusqu'à nous et elle est répugnante. Un peu plus loin, sur le bord du trottoir, des soldats sont assis. Exténués, crasseux, dégoûtants. Certains ont des pansements tachés de sang sur la tête, des membres atrophiés ou amputés.

— Qu'est-ce que tu crois qu'il va se passer pour toi, ici ? Tu vas finir dans un orphelinat, au mieux, dans une famille d'adoption que t'auras pas choisie. C'est ça que tu veux ?

Je secoue la tête négativement. Pas d'adoption. Surtout pas. Je n'ai pas changé d'avis sur ce point.

— Mais... Mais toi, si on t'apprend que ta mère est vivante, si jamais tu la retrouves, vous repartirez quand même pas en Pologne ?

— Non ! On mettra les voiles ! On mettra les voiles pour le Canada ou l'Australie ! Et on t'embarquera... Chacun son tour, mon vieux ! ajoute-t-il sans me laisser le temps de répliquer. J'ai bien vécu chez les nazis pendant des années, tu pourras bien t'accommoder de deux youpins, non ?

Je ne dis rien. Je réponds juste à son sourire.

— Ute et Manfred seraient du voyage, eux aussi ? je demande après un silence.

— Non, eux, c'est différent. Leurs parents sont ici. Ils ont une chance de les retrouver.

Je réfléchis encore.

— Mais qu'est-ce qu'on fera au Canada ou en Australie ?

— J'en sais rien. On verra bien !

Ces moments sont trop rares.

Même si je sais qu'Ute est pour quelque chose dans la transformation de Lukas (baiser, ça doit calmer, diminuer l'agressivité, la colère), je ne l'aime pas. Elle a fait irruption dans notre vie. Sans elle, Lukas passerait plus de temps avec moi. Sans elle, on serait peut-être déjà partis vers l'Ouest tous les deux. Elle m'agace avec ses airs de princesse. Sous prétexte que nous sommes plus jeunes qu'elle, elle s'octroie le droit de nous donner des ordres, à Manfred et à moi.

Vous savez de quoi on a l'air, parfois ? D'une famille. Une gentille petite famille, le papa, la maman et les deux gosses. Manfred, lui, s'en accommode. Il se sent rassuré, il aime être commandé et materné, mais ce n'est pas mon cas.

Je déteste les familles. Depuis toujours.

Alors, un matin, profitant de l'absence de Lukas, parti au ravitaillement, je dis à Ute, en mordant dans une tartine, qui, miracle, est recouverte d'une assez bonne couche de matière grasse :

— Dès que la guerre sera finie, Lukas et moi, on part au Canada. Rien que tous les deux.

Ute, après avoir levé les yeux au ciel, échange un regard complice avec Manfred, l'air de dire : «Fais pas attention, c'est n'importe quoi !», et, sans même prendre la peine de me répondre, elle se tartine une tranche de pain.

Je décide de poursuivre l'attaque. Avec l'artillerie lourde, cette fois.

— Il est juif, Lukas.

Manfred juge bon de ramener son grain de sel.

— T'inquiète pas, Ute, Konrad fait sans arrêt cette plaisanterie. C'est une obsession chez lui.

– Ta gueule, toi ! Je t'ai pas sonné !... Il est juif, Lukas, je répète en plongeant mes yeux bleus dans les yeux non moins bleus d'Ute.

En guise de consolation, elle caresse les cheveux de Manfred, qui a pris sa mine de chien battu parce que je l'ai rembarré.

– Tu ne sais pas quoi inventer, hein ? Sale petit morveux ! me répond-elle enfin. Eh bien, pour ta gouverne, sache qu'il est impossible que Lukas soit juif. Il y a... un petit détail secret qui prouve que tu mens, ajoute-t-elle en minaudant.

Croyant qu'elle a marqué un point, elle admire ses ongles, noirs de crasse, cassés, avec autant de satisfaction que si elle sortait de chez la manucure. Puis elle mord à pleine bouche dans sa tartine.

– Tu veux parler de son zizi pas circoncis ? C'est ça, le petit détail secret ? Moi aussi, je suis tombé dans le panneau, au début, mais ça ne prouve rien du tout. Ça n'empêche pas Lukas d'être juif.

Et là-dessus, je balance toute l'histoire. Notre rencontre à Kalisch, la germanisation forcée, ce que Lukas m'a dit de ses parents, quand nous étions à l'infirmerie, la mort de son père et de son frère, la déportation de sa mère à Treblinka, puis le séjour à la *Napola* et les meurtres des *Jungmannen*.

Quand j'ai terminé mon récit, Ute et Manfred ont laissé tomber leurs tartines sur la table. Je leur ai coupé l'appétit. Moi, je continue de manger, tranquillement, savourant à la fois le goût de la margarine sur le pain, et le spectacle de leur mine déconfite.

– Mince alors ! s'exclame Manfred, le premier

à réagir. Lukas, un Polonais ? Un Juif ? C'est pas possible ! Il est...

Je devine que, pour une fois, il se remémore les cours de biologie, à la *Napola*. Peut-être même qu'il se rappelle le dessin qu'il avait fait pour moi à l'époque, celui du gros Juif ventru, assis sur le globe terrestre, barré du mot *Geld*. Je termine sa phrase à sa place.

– Il est blond aux yeux bleus, je sais ! Il est grand, élancé et non petit, trapu. Il n'a ni un gros nez ni des doigts crochus, et pourtant, il est bien juif.

Nouveau silence. La nouvelle est difficile à digérer au petit déjeuner.

– Donc, vous n'êtes pas frères, tous les deux ? s'enquiert Manfred.

Je secoue la tête. Reporte mon attention sur Ute, qui n'a toujours pas ouvert la bouche. Elle aussi, en tant que membre du BDM, elle en a entendu pas mal sur les Juifs.

– Tu vas continuer à coucher avec lui ?

– ...

– Qu'est-ce que tu vas faire de ton bébé ? je lui demande, histoire d'enfoncer le clou un peu plus.

– Quel bébé ?

– Celui qui est dans ton ventre. Celui que vous avez fabriqué avec Lukas.

– Mais je... Je ne suis pas enceinte ! affirme-t-elle d'une voix qui grimpe dans l'aigu.

Une lueur de panique passe dans ses yeux et elle porte instinctivement les mains à son ventre, comme si elle était en mesure d'y déceler la présence du bébé que je viens d'évoquer.

– Tu pourrais l'offrir au nouveau dirigeant de l'Allemagne, quand on saura qui c'est.

Un nouveau dirigeant, oui.

Parce que Hitler est mort.

Il est mort hier. C'était le 30 avril 1945. Nous sommes descendus un bref instant à la cave pour aller chercher des affaires que Ute voulait y récupérer. La radio de Frau Betstein marchait, pour une fois. Elle diffusait une marche funèbre de Wagner sur la voix de Dönitz annonçant la triste nouvelle. Et puis il y a eu une panne de courant, la radio s'est tue.

Personne n'a réagi. Personne. Tout le monde s'en fout.

Moi y compris.

– Hitler, fini. Gœbbels, fini. Staline, bien !

C'est ce que clament les Ivan dans la rue. (Entre-temps, il paraît que Gœbbels s'est suicidé, lui aussi.)

Peut-être que Ute offrira son bébé à Staline ?

35

À l'inverse des bombardements qui marquent le pas, radio-potins-cave fonctionne à plein régime. Fort utile, elle nous apprend à mieux comprendre les Ivan et à moduler notre comportement en fonction du leur.

Ainsi, l'histoire très instructive d'une *Frau* habitant Berlinerstrasse a circulé dans toutes les caves et est parvenue jusqu'à notre quartier.

Un soir, deux Ivan ivres ont fait irruption dans son appartement. En dépit des avertissements de ses voisins, la femme avait refusé de s'installer à la cave. Ils ont défoncé sa porte à coups de pied et de crosse, l'ont saisie, acculée contre un mur et lui ont arraché ses vêtements, se réjouissant de constater que le hasard leur avait donné une proie de choix, la *Frau* étant jolie, jeune et soignée. Ils allaient la violer lorsque tout à coup ils ont vu, dans un coin de la pièce, un petit lit où dormaient un bébé et un enfant de quatre ans. Ils ont stoppé net, ont aidé la jeune femme à se rhabiller et se sont confondus en excuses.

– Vos enfants ? a demandé l'un d'eux, qui baragouinait quelques mots d'allemand.

Il s'est approché du lit.

– Jolis! Si jolis petits! Mignons comme tout! a-t-il ajouté.

Il a retiré sa veste et l'a délicatement posée sur les enfants, qui n'étaient pas couverts. Les deux soldats se sont ensuite éclipsés sur la pointe des pieds pour ne pas faire de bruit. Le lendemain, Andreï, celui qui avait laissé sa veste, est revenu apporter à la *Frau* une couverture chaude, ainsi que du lait et du chocolat. Il est revenu plusieurs fois, avec des vivres supplémentaires. Un jour, il a montré à la *Frau* la photo de ses enfants, qu'il n'avait pas vus depuis 1941. (Les soldats russes n'ont pas de permissions comme les nôtres.) Il a fondu en larmes.

– La guerre est presque finie, il faut tenir bon, vous allez revoir vos enfants très bientôt, l'a consolé la *Frau*.

Andreï, par l'intermédiaire de l'interprète qui l'accompagnait, lui a alors répondu :

– Je ne pleure pas sur mes enfants. Je pleure sur ceux que les Allemands ont tués.

Il s'est interrompu un instant, le temps de maîtriser ses sanglots, et a ajouté :

– Dans mon village, les militaires allemands ont poignardé des enfants. Certains les saisissaient par les pieds et leur fracassaient le crâne contre un mur. Je l'ai vu de mes propres yeux. Plusieurs fois.

«Œil pour œil, dent pour dent», m'avait dit Lukas quand il avait commencé sa série de meurtres à la *Napola*. Il semblerait que les Ivan appliquent ce proverbe pour les femmes, violées elles aussi par nos soldats, mais pas pour les enfants.

Alors, si on planque les jeunes filles dans les soupentes des cuisines, sous les piles de linge ou si l'on fait croire qu'elles ont le typhus, à l'inverse, on exhibe les enfants pour apitoyer les Ivan.

Chez nous, dans cette manière de famille qui s'est composée depuis l'installation de Ute dans l'appartement, c'est Manfred qui joue le rôle de l'enfant. Il a le même âge que moi mais il est plus petit d'une tête. Il est malingre, chétif, si bien qu'on ne lui donne pas plus de six ou sept ans. Il est ainsi tout désigné pour se présenter aux cuisines roulantes russes. Et ça ne manque pas, attendris par ce petit bonhomme craintif et pâlichon, les Ivan lui donnent souvent de la soupe chaude, du chocolat, du saucisson, tout ce que Lukas ne trouve pas parmi les restes dans les appartements qu'il visite, à l'aube.

De temps en temps, Manfred insiste pour que je l'accompagne. Il pleurniche en prétextant qu'il a peur, que les cuisines roulantes sont loin, qu'il lui faut traverser plusieurs pâtés de maisons. Je refuse.

– Tu pourrais pas faire un effort, pour une fois ? me dit alors cette pétasse de Ute qui, elle, ne fait rien de la journée, à part ce que vous savez.

– Allez, Max, sois sympa, vas-y ! me dit Lukas gentiment.

Quand c'est Lukas qui me le demande, j'y vais. Mais toujours à contrecœur. Je n'aime pas que les Ivan me prennent sur leurs genoux ou enroulent leurs gros doigts dans une de mes mèches blondes. Bien que je sois grand pour mon âge et que rien, dans mon attitude farouche, ne suscite l'attendrissement, j'ai souvent plus de succès que Manfred auprès d'eux.

443

— *Milyi! Milyi!*

« Mignon », ils répètent en me voyant.

Ma chevelure platine et mes yeux bleus si clairs les font craquer. Comme quoi ma gueule d'ange produit toujours son petit effet, même sur les Ivan.

Ce matin-là, j'étais dans un mauvais jour. D'une humeur de cochon. J'ai refusé catégoriquement d'accompagner Manfred. Personne n'a réussi à me convaincre. Pas même Lukas. Je ne sais pas ce que je donnerais pour revenir en arrière.

Impossible, c'est fait. Fini.

Manfred part donc comme d'habitude, son petit panier à provisions sous le bras. Une heure après, il revient et pose le panier plein sur la table. Et là, ce n'est déjà plus comme d'habitude, car, dans le panier, il y a un jambon. Entier. Énorme. Cadeau des Ivan.

— Oh ! Manfred ! Mon p'tit chou ! Tu es vraiment géniaaaal ! s'écrie Ute avec son détestable accent snob.

— Bien joué ! Bravo ! approuve Lukas.

Moi, je ne dis rien. Je suis vexé de constater que ce crétin de Manfred a su si bien se débrouiller. De toute façon, même si j'avais voulu, je n'aurais pas eu le temps d'ouvrir la bouche, parce que – c'est aussi exceptionnel que le jambon dans le panier – on entend soudain des pas dans l'escalier. Des pas lourds, mal assurés. Ils butent sur une marche, en sautent une, en dévalent deux autres, s'arrêtent, reprennent. Grimpent tout de même jusqu'au cinquième étage. Jusqu'à notre porte.

Nous n'avons pas pris la peine de la barricader en y clouant des planches de bois ou en plaçant des meubles devant. Elle cède au premier coup de botte. Une silhouette s'encadre dans l'embrasure. C'est un Ivan. Un Ivan qui vacille sur ses jambes épaisses comme des troncs d'arbres. Un Ivan qui pue l'alcool à plein nez. Un Ivan qui, à l'inverse de ses camarades, ne dort pas à cette heure-ci pour cuver son vin, comme il le devrait. Allez savoir quelle mouche l'a piqué, il a suivi Manfred, sans que celui-ci s'en aperçoive.

Je m'en veux. Je me dis que si j'avais accompagné Manfred, j'aurais su me montrer plus vigilant et cet Ivan ne nous aurait pas suivis. Au pire, je me serais débrouillé pour le semer.

Mais le fait est qu'il est là, maintenant.

Pourquoi a-t-il suivi Manfred ? Il n'était pas d'accord pour lui donner un jambon entier ? Il est venu le récupérer ?... Pas de problème, on va le lui rendre, son jambon. Tout de suite ! Et le reste des provisions avec !

Sauf que le Ivan n'en a rien à faire du jambon.

Son regard se pose sur Ute. Elle porte son pantalon et sa chemise d'homme, mais pas sa veste. Et comme la chemise n'est pas boutonnée jusqu'en haut, on voit la naissance de sa poitrine. Elle est tête nue, elle n'a pas enfoncé son chapeau jusqu'aux yeux. Au lieu de plaquer ses cheveux à l'eau, elle les a laissés boucler. Avec un vieux tube de rouge à lèvres qu'elle a trouvé un jour par terre, elle a rehaussé la couleur de ses lèvres.

Elle est foutue. Elle va trinquer. Elle va y avoir droit, au viol.

Pour dire la vérité, je m'en fous. Mais Lukas,

lui, n'apprécie pas du tout cette idée. Il se lève. Du moins, il tente de le faire, car le Ivan l'en empêche en pointant son pistolet-mitrailleur sur lui.

– *Du, SS?* demande-t-il en hurlant.

Sa question est légitime, j'en prends conscience tandis qu'une vague de panique me submerge. Il est blond, Lukas. Il a des yeux couleur acier. Il est grand. Il a passé son adolescence dans une *Napola* et il a gardé le maintien des *Jungmannen*. À force de coucher avec Ute, il ressemble à un homme. Alors oui, il pourrait très bien passer pour un SS, un jeune, un de ceux qui ont été recrutés sur le tard, à la va-vite, ou pour un membre de la *Volkssturm*. Et ceux-là sont régulièrement tués par les Russes, lorsqu'ils les dénichent au fin fond d'une cave.

L'Ivan n'en a rien à faire du jambon. Rien à faire de Ute. C'est après Lukas qu'il en a.

– *Du, SS?* répète-t-il, hurlant encore plus fort.

Pétrifié, Lukas se borne à secouer la tête en guise de réponse. Il ne fait que ça, secouer bête-ment la tête, sans prononcer un mot. Pourquoi ne se décide-t-il pas à répondre? À répondre dans sa langue maternelle, le polonais? Il ne l'a pas fait jusqu'à présent, il m'a expliqué pourquoi, mais il le faut maintenant. Il le faut ABSOLUMENT.

– *Niet! Niet! Ne SS! Polski! Yevreïskie! Yevreïskie!*

C'est moi qui, bafouillant quelques mots de russe, crie que non, non, il n'est pas SS, mais polonais, et juif, juif! Manfred et Ute, après un moment de panique, se joignent à moi et crient aussi de leur côté:

— *Jude! Jude!*

— *Nix Juden! Juden kaputt!* répond alors l'Ivan. «Plus de Juifs! Tous les Juifs morts!»

Les idées se bousculent dans ma tête. J'ai entendu dire qu'il y a eu plusieurs incidents, dans les caves. Des nazis ont voulu se faire passer pour des Juifs afin d'avoir la vie sauve. Ils ont été démasqués parce qu'ils ne parlaient ni yiddish ni hébreu.

— Lukas! Récite une prière en hébreu! Il faut que tu lui prouves que tu es juif!

Lukas me regarde, ahuri. Il ouvre ensuite la bouche, mais aucun son n'en sort. Je comprends qu'il a un trou de mémoire. Maintenant. L'effet de la panique, sans doute. Ne sachant plus que faire, je fonce tête baissée, droit sur le Ivan, dans le fol espoir d'arriver à lui arracher son arme. Ça donnera peut-être à Lukas le temps de réagir, de reprendre ses esprits. Mais le Ivan est plus rapide que moi et, d'une bourrade, il m'envoie valser au sol, aussi facilement que s'il avait débarrassé la table du jambon. Sans cesser de viser Lukas, il se rue sur lui, le saisit au col, l'oblige à se lever, le plaque contre le mur et fouille dans ses poches.

— *Du, SS!* clame-t-il soudain en brandissant quelque chose.

Je me relève en vacillant sur mes jambes, j'ai du sang sur le front. Un filet de sang qui dégouline sur mes yeux et m'empêche de voir ce que le Ivan, furieux, brandit dans sa main, celle qui ne tient pas le pistolet-mitrailleur.

Mais j'ai bien entendu que le «*Du, SS!*» qu'il vient de crier n'est plus une question. C'est une affirmation.

Ce jour-là, c'était le 2 mai 1945. Berlin venait de capituler, à 4 heures du matin. Dans le nord et le sud de l'Allemagne, les combats faisaient toujours rage, mais il n'y avait plus de tirs à Berlin.

À part un seul, un dernier, qui a retenti dans notre appartement.

Même si on avait parlé couramment russe, Ute, Manfred et moi, le Ivan aurait tiré.

Même si Lukas s'était décidé à répondre en polonais, même s'il avait retrouvé le texte d'une prière en hébreu, le Ivan aurait tiré.

Parce qu'il était bourré.

Parce que c'est comme ça, la guerre.

Parce que, de toute façon, personne n'a jamais, *jamais* voulu croire que Lukas était juif.

Parce que, en plus, il avait gardé sur lui, dans ses poches, au lieu de la brûler, la photo de la femme blonde et de son bébé (moi) posant avec le Führer.

Pourquoi ? Pourquoi Lukas l'a-t-il gardée, cette fichue photo ? Qu'est-ce qu'il comptait en faire ?

Je n'ai pas eu de chagrin après la mort de la femme blonde. Je n'ai pas eu de chagrin après la mort du Führer.

Mais après celle de Lukas, oui, j'en ai.

Maintenant, maintenant seulement, je me sens orphelin. Terriblement, foutrement ORPHELIN.

36

Le corbillard, une charrette à bras. Le linceul, un vieil imperméable que Frau Oberham a sorti de sa valise. Le cimetière, une parcelle de terrain dans le jardin d'une maison abandonnée.

C'est ainsi que nous enterrons Lukas. Comme autrefois les habitants de cette maison ont peut-être enterré leur chien, à la demande des enfants.

C'est permis. C'est courant. Dans la ville en ruine, si les vivants désertent leurs logements, il en va de même pour les morts. Ils ne prennent plus la direction du cimetière, mais celle des parcs publics ou des jardins privés. Quand ils ne pourrissent pas sous les décombres.

Armés de pelles que nous avons trouvées dans la rue – affûtées comme des couteaux, elles servaient d'armes aux Ivan dans les combats au corps à corps – nous avons creusé un trou. Il n'est pas très profond. La terre retournée, noire, contraste avec celle du jardin, couverte d'une poussière blanche. On pourrait presque croire que c'est de la neige, que nous sommes en décembre et non en mai. Les troncs d'arbres, poudrés de blanc eux aussi, sont criblés de balles, comme s'ils étaient grièvement blessés après les combats. Blessés mais debout. Alors que Lukas, lui, avec une balle, une seule, est tombé.

À cet instant précis, j'éprouve plus de colère que de chagrin. Pourquoi Lukas est-il mort ? Mort sur le coup ? Pourquoi n'a-t-il pas seulement été blessé ? Pourquoi n'est-il pas resté debout, comme les arbres, au lieu d'être étendu, inerte, à même la terre ?

Il n'a pas tenu sa promesse. Nous devions partir *tous les deux*, à la fin de la guerre, au Canada ou en Australie. Il me l'avait assuré, ce matin où nous fumions une cigarette dans la cour de l'immeuble. Or il est parti *seul*.

Il m'a abandonné.

Notre petit groupe fait cercle autour du trou béant. Herr Hauptman, les *Frauen* Betstein, Diesdorf et Evingen, Manfred, Ute et moi. Il faut maintenant mettre Lukas dans le trou. Herr Hauptman donne le signal en saisissant le corps par les épaules, tandis que Frau Oberham le saisit par les pieds.

Moi, je ne bouge pas. Je ne les aide pas, à l'inverse de Ute et Manfred qui se précipitent pour leur prêter main-forte. J'ai creusé. J'ai creusé avec vigueur, en m'imaginant que, à chaque fois que j'enfonçais la pelle affûtée dans la terre, je donnais un coup de poignard dans le ventre du meurtrier de Lukas. J'ai creusé avec vigueur, parce que ça me faisait du bien de me livrer à un exercice physique. Comme au temps de la *Napola*. L'exercice physique a chassé ma tristesse pour un bref moment.

Je ne veux pas toucher au cadavre de Lukas. Ce corps enveloppé à la va-vite, ficelé comme une momie à l'aide de la ceinture de l'imperméable, ce corps qui commence déjà à se raidir, ce n'est plus Lukas. Il y a une tache sur l'imperméable. Le sang qui s'est écoulé de la blessure. L'auréole sombre, d'un brun foncé, donne l'impression que le buste est perforé. Ça me fait penser à la cible sur laquelle nous lancions nos couteaux, à la *Napola*. Le Juif en carton que l'instructeur avait fabriqué et qui, à la fin de l'exercice, arborait un gros trou au niveau du cœur.

Ce corps, dans la terre, je ne le regarde pas. Je veux garder le souvenir de Lukas grand, fier, beau. Même si c'est ce qui l'a perdu.

Frau Oberham prononce un rapide éloge. Le défunt a fait preuve d'un grand courage. Il s'est sacrifié pour défendre Ute... Ensuite, Herr Hauptman récite une prière. Rapide elle aussi. Une prière catholique. (D'un commun accord, Ute, Manfred et moi avons décidé de ne pas révéler que Lukas était juif. Trop compliqué à expliquer. Quelle aurait été la réaction de nos «voisins de cave»? Auraient-ils consenti à nous donner un coup de main pour l'enterrement, s'ils avaient su que Lukas était juif? Pas sûr.)

Lukas a été tué en tant qu'Allemand, il est enterré en tant que tel. Décidément, le sort l'aura poursuivi jusqu'au bout. Il aurait sans doute préféré une prière en hébreu, mais quelle importance, après tout? Plus rien n'a d'importance, maintenant. Est-ce que les vers qui vont se nourrir de son cadavre vont faire la différence? Est-ce que ce sont des vers nazis qui ont pour ordre de ne dévorer que de la charogne aryenne et pas de la charogne juive? De toute façon, les vers nazis sont vaincus, *kaputt*, eux aussi.

Une pétarade interrompt brusquement le silence qui suit la prière. L'espace d'un instant, nous sommes paniqués, nous ne comprenons plus rien. Les tirs auraient-ils repris ? La guerre n'est donc pas finie ? Puis, levant le nez, nous constatons qu'il s'agit de fusées multicolores. Les Russes viennent de les tirer pour célébrer la victoire. Ça donne tout à coup un air de fête à l'enterrement. Un coup d'accélérateur aussi. Il faut en finir. Nous reprenons nos pelles, recouvrons de terre le corps de Lukas et quittons le jardin.

La fête va se poursuivre ailleurs. Avec un repas, un vrai, comme il est d'usage lors des enterrements en temps normal. Parce que, Frau Oberham l'entend la première, une rumeur circule dans les rues : les Russes entreraient dans les maisons pour y apporter de la nourriture. Des morceaux de viande qu'ils disent vouloir partager avec la population. Ils proposeraient même de trinquer avec eux à la paix.

Notre groupe, comme l'ensemble des Berlinois, ne résiste pas à l'appel du ventre. On y va. On y va sur la pointe des pieds, craignant encore quelques débordements, au cas où les Ivan fêteraient la victoire avec un peu trop de schnaps, mais on répond à leur invitation.

Moi y compris. J'ai faim. Alors je vais manger avec les assassins de Lukas.

C'est ça, la paix.

Dans les jours qui suivent, les nouvelles nous parviennent par le biais des journaux russes ou par les Russes eux-mêmes : tous les généraux ont été arrêtés en masse ; Mussolini, battu lui aussi, a été tué par les Italiens. Sur l'Elbe, les Russes ont retrouvé les Américains et ont fraternisé avec eux.

Va-et-vient incessant d'engins motorisés. Plus de charrettes ou de chevaux, de crottin sur le sol. Les Ivan s'en vont. Auparavant, ils ont bourré leurs camions d'oreillers et d'édredons pris dans les appartements afin de les rendre plus confortables. Ils vont céder la place à d'autres de leurs compatriotes, l'administration militaire.

Des feuilles polycopiées sont placardées un peu partout sur les portes des immeubles ou sur les murs. «Avis aux Allemands». Suit le texte de notre capitulation.

Les rues grouillent de rangées de soldats à n'en plus finir, assis ou couchés sur les bords des trottoirs, exténués après des journées de marche. On en découvre aussi d'autres, qui avaient été cachés et soignés par les femmes dans les abris. Ils remontent maintenant à la surface. Du moins ceux que les Ivan n'ont pas trouvés. Comme des rats qui flairent l'odeur de la nourriture. C'est étrange de voir Berlin peuplé d'hommes à nouveau. Certains d'entre eux courent, s'activent. Ils veulent se montrer énergiques, ils montent dans les appartements pour y chercher des armes. Pour quoi faire, les armes, maintenant? Pour défendre leurs femmes? Trop tard. De toute façon, ils ne trouvent rien, à part de vieux fusils hors d'usage.

Les Berlinois, peu à peu, regagnent leurs logements. Les femmes se remettent au ménage et à la cuisine. Modestement en ce qui concerne ce dernier point: les Russes vont mettre à disposition de la population de nouvelles rations de vivres, plus importantes, mais elles ne sont pas encore distribuées. En attendant, les femmes font de la couture. Elles fabriquent des drapeaux avec des bribes de tissu qu'elles récupèrent çà et là. Les drapeaux nazis, privés du motif noir et blanc de la croix gammée, deviennent des drapeaux russes ; ce sont les plus faciles à confectionner, au moins pour les couleurs. Mais il faut aussi s'atteler aux drapeaux américains, anglais et français. Dans les cours, le bruit des machines à coudre résonne, remplaçant celui des tirs.

Bien qu'elles soient encore confuses, les nouvelles annoncées à la radio disent que, dorénavant, les frontières de la Russie s'étendront jusqu'au Holstein, que les Anglais recevront le Rhin et la Rhénanie, les Américains, la Bavière. Les Français, eux aussi, devraient avoir leur part du gâteau, mais on ne sait pas encore laquelle. On dit que les Alliés ont déjà atterri par milliers à l'aéroport. Pour eux, tous les petits drapeaux que les femmes confectionnent et qui vont bientôt flotter aux fenêtres.

À l'image de l'Allemagne, Berlin sera aussi découpé en quatre. Des bruits courent comme quoi les quartiers sud seraient pour les Américains, les quartiers ouest pour les Anglais.

Je ne comprends rien à cette histoire de partage. Comment va-t-il se faire ? Que deviendront les habitants qui se situent aux zones frontalières ? On va les découper en morceaux ? La tête au nord, les jambes au sud ?

Je ne sais pas où aller. Je suis perdu sans Lukas. C'est lui qui prenait les décisions depuis notre départ de la *Napola*. C'est lui qui donnait les ordres. Ça me déplaisait, mais maintenant, ça me manque terriblement. Depuis que je suis né, j'obéis aux ordres, et voilà que plus personne ne m'en donne.

Nord? Sud? Est? Ouest? Comment choisir? En tirant à pile ou face? Lukas n'a pris aucune de ces directions. Il est allé *en bas*, sous la terre.

Et puis je me souviens que, ce fameux matin où nous fumions tous les deux dans la cour, il m'avait dit: «Il faut trouver les Américains.» Les Américains sont au sud, paraît-il.

Alors, direction, le sud.

Je marche.

Je marche.

Je suis parti sans dire au revoir à Manfred et à Ute. Ils sont retournés vivre avec Frau Betstein pour l'un, Frau Oberham pour l'autre, en attendant d'avoir des nouvelles de leurs parents. Pas envie de rester avec eux.

La seule chose dont j'ai envie, quand j'arrête de marcher, c'est dormir.

À cause du chagrin. Ça épuise, le chagrin. Bien plus que l'emploi du temps chargé auquel j'étais soumis à l'époque de Kalisch. Bien plus que les exercices sportifs ou l'entraînement paramilitaire de la *Napola*. Bien plus que la course de ces derniers mois, quand, avec Lukas, je m'activais pour trouver de la nourriture.

Je marche autant que mes forces me le permettent. Parfois on me prend en stop dans une Jeep ou bien je monte dans un train, un de ces trains bondés qu'on surnomme les «hamsters-express», parce que des centaines de personnes s'y accrochent. Ensuite, je dors. N'importe où.

Dehors, dans la carcasse d'un tram ou d'un char calciné. Ou bien dans une maison désertée que je choisis au hasard.

Je ne sais pas combien de temps je marche. Des jours. Des semaines. Des mois. Le temps est aboli.

Un soir, alors que j'entre dans un appartement, je constate qu'il n'est pas vide. La famille à qui il appartient s'y trouve encore. Sauf qu'elle est morte. Suicidée par poison. (Il y en a beaucoup à Berlin et dans les environs. Suicides collectifs par poison ou par pendaison.)

Les parents sont habillés avec soin. Le père porte son uniforme d'*Oberführer*, ceinturé, boutonné jusqu'en haut. La mère, une jolie robe en soie et d'élégantes chaussures noires vernies. Ils sont allongés sur leur lit, dans leur chambre, et se tiennent la main. Dans la chambre des enfants, un garçon qui doit avoir à peu près mon âge est allongé dans un premier lit. Bien habillé lui aussi : bermuda bleu marine, chemise vert olive et cravate. Dans le deuxième lit, une petite fille, plus jeune. Elle serre une peluche entre ses bras. En continuant ma visite, je découvre qu'il y a une troisième chambre, dont le lit est vide. Peut-être appartient-il à un frère plus âgé, mort sur le front ?... Moi aussi, mon grand frère est mort. Ça me fait un point commun avec le petit garçon et la petite fille.

Je suis orphelin maintenant. Il me faut une famille d'adoption. Celle-ci me convient bien. Non parce qu'elle est nazie, mais parce qu'elle n'est plus en mesure de m'imposer aucune règle. Et c'est exactement ce dont j'ai besoin.

Dans le lit vacant, de vrais draps, une couverture chaude et propre. Je m'y glisse en frissonnant de plaisir et m'y endors d'un sommeil profond.

Sans aucun cauchemar.

Je ne rêve même pas de Lukas. Rien. Le trou. Le gouffre, comme si j'étais sous la terre comme lui. Avec lui.

Quand je me réveille – je ne sais pas si c'est le lendemain ou deux jours après – je me dis : «Allez, debout ! Il faut continuer de marcher, il faut aller trouver les Américains ! » Mais la maison est si calme. Les enfants ne se sont pas levés, les parents non plus. Ça veut dire que la grasse matinée est permise. C'est tellement agréable, une grasse matinée. Depuis combien de temps n'en ai-je pas fait une ? Alors je me rendors.

Et je ne rouvre plus les yeux.

37

Un visage penché au-dessus de moi. Une femme. Cheveux courts, châtains, yeux bleu-gris. Pas jeune. Pas vieille non plus. Elle porte un uniforme blanc, jupe et chemise sur lesquelles elle a enfilé une sorte de gilet brun, sans manches, molletonné. Une petite coiffe, blanche également, est posée sur sa tête. Elle me fait penser à une *Braune Schwester*. Sans doute à cause de cet uniforme qui allie le blanc et le marron. À la différence près que les *Braune Schwester*, sur leur affreuse robe brune en forme de sac à patates, n'avaient qu'une collerette et des manchettes blanches. Là, c'est l'inverse, l'uniforme de la femme est davantage blanc que brun. Et elle est nettement moins moche qu'une *Braune Schwester*. Le sourire qu'elle m'adresse n'est ni feint ni grimaçant.

– Hé ! bonjour, toi ! Contente de t'accueillir parmi nous.

Elle parle anglais. J'ai compris ce qu'elle vient de dire. Nous avons eu des cours d'anglais à la *Napola*. Au début, quelques heures seulement, abandonnées par la suite. En revanche, comme elle continue, je perds le fil et ne saisis plus rien. Elle s'en rend compte et poursuit en allemand, changeant tout naturellement de langue, comme s'il lui avait suffi d'appuyer sur un bouton. Malgré un accent assez prononcé, son allemand est fluide.

– Tu as faim ? Tu veux manger quelque chose ?

Si j'ai faim ? Cette question, je l'aurais comprise dans n'importe quelle langue. Bien sûr que j'ai faim ! Il n'y a qu'à écouter les gargouillis de mon ventre – un langage universel. Je me redresse. La femme me donne alors de la soupe. Doucement, cuiller par cuiller. Elle me dit que je ne dois pas avaler de nourriture solide pour l'instant, je pourrais ne pas la supporter, car j'ai été sous-alimenté pendant trop longtemps. La soupe est bonne. Chaude, pas brûlante. C'est une soupe faite avec de vrais légumes. Je pourrais les énumérer avec précision : carottes, navets, poireaux, courgettes, haricots verts. Des légumes américains, probablement. Des légumes aussi goûteux ne peuvent pas pousser sur une terre pleine de poussière, comme l'est la nôtre à la suite des bombardements. Est-ce que ça signifie que je suis en Amérique ? J'aurais réussi à voyager jusque-là ?

Manger clarifie mes pensées. Ravive mes souvenirs. Je me souviens de mes longues marches, de l'appartement silencieux, de ses occupants morts. Du lit propre dans lequel je me suis endormi. Longtemps, longtemps, jusqu'à ce que j'entende soudain un bruit dans la maison silencieuse. Des pas. Des voix. On me soulève, on me tire du lit pour m'allonger sur un brancard. Valse de silhouettes penchées au-dessus de moi. En uniforme. Des soldats. Ni des Ivan ni des Allemands. Je n'arrive pas à reconnaître les insignes brodés sur leurs manches ou leurs cols. Ensuite, un voyage en train. Il y a d'autres enfants avec moi. Beaucoup.

L'enlèvement dans la maison. Des soldats. Un train bondé d'enfants. Et maintenant cette femme, en uniforme blanc et brun... J'ai été capturé par des *Braune Schwester* version américaine. Des... *Brown sisters*? Est-ce leur nom de code? Il y en a plusieurs dans la salle où je me trouve, toutes vêtues de la même façon, toutes en train de s'occuper d'enfants alités comme je le suis. Certains ont l'air très mal en point. Bien plus que moi.

– Pauvre petit! Quand on t'a trouvé, tu étais presque mort. Il s'en est fallu de peu.

La *Sister* s'arrête un instant pour m'essuyer la bouche – j'ai tendance à avaler goulûment et la soupe dégouline sur mon menton. Puis elle reprend:

– Tu t'appelles Glaser, c'est bien ça? Quel est ton prénom?

Glaser? D'où sort-elle ce nom?... Ah! j'ai compris! Ce doit être le nom de la famille, dans l'appartement. La *Sister* croit que les morts étaient mes parents, mes frères et sœurs. Je secoue vivement la tête pour lui signifier qu'elle se trompe. Je me sens plutôt bien – un peu mou, amorphe, mais je n'ai mal nulle part; cependant, je ne sais pas ce qui se passe, c'est comme si ma voix était cassée. Comme si les morceaux se trouvaient au fond de mon gosier et qu'il m'était impossible pour l'instant de les rassembler.

La *Sister* ne se formalise pas de mon silence. Au contraire, elle sourit davantage. Elle n'a vraiment pas l'air méchante, comme l'étaient les *Braune*

Schwester. Une *Braune Schwester* m'aurait déjà retourné deux baffes pour n'avoir pas répondu à ses questions. Elle me donne plusieurs autres cuillers de soupe, attend que j'aie fini de les avaler avant de poursuivre.

– Mon prénom, à moi, c'est Abigael, mais on m'appelle Abi, c'est plus simple. Tu as un surnom, toi aussi ?

Pas méchante, mais rusée. Elle essaie de me piéger. Si je lui dis mon surnom, je finirai bien par lui cracher mon prénom et mon nom de famille, le vrai.

Motus. Je me borne à manger.

– Tu n'as aucune raison d'avoir peur de dire que les Glaser étaient tes parents, reprend la Sister. Personne ne va te faire de mal. Même si ton père était un officier nazi, tu n'as rien à craindre. Les enfants ne paient pas pour les fautes de leurs parents.

Elle veut parler de la «dénazification». J'en ai entendu parler quand je marchais, quand je prenais indifféremment une voiture ou un hamster-express. Les forces d'occupation arrêtent les nazis un peu partout en Allemagne. Elles vérifient les activités politiques de tous les Allemands de plus de dix-huit ans.

Abi se trompe sur mon silence. Je n'ai pas peur de dire que mes parents étaient des nazis. (Et quels nazis !) Il n'empêche que ce n'étaient pas les Glaser.

– Moi, pas Glaser. Moi, Konrad von Kebnersol. Deux surnoms : Tête de Mort ou Max.

Ça y est, ma voix s'est décoincée. Les mots sont sortis sans que je le décide. En anglais, en plus.

Un anglais petit-nègre. Voilà que je parle comme le faisaient les enfants polonais, à Kalisch. Ce qui m'incite à penser que, après avoir été enlevé par des *Brown Sisters*, je dois être à présent dans un Kalisch américain.

Surprise par ce que je viens de dire, Abi recule. Et avec elle, le bol de soupe. Je le lui prends des mains. Je suis tout à fait capable de manger seul. Elle me regarde en fronçant légèrement les sourcils, elle a l'air de se demander si j'ai bien toute ma tête.

– Konrad von Kebnersol ? C'est ton nom ?

J'acquiesce.

– Et on te surnomme... Comment as-tu dit, déjà ?

Je répète.

– Bizarre ! Surtout le premier !... Pourquoi t'a-t-on surnommé ainsi ?

Je ne réponds pas. Il faudrait que j'explique que c'est Lukas qui a inventé ce surnom. Il faudrait que je parle de Lukas. Pas envie. Lukas est mort. *Kaputt*. Enterré à Berlin. Dans un jardin, comme un chien.

– Donc, les Glaser ne sont pas tes parents ? Mais dans ce cas, que faisais-tu chez eux ?

Pour prouver à Abi que j'ai vraiment toute ma tête, que je suis même très intelligent, il faut que j'abandonne l'anglais petit-nègre pour l'allemand.

– Si les Glaser avaient été mes parents, ils m'auraient empoisonné, comme le petit garçon et la petite fille dans la chambre. Je suis entré par hasard dans leur appartement. Juste pour dormir.

– D'accord, Max, d'accord.

Elle a choisi de m'appeler Max, pas Konrad.

Peut-être parce que c'est un prénom qui fait plus américain que Konrad?

– Si j'ai insisté, poursuit-elle, c'est parce que nous savons où se trouve le fils aîné des Glaser. Il est en vie, et au cas où il aurait été ton frère, nous aurions pu vous réunir, tous les deux...

Elle s'interrompt un court instant, pensant que je vais réagir, que je vais me trahir, sauter de joie en entendant parler de ce grand frère. Raté. Mon grand frère est mort.

– Bon, oublions les Glaser! tranche-t-elle enfin.

Pas trop tôt.

Elle me débarrasse du bol de soupe que j'ai fini et dont j'ai léché les bords avec une application gourmande, le pose sur la petite table de chevet, à côté du lit. J'aimerais bien qu'elle me donne autre chose à manger, j'ai encore faim.

– Tu es ici au couvent de Kloster Indersdorf. Moi et mes collègues (elle désigne les autres *Sisters* dans la salle), nous sommes infirmières et nous travaillons pour une organisation qui s'appelle l'«UNRRA», l'Administration des Nations unies pour les secours et la reconstruction. Plus simplement, nous nous occupons ici de tous les orphelins ou enfants non accompagnés. Nous les aidons à retrouver leur famille. Tu comprends?

Oui, je comprends. Mais ni elle ni ses collègues ne pourront rien faire pour moi. Moi, je n'ai *vraiment* pas de famille. Je n'en ai jamais eu, et ça, c'est elle qui ne peut pas le comprendre. Il faudrait que je le lui explique, mais je suis trop fatigué pour ça. Je ferme les yeux sans répondre. Ce qui est une réponse: «*Fiche-moi la paix!*»

Le message passe.

– Je vais te laisser te reposer maintenant, dit Abi, une pointe de déception dans la voix. Je reviendrai te voir plus tard.

Elle se lève, s'éloigne et, je le vérifie en entrouvrant les yeux discrètement, quitte la salle.

Je n'ai pas envie de dormir, à l'inverse des enfants qui m'entourent. Je crois que j'ai suffisamment dormi comme ça, dans l'appartement des Glaser, dans le train, ici.

Ici, ça ressemble trop à un dortoir. J'ai perdu l'habitude des dortoirs, je ne les supporte plus.

J'essaie de résumer les paroles d'Abi. Je suis au couvent de Kloster Indersdorf. Donc en Allemagne, en Bavière très exactement. Soit le secteur américain. Dans ce couvent, on s'occupe des orphelins. Kalisch aussi était un monastère désaffecté. À Kalisch aussi, on s'occupait des orphelins. « S'occuper des orphelins », c'était une expression codée qui signifiait qu'on les germanisait, puis qu'on leur trouvait une famille d'adoption. Abi m'a parlé en langage codé pour ne pas m'effrayer. Elle a omis de préciser qu'on va m'américaniser. D'ailleurs... *Max*. Ça y est ! On m'a déjà donné un prénom américain.

Abi a l'air gentille, mais finalement, je me demande si ce n'est pas une salope, comme l'étaient les *Braune Schwester*. Je me demande aussi si l'américanisation va être aussi rude que la germanisation à Kalisch.

Je n'ai aucune envie d'être américanisé.

Il faut que je me tire d'ici.

Je jette un coup d'œil à la porte. Pas d'*Aufseherin*.

(Je ne sais pas comment on dit «surveillante» en anglais.) Je me lève.

Avant de m'enfuir, je décide de visiter un peu les lieux, car je constate qu'on peut aller et venir librement dans les locaux. Aucune raison de me presser, donc. Et puis, où irais-je? Au moins, ici, il y a de la nourriture. J'ai intérêt à faire le plein avant mon départ.

J'entre dans une salle qui, elle, est vraiment un dortoir. Celle que je viens de quitter était une infirmerie. D'autres enfants. Pas malades, ceux-là. Juste affreusement maigres. Comme moi, d'ailleurs. Certains sont regroupés sur un lit et jouent à des jeux de cartes ou discutent. D'autres restent seuls, à l'écart, assis sur une chaise, ou allongés, les yeux fixés sur le plafond, ou debout, les yeux alors fixés au sol. Ils sont tous habillés de la même façon. Des vêtements gris avec un tablier blanc. On a dû les leur donner ici. Moi, j'ai encore mes vêtements. Ce qui m'indique que je ne dois pas être arrivé depuis longtemps. Les Sisters n'ont pas eu le temps de me changer.

Toujours pas d'*Aufseherin*. Les enfants ne sont apparemment pas contraints au silence. Au contraire, ils font beaucoup de bruit. En traversant la salle et en passant parmi eux, j'entends une multitude de langues, parmi lesquelles je reconnais le polonais, l'allemand, le russe, le français aussi, il me semble. Bien d'autres encore.

Je poursuis ma visite. Un grand réfectoire: des bancs alignés, des tables. Je chipe au passage une tablette de chocolat et une petite brique de lait, que j'avale en me cachant, accroupi dans un coin.

C'est bon. C'est délicieux. Je repasserai par ici avant de m'enfuir.

Je monte un étage. Sur le palier, une fenêtre par laquelle j'aperçois la cour du couvent. Deux camions sont en train de se garer. Lorsque les portes s'ouvrent, des enfants en descendent.

«Le pays va grouiller d'orphelins», m'avait dit Lukas. Il avait raison. Il avait dit aussi qu'il fallait trouver les Américains. Là, je ne suis pas sûr qu'il ait eu raison.

Une salle où je m'arrête. Net, sur le seuil. Des enfants, en rang, font la queue. Ils passent à tour de rôle devant un soldat qui les photographie. Ce soldat est...

NOIR.

Je n'ai jamais vu un Noir en chair et en os. Uniquement dans les films qu'on nous projetait à la *Napola*. Il s'agissait de nègres combattant dans l'armée française. Ils avaient l'air déguisés dans leurs uniformes crasseux et trop grands pour eux. On les voyait se prêter à un exercice de tir et c'était un vrai désastre. Le commentateur disait que les nègres ne savaient pas se servir d'armes, quelles qu'elles soient, et que, malgré cela, les Français les plaçaient en première ligne pour se protéger. Il précisait que c'était une des raisons pour lesquelles nous avions si rapidement vaincu la France. La fameuse *Blitzkrieg*.

Sauf que la guerre n'a pas été fulgurante du tout. *Six ans. Pas six mois.*

Sauf que les Français, maintenant, sont vainqueurs. Et les nègres aussi, donc.

Fasciné, je reste un long moment à observer le

soldat noir. Il n'a pas l'air déguisé. Il porte bien son uniforme. Il est grand, musclé, il a une démarche souple, un peu féline. Quand il sourit, on voit ses grandes dents blanches, bien alignées, et son sourire se reflète dans ses yeux. Il me fait penser à Jesse Owens, l'athlète noir qui avait remporté quatre médailles d'or aux jeux Olympiques de 1936. Je me demande s'il court aussi vite que lui. Si c'est le cas, j'ai intérêt à décaniller avant qu'il ne me repère. Je ne le battrai pas à la course.

Quand enfin je parviens à détacher mes yeux de lui, je découvre trois infirmières qui s'affairent dans la pièce. La première aide les enfants à s'asseoir bien en face de l'appareil photo, selon les consignes du soldat. Plus haut, le menton. Les yeux, pas baissés. On ne bouge pas pendant le flash. Elle prend soin d'ajuster la pancarte qui est attachée à leur cou par une ficelle, où sont inscrits leurs nom et prénom. La deuxième consulte un registre, la troisième, enfin, prend des notes sur un cahier.

Elles sont, elles aussi, *noires*, comme le photographe !

Il se passe quelque chose de louche dans cette salle. Malgré la vague de frayeur qui m'assaille, je tente de réfléchir. Vite. Vite ! Parce qu'après, il me faudra courir avec Jesse Owens sur les talons.

La conclusion de mes réflexions est la suivante : Abi m'a menti. Elle s'est bien gardée de me dire qu'avant de « s'occuper » des orphelins, on leur faisait passer *une sélection* ! Comme à Kalisch. Et à en juger par ceux qui orchestrent cette sélection, pour la réussir, il faut être noir. Ou, au moins, avoir la peau mate et les yeux foncés.

JE SUIS FICHU.

– Tu as réussi à te lever ?

Abi, qui vient de surgir dans mon dos. Je sursaute violemment.

– Ça va, ça ne tourne pas trop, la tête ?

– Pourquoi vous prenez les enfants en photo ? je lui demande sans faire cas de sa question. Vous les sélectionnez ? Qu'est-ce que vous faites de ceux qui ne conviennent pas à la sélection ? Vous les zigouillez ? Vous les envoyez en camp de concentration ? Vous allez me tuer ?

Elle me jette un regard effaré. Un regard qui signifie : « Il est complètement fou, ce pauvre gosse ! »

Mais non, je ne suis pas fou ! Au contraire, jamais je n'ai été plus lucide ! Il faut qu'Abi comprenne que je ne suis pas un enfant ordinaire. On ne peut pas me berner, moi !

– Une sé-lec-tion ? répète-t-elle enfin, détachant chaque syllabe du mot et l'accompagnant d'une mimique ahurie. Mais qu'est-ce que tu vas chercher ?... Écoute-moi bien, Max ! Ici, on ne sélectionne pas les enfants ! Ici, on ne tue personne ! Et il n'y a plus de camps de concentration !

Elle s'arrête un instant, le temps de laisser ses paroles faire leur chemin dans mon esprit. Mais le chemin est difficile. Je ne suis pas convaincu. Pas encore.

– Si on prend les enfants en photo, c'est parce que ça nous aide à retrouver leurs parents, ajoute-t-elle. Tu me crois ?

Je ne réponds pas. Je suis perdu. Soit Abi est sincère, soit c'est une comédienne hors pair. J'embrasse la salle d'un nouveau regard, le plus acéré possible. Pas d'instruments de mesure. Pas d'*Aufseherin*. Pas de soldats qui battent les enfants. Juste le grand Noir qui rigole à tout bout de champ. Et les enfants n'ont pas l'air d'avoir peur. Le seul qui tremble de frousse, c'est moi, et ça ne me ressemble pas. Il faut que je me ressaisisse.

— Oui, je te crois.

Un murmure, mais Abi m'a entendu.

— Bon, parfait. Tiens, puisque tu es là, on peut te prendre en photo tout de suite si tu veux, pourquoi pas ? Prends ta place dans la file d'attente, ça va aller vite.

— Non.

— Non ?

— NON.

Abi lève les yeux au ciel et pousse un soupir agacé. Je l'énerve. M'en fiche. Elle aussi, elle m'énerve avec ses idées fixes. Les Glaser tout à l'heure, et maintenant son histoire de photo.

— Tu ne veux pas qu'on te photographie ? Pourquoi ? Tu n'as pas envie de revoir tes parents ?

— Mes parents sont morts. Tous les deux.

— Tu en es sûr ?

— Oui. Ma mère a été tuée par un Ivan et mon père s'est suicidé.

— Mais tu as peut-être un frère ou une…

— Mon frère est mort, lui aussi. Tué par un Ivan.

— Alors il y a sans doute, quelque part, un oncle, une tante, un cousin qui voudrait avoir de tes nouvelles ?

Je secoue la tête négativement.

— Bon, écoute, la photo nous sera tout de

même utile, on ne sait jamais. Attends ton tour et fais-la ! Il n'y en a pas pour longtemps.

Comme elle fait mine de s'éloigner, je lance :

– J'ai la photo de mes parents.

Elle revient.

– Ah ! mais c'est très bien, ça ! Montre !

Je mets la main à la poche. À l'intérieur, la photo de la femme blonde posant avec le Führer. La photo que Lukas avait gardée, celle qui l'a tué. Je l'ai récupérée. Je ne m'en suis pas séparé. Parce que c'est le seul souvenir qui me reste de Lukas. Parce que je crois qu'il avait l'intention de la montrer aux Américains. Mais j'hésite à la donner à Abi. Je sens qu'elle ne va pas l'apprécier.

– Eh bien, qu'est-ce que tu attends ? Montre-la-moi ! insiste-t-elle en s'agenouillant près de moi.

Bon, elle l'aura voulu. Je sors la photo de ma poche.

Abi la prend, la regarde et elle a aussitôt un vif mouvement de recul qui lui fait perdre l'équilibre. Je la rattrape par la main pour l'empêcher de tomber, mais elle se dégage d'un geste nerveux, comme si elle ne supportait pas le contact de ma main.

Je savais bien qu'elle la détesterait, cette photo ! Je n'aurais jamais dû la lui montrer. J'aurais dû la détruire. Cette maudite photo va me tuer, comme elle a tué Lukas.

Mais j'entends bien me défendre, moi. Abi n'est qu'une femme. Elle n'est pas armée d'un pistolet-mitrailleur comme le Ivan qui a tué Lukas. Et puis la guerre est finie, non ?

– Tu m'as dit tout à l'heure que les enfants ne devaient pas payer pour les fautes de leurs parents.

Ma phrase fait son effet. Abi se ressaisit. Ses yeux n'étincellent plus de colère comme tout à l'heure, elle essaie de sourire. Elle n'y arrive pas vraiment, mais c'est en bonne voie.

– Viens un peu par là !

Elle m'entraîne dans une pièce mitoyenne, ferme la porte derrière moi, s'assoit à un petit bureau encombré de dossiers et me fait signe de prendre place en face d'elle, sur une chaise. Elle pose la photo sur le bureau, la regarde à nouveau – plus calmement, en évitant de s'attarder sur le Führer – et me demande :

– Pourquoi dis-tu que ce sont tes parents ?

– Parce que c'est vrai.

Comme ma réponse n'a pas l'air de la satisfaire, j'ajoute :

– Elle (je désigne du doigt la femme blonde), c'est la *Frau* qui s'est accouplée à un officier SS pour me faire, moi (je désigne le bébé) et me donner en cadeau à lui (je désigne cette fois le Führer).

Abi me regarde fixement. Ensuite, elle lève les yeux au ciel en pianotant nerveusement sur le bureau. L'instant d'après, elle ouvre la bouche pour commencer une phrase, mais renonce à dire quoi que ce soit.

– Max, reprend-elle enfin en s'efforçant de rester calme. On ne donne pas un bébé en cadeau. Qu'est-ce que tu essaies de me dire ? Qu'est-ce que cette photo signifie ? Que ta mère a eu l'occasion de rencontrer un jour Hitler ? Ensuite, elle t'a fait croire que c'était ton père ? C'était sans doute une façon de parler...

Je l'interromps d'un geste de la main.

À mon tour de lever les yeux au ciel et de soupirer.

Bon. Pour qu'Abi comprenne ce que je veux dire, il faut que je lui raconte mon histoire. En entier. Ça va être long. Je ne sais pas par où commencer...

Par le commencement, peut-être ? Je prends la photo, la retourne et pointe du doigt l'inscription Steinhöring.

– C'est là que je suis né. Steinhöring. C'est un foyer, près de Munich.

Et là, tout à coup, alors que je n'ai même pas entamé mon récit, Abi me coupe la parole.

– Steinhöring, tu dis ?

– Oui.

– Attends une minute !

Elle fouille dans les dossiers posés sur le bureau, en tire un, l'ouvre, en extrait une feuille dont elle lit rapidement le contenu après avoir chaussé des lunettes.

Je la trouve moche, avec ses lunettes qui lui font de gros yeux de mouche.

– Nos soldats étaient à Steinhöring en avril, dit-elle sans vraiment s'adresser à moi. (Elle a plutôt l'air de réfléchir à haute voix tout en continuant sa lecture.) Ils y ont trouvé trois cents bébés. *Trois cents !* Livrés à eux-mêmes dans les locaux bombardés. Les petits étaient dans un état épouvantable. Nos soldats n'ont trouvé aucun papier, absolument rien pour les identifier et...

Je lui prends la feuille des mains. Il faudrait qu'elle arrête enfin de jacasser et qu'elle me laisse parler.

– Je sais qui sont ces bébés. Je sais *comment*

ils ont été fabriqués. Je sais *qui* les a fabriqués, *qui* a demandé qu'on les fabrique, *qui* les a triés pour ne garder que les plus réussis. Je sais où vos soldats peuvent en trouver d'autres. Je sais tout. J'ai été le premier de ces bébés.

Abi ne cherche pas à récupérer la feuille que je lui ai subtilisée. Elle retire ses lunettes. Elle n'a plus ses gros yeux de mouche, mais une tension crispe ses traits. Constatant que, cette fois, elle est vraiment prête à m'écouter, je prends ma respiration.

Et j'y vais.

Je suis né le 20 avril 1936. Le jour anniversaire de notre Führer...

38

Quand j'ai terminé mon récit, il fait nuit. La petite pièce est plongée dans l'obscurité.

Abi n'a pas eu le réflexe d'allumer la lumière de la lampe posée sur le bureau. Elle n'a pas fait un seul geste, tout le temps qu'a duré mon récit. On aurait dit une statue.

Elle se décide, maintenant seulement, à allumer. D'un geste lent et fatigué. Comme si la lampe était trop loin d'elle, alors qu'elle ne se trouve qu'à quelques centimètres. Le paysage derrière la fenêtre – juste un bout de ciel qui, de bleu, est passé au gris, puis au noir – disparaît pour refléter l'intérieur de la pièce. Notamment mon visage. Je le vois aussi nettement que dans un miroir.

Ça fait longtemps que je ne me suis pas regardé dans un miroir. Je vérifie que je suis toujours aussi blond. Que j'ai les yeux toujours aussi bleus. Rien n'a changé.

Si, un détail : je pleure.

Pour la première fois, je pleure. Est-ce que ça signifie que je suis devenu un enfant comme les autres ?

Lukas avait pleuré lui aussi, le jour où, à l'infirmerie de Kalisch, je lui avais raconté mon histoire. La première partie, celle que j'avais vécue avant de le connaître. Ce jour-là, il m'avait dit : « Il faudra qu'on témoigne, tous les deux. Moi, pour ce qu'ils font aux Polonais et aux Juifs ; toi, pour ce qu'ils t'ont fait. »

J'ai tenu ma promesse.

Je n'avais pas compris pourquoi Lukas avait pleuré en écoutant mon histoire. Je n'avais pas non plus compris la signification du mot « témoigner ».

Maintenant, si. Normal. J'ai grandi. J'ai neuf ans et demi.

Et je crois bien qu'en temps de guerre, pour un enfant, les années comptent double.

Note de l'auteur

Ce roman s'inspire de faits réels :

Le programme «*Lebensborn*», initié par Heinrich Himmler et mis en place dès 1933 en Allemagne, puis dans les années 1940-1941 dans les pays occupés. On estime à environ huit mille le nombre d'enfants nés dans les foyers du *Lebensborn* en Allemagne, entre huit mille et douze mille en Norvège, quelques centaines en Autriche, en Belgique et en France.

L'enlèvement et la germanisation d'enfants polonais. (Des enfants ukrainiens ou issus des pays Baltes furent également concernés. On estime que le nombre d'enfants arrachés à leurs familles s'éleva à plus de deux cent mille.)

Le travail de l'UNRRA (United Nations Relief and Rehabilitation Administration) qui, avec d'autres organismes d'aide aux personnes déplacées, mit tout en œuvre pour qu'une partie de ces enfants puissent retrouver leur famille après la guerre.

Toutefois, mon héros, Konrad, n'a pris modèle sur aucun personnage existant. Je l'ai inventé de toutes pièces. Lukas, lui, trouve un équivalent dans la réalité historique en la personne de Salomon Perel. En 1941, celui-ci était un adolescent juif qui, par miracle, réussit à se faire passer pour un Aryen. Il s'est battu sur le front de l'Est, pendant un an, dans une unité allemande, puis a intégré un collège d'élite des Jeunesses hitlériennes. À l'inverse de Lukas, il a survécu.

Plusieurs personnages – certains sont simplement cités, d'autres jouent un rôle plus important dans mon intrigue – ont réellement existé :

Max Sollmann, directeur administratif du *Lebensborn*.

Gregor Ebner, médecin général SS, qui non seulement dirigea plusieurs maternités du *Lebensborn*, mais supervisa aussi la sélection et la germanisation de milliers d'enfants kidnappés.

Johanna Sander, directrice du foyer de Kalisch.

Les «*Braune Schwester*», Les «Sœurs brunes», qui orchestrèrent les kidnappings d'enfants.

Herr Tesch, Frau Viermetz, Frau Müller (NSV), Karl Brandt (médecin personnel de Hitler), sa femme, Anni Rehborn.

En 1947-1948, Sollmann, Ebner et leurs complices ont été jugés à Nuremberg, mais le tribunal allié n'a pas retenu le «caractère criminel» du *Lebensborn*. Ils furent libérés à l'issue du procès.

Je tiens à saluer tout particulièrement le remarquable livre de Marc Hillel : *Au nom de la race*, (Fayard, 1975), qui m'a fourni la matière indispensable pour l'écriture de mon roman. L'ouvrage de Marc Hillel est, je crois, le seul qui regroupe toutes les informations concernant le *Lebensborn*.

Une femme à Berlin, journal (auteur anonyme, Éditions Gallimard, coll. Folio, 2006) a également été une grande source d'inspiration pour décrire les aventures de mes deux héros dans le Berlin en ruine de la fin de la guerre.

Voici les autres livres qui ont été pour moi de précieuses sources :

Napola, les écoles d'élite du Troisième Reich, Herma Bouvier, Claude Geraud, L'Harmattan, 2009.

La Chute de Berlin, Antony Beevor, Éditions de Fallois, 2002.

Les Fiancées du Führer, Will Berthold, Presses de la Cité, 1961.

Europa, Europa, Sally Perel, Ramsay, 1990.

Les Enfants de Vienne, Robert Neumann, Éditions Liana Levi, 2009.

Le Roi des Aulnes, Michel Tournier, Gallimard, coll. Folio, 1970.

Je devrais ajouter à cette liste de très nombreux sites Internet que j'ai consultés et dont je n'ai malheureusement pas pu noter les références au fil de mes « visites ».

Merci à Zosia Orlicka pour les traductions en polonais.

Je remercie enfin Thierry Lefèvre, très chaleureusement. Il y a quelques années, c'est lui qui m'a suggéré d'écrire ce roman, et il a accompagné mon travail par ses encouragements constants.

SARAH COHEN-SCALI est née en 1958. Après des études de lettres, de philosophie et d'art dramatique, elle s'est finalement consacrée à la littérature.
Elle a écrit une quarantaine de romans et nouvelles, son domaine de prédilection étant le roman noir.
Sarah vit à Paris avec sa famille. Elle a notamment publié, ces dernières années :

GUEULE DE LOUP, Éditions Hachette
LES DENTS DE LA NUIT, anthologie, Éditions Hachette
MAUVAIS DÉLIRES, Éditions Flammarion
MAUVAIS SANGS, Éditions Flammarion
VUE SUR CRIME, Éditions Flammarion
CONNEXIONS DANGEREUSES, Éditions Flammarion
DISPARUS, Éditions Grasset
CRÉATURE CONTRE CRÉATEUR, Éditions Nathan
TU TE MARIES ET MOI J'AIME, Éditions Rageot
COLLAPSUS, Éditions Rageot
ARTHUR RIMBAUD, LE VOLEUR DE FEU,
Éditions Hachette
LES DOIGTS BLANCS, Éditions du Seuil

Maquette : Françoise Pham
Photo de l'auteur © DR

ISBN : 978-2-07-066595-2
Loi n° 49-956 du 16 juillet 1949
sur les publications destinées à la jeunesse
Dépôt légal : avril 2015
N° d'édition : 280601 – N° d'impresssion : 195xxx
Imprimé en France par Maury Imprimeur - 45330 Malesherbes